실행연구
이론과 방법

실행연구
이론과 방법

박창민 · 조재성 지음

아카데미프레스

서문

교육계에서는 최근 '학교 혁신'의 바람이 거세게 불고 있다. 그리고 이러한 학교 혁신의 바람 속에서 강조되고 있는 것은 바로 전문가로서의 교사 공동체이다. 이러한 흐름에서 한 가지 의문이 드는 점은 '그렇다면 그 동안은 전문가로서의 교사 공동체가 아니었단 말인가?' 학자에 따라, 그리고 학교 혁신을 바라보는 이들의 관점에 따라 다양한 해석이 있을 수 있지만, 저자의 경우에는 최근 교육과정 변화의 맥락 속에서 이러한 '전문가적 교사 공동체'가 강조되는 이유는 바로 관료주의적이고 행정중심적인 교육의 정책이 차츰 실제 교육이 일어나는 현장에서의 학생과 교사 중심의 정책으로 바뀌어야 한다는 의미로 다가온다. 다시 말해 일반화시킬 수 없지만, 그 동안의 교사 공동체가 정부나 중앙 기관에 의해서 주어지는 교육과정을 수동적으로 적용하는 데 익숙해져 있다는 것은 부인할 수 없는 현실인 것이다. 그런데, 이러한 교육 방향은 갈수록 다양화, 개별화되고 있는 교육 현장의 실제적인 수요와 필요를 제대로 충족시키지 못한다는 점에서 문제점이 발생하고 있다. 좁은 사례에서의 예시를 들어 보면, 학생들이 교과서나 교육과정에서 배우는 내용이 현실에 맞지 않는 경우도 많고, 실제적으로 해당 교실의 필요에 맞는 교육이 제대로 구현되기 어렵다는 지적 역시 많아지고 있다. 이는 곧 일부 학자들 혹은 교사들에 의해 만들어진 이론이 실제 현장에서의 실천(실행)과 괴리가 있다는 점을 잘 드러낸다고 할 수 있다.

이러한 측면에서 미국과 영국을 중심으로 이미 하나의 확고한 방법론으로 자리 잡고 있는 실행연구가 오늘날의 교육 현실에 던지는 시사점은 크다. 실행연구는 행동과 과학의 관계에 대한 첨예한 철학적·개념적 이슈들을 제기하면서 대두된 방법론의 하나이다. 일반적으로 행동과 과학은 서양 중심의 철학적 개념으로, 서로 결합되기보다는 비교되는 경우가 더 많은 개념인데, 실행연구에서는 이러한 행동과 과학을 따로 구분하기보다는 통합적인 관점에서 다루어야 한다고 주장한다. 비슷한 맥락에서 실행연구의 관심은 이론과 실천, 사고와 행동, 과학과 상식을 구별하는 것을 지양한다. 미국 교육에서 실행연구가 어떻게 확산되었는지에 대한 사례를 살펴보면, 러시아에서 쏘아올린 인류 최초의 인공위성인 스푸트니크 충격 이후 미국에서는 국가가 중심이 되어 교육의 방향을 이끌어 가는 상의하달(Top-down) 방식의 정책이 주로 수행되었다. 즉, 교육의 효과성과 효율성을 높이기 위해서는 엄격한 기준을 통과한 교육이 현장에서 일률적으로 이루어지는 것이 좋다고 여겨졌던 것이다. 2001년의 낙오학생방지법(NCLB, No Child Left Behind)이 대표적이지만 이러한 시도는 결과적으로 실패했다. 그리고 이러한 실패의 원인으로 많은 학자들이 현장의 목소리와 특수성을 제대로 반영하지 못하는 상의하달 방식은 교육의 변화에 실질적인 영향을 미치지 못한다고 지적한다. 이후부터의 미국의 교육 정책은 철저한 하의상달(Bottom-up) 방식을 추구하게 된다. 즉, 실천(행동)이 분리된 이론(과학)의 한계점을 직시한 것이다. 이러한 사회적 변화 속에서 실행과학은 이런 개념들 간의 단절을 극복하는 데 중요한 역할을 담당할 수 있다는 점에서 더욱 많은 관심을 받게 되었다.

살펴본 바와 같이 실행연구는 실천적 지식을 생성해서 현실을 개선시키고자 하는 다양한 분야 및 영역에서 활용될 수 있는 강력한 힘이 있다. 연구자가 실천적 지식을 갖추게 되거나 혹은 실천적 지식을 탐구하는 과정을 통해, 연구자 본인의 내면 혹은 실천에 대해 스스로 성찰하는 것이 가능하게 되고, 이것은 더욱 나은 실천을 도모할 수 있는 기초가 되기 때문이다. 그렇기 때문에 실천적 지식의 개발을 위해서는 연구자가 자신의 삶과 연구 과정에 대하여 반성적으로 사유하고 성찰하는 것이 굉장히 중요하다. 이러한 맥락에서 실행연구에서는 연구자가 하나의 연구 대상이 될 수도 있다. 비슷한 맥락에서 Argyris와 Schon(1978)은 연구자 본인의 실천을 실행연구의 출발점으로 삼는다. 연구 과정을 통해 기존의 이론들과 우리의 실천을 연결하고 또 우리의 실천을 되짚어 보도록 요구하는 것이다. Dewey(1929) 역시 과학적 방법과 사회적 실천 모두의 모델이었던 탐구 이론을 소개하는데, 그는 실험적 탐구를 사회적 실천으로 확장하면 과학과 실천이 통합될 것으로 기대했다. 과학에 있어서의 실험은 행동에 있어서의 개념들을 검증하는 인간의 특별한 사례일 뿐이라는 점이 바로 실용주의적 인식론의 핵심이다. Lewin(1931) 역시 과학과 실천의 통합을 추구하면서, 실행연구의 확산에 큰 역할을 했는데, 그에 이르러서야 복잡한 사회현상을 실험적으로 연구할 수 있다는 인식이 대중화되기 시작했다. 그는 1930년대에 편견의 문제 개선에 관심을 갖기 시작하면서 거의 모든 조직 개발에 대한 노력의 구심점이 되고 있는 실행과학이라는 방안을 개발했다.

실행연구에 대한 관심은 국외뿐 아니라 국내에서도 꽤나 뜨겁다. 교육학 분야뿐만 아니라 간호학 및 의료 분야, 상담학, 행정학, 경영학 등 현장의 개선을 추구하는 다양한 분야에서 실행연구라는 이름으로 다양한 연구들이 수행되고 있다. 이러한 연구뿐 아니라 관련된 수많은 실행연구물들도 쏟아져 나오고 있으며, 실행연구를 우리에게 익숙하게끔 하는 저서들도 많이 출간되고 있는 실정이다. 이러한 현실은 실행연구에 대한 우리의 두려움을 약간이나마 해소시켜 준다. 그러나 여전히 많은 연구자들은 실행연구가 과연 무엇인지, 그리고 어떻게 실행연구를 수행해야 하는지에 대해 혼란스러워하고 있다. 다양한 원인이 있겠지만, 무엇보다도 우리나라의 실정에 맞추어 실행연구를 어떻게 수행해야 할지를 안내해 주는 자료들이 부족하다는 것이다. '실행연구'라는 이름이 포함된 학술서의 경우 서너 편에 불과한데, 이들 모두 외국 학자의 저서를 번역한 자료라는 사실이 이러한 현실을 잘 반영하고 있다고 볼 수 있다. 또한 실행연구가 무엇인지를 체계적으로 소개하는 자료 역시 부족하다. 물론, 실행연구의 개념이 무엇인지, 그리고 실행연구의 과정이나 특징 등을 안내한 논문들이 있지만, 주로 특정 관점에 따라 부분적으로 기술한 내용들이 대부분이라 이들 내용들을 종합적이고 체계적으로 안내하는 자료는 전무한 실정이다. 예를 들어, 실행연구 유형에는 기술적, 참여적, 비판적 패러다임에 기반한 다양한 형태가 있는데, 국내 실행연구물의 대부분은 기술적 유형에 치우쳐 있다. 이는 실행연구의 특성이 명확하게 구별되지 못한 채로 현장에 소개되고 도입된 탓이 크다.

이상의 현실에서 다양한 패러다임의 영향을 받고 있는 실행연구에 대해 역사적, 개념적 맥락에서 탐색을 시도하는 과정은 매우 의미 있다고 여겨진다. 이러한 첫걸음으로서 이 책에서는 실행연구가 이러한 실제와 이론 사이의 간극을 어떻게 좁힐 것인가에 대한 실천적 관심에 우선해서 과연 실행연구에서 주목하는 '실행'이란 무엇이고 이러한 실행에 대한 탐색을 어떻게 '연구'해야 할 것인지에 대한 이론적 접근을 충실히 하고자 했다. 그리고 이러한 간극을 좁히기 위한 시도로서 '실천적 성찰'을 어떻게 인식하고 다루어야 할 것인지를 말하고자 했다. 이러한 과정은 실행연구의 대상이 무엇이고, 이들 대상을 어떻게 탐색해야 하는지에 대한 인식론적이고 존재론적인 탐색을 위한 장이 될 것이다. 또한 방법론적 측면에서 풍부한 실제 사례의 제시 및 체계적 접근으로 실행연구에 처음 입문하는 연구자들 혹은 실행연구를 수행하고자 하는 다양한 분야의 연구자들이 손쉽게 활용할 수 있기를 기대한다.

박창민·조재성

차례

실행연구의 기원

　　　　1장에서는 실행연구란 무엇인지에 대해 탐구하는 첫 번째 단계로서 실행연구를 이해하는 데 바탕이 되는 여러 지식들에 대한 탐색을 먼저 시도하고자 한다. 이를 위해 먼저, 실행연구의 이론적 기원이라고 할 수 있는 Action Science(이하 실행과학)란 무엇인지에 대해 개괄적으로 살펴보고자 한다. 이후, 실행과학에서 관심을 가져온 'Action(이하 실행)'과 'Research(이하 연구)'라는 용어의 의미를 각각 심층적으로 살펴보고자 한다. 즉, 실행연구에서 초점을 맞추는 '실행'이란 무엇인지 알아보고 더불어 이러한 실행을 탐구하기 위한 방법으로서의 연구란 어떤 의미를 내포하고 있는지도 살펴볼 것이다. 주의할 점으로는 이들 용어를 흔히 일상생활에서 사용되는 의미로 받아들여서는 안 된다는 것이다. 본 저서에서 다루고자 하는 실행과 연구의 의미는 상당히 학술적이고 범위가 정해져 있다. 특히 action은 이 책에서는 실행으로 번역하지만, 실행연구에서는 실행과 실천으로 혼용하여 사용됨을 알아두도록 하자. action이 research와

함께 사용될 때는 실행으로 해석되나 단독으로 사용될 때는 실천이라는 뜻을
가지게 된다.

1. Action Science

본 절에서는 Action Science(이하 실행과학)이란 무엇인지에 대해서 알아보도
록 하겠다. 인간이 다른 사람들과의 관계 속에서 어떻게 자신의 실행을 설계하
고 구현하는지에 관심을 가지면서 대두된 것이 바로 실행과학인데, 실행과학은
단순히 행위자의 실행뿐 아니라 가족 및 조직 구성원들의 실행을 포함하는 광범
위한 실천에 대해 과학적인 방법으로의 접근을 시도한 방법론이다. 그리고 이의
영향으로 실행연구 역시 발전할 수 있었던 것이다. 때문에 실행연구에 대한 이론
적 기반으로써 실행과학에 대해 살펴보는 것도 의미 있는 일이 될 것이다.

1) 실행과학의 개념

> 일정 지식 층위의 한계를 넘어서서 진행하기 위해서는 일반적으로 연구자들은 이
> 후에 다음 주요 진보에 기본적이라고 증명되는 방법 또는 개념들을 "비과학적" 또
> 는 "비논리적"이라고 비난하는 방법론적 터부들을 깨부수어야 한다.
>
> — Kurt Lewin(1946)

앞서도 같은 말을 남긴 Lewin은 실행연구란 용어를 최초로 사용한 학자로
유명하지만 한편으로 실행과학의 입지를 다진 인물이기도 하다. 그만큼 실행연
구과 실행과학은 밀접한 관련성을 가지는데, 실행과학이란 인간이 다른 사람들
과의 관계 속에서 어떻게 자신의 실행을 설계하고 구현하는지에 관한 탐구를 말
한다. 더불어 단순히 행위자의 실행뿐 아니라 가족 및 조직 구성원들의 실행을
포함하는 광범위한 실천에 대한 과학이기도 하다(Argyris, Putnam, & Smith,

1985). 물론 앞서 용어의 철학적인 개념을 분석하는 과정에서 실행(실제)과 과학(이론)이란 용어가 서로 결합되기보다는 비교되는 경우가 더 많다는 것을 알 수 있었다. 이러한 모순적인 용어들이 결합된 실행과학은 실행과 과학이라는 개념들의 단절을 이어 주는 중요한 역할을 하는 개념이라고 할 수 있다. 실행과학을 설명하는 과정에서는 실행과 과학이 어떻게 통합적으로 수행될 수 있을지에 대한 많은 정보를 제공한다. 이를 통해 실행연구가 가지는 방법론적 입장을 탐색하는 기회가 된다.

실행과학이 무엇을 의미하는지를 개략적으로 살펴보았는데, Argyris와 그의 동료들(1985)이 실행과학의 성격에 대해 정리하고 있는 다음의 내용은 실행과학을 이해하는 데 또 다른 도움을 준다. 그들에 따르면 실행과학의 성격은 다음과 같은 세 가지로 구분되는데 첫째, 실행과학은 인간의 행위 혹은 실행에 대한 해석을 통해 또 다른 행위를 이끌어내는 데 관심을 가진다. 전통적으로 과학적 이론이란 사건 사이의 규칙성을 설명 및 예측하는 데 목적을 둔다. 그리고 의미에 대한 해석이 사건들 간의 관계를 규정하는 규칙성으로 환원되기 때문에 실행과학은 이 형식을 취하는 것이 적절하지 않다는 것이다(Argyris, Putnam, & Smith, 1985). 그렇기 때문에 그들은 실행과학은 일상생활에서 특정한 실행의 의미를 탐구하고 그에 따라 또 다른 행위를 이끌어낼 수 있도록 하는 데 관심을 가진다는 것이다.

둘째, 실행과학은 응용과학의 특성을 지닌다. 여기에서 의미하는 '응용'이란 단순히 특정하게 생성된 지식 혹은 이론을 그대로 다른 곳에 적용한다는 의미와는 사뭇 다르다. 일반적으로 응용과학이란 기초과학이나 순수과학과 대비되는 의미를 가진 용어로 여겨지는데, 이러한 관점에서 기초과학자의 역할은 일반화된 지식을 생성하는 것이고, 응용과학자는 이러한 지식을 바탕으로 실천으로 옮기는 데 기여해야 한다는 것이다. 그런데 이러한 분업은 결국 이론과 실천의 분리를 강화함으로써, 결국 이론이 실제를 전혀 반영하지 못하기에 제대로 활용되지도 못하는 현상을 심화시키게 된다. 실행과학은 이러한 현상을 비판하며 오히려 실천을 통해 관련 지식 및 이론들을 생성하고, 이러한 것들이 다시 이론의 정립에 영향을 주도록 구조를 만드는 데 초점을 맞추게 된다. 이러한 점에서 실행과학에서는 응용과학의 개념을 재정립되게 되는데, 결국 실행과학에서 말하는 응용과학적 특성이란 전통적으로 이론적 또는 과학적 지식으로 불리는 개념들과 대비되는 실제적인 앎의 형식으로서의 실천적 지식에 대해 관심을 가진다는 것이다.

셋째, 실행과학에서는 개인들의 행위에 영향을 미치는 여러 규범적 요인들에 대해 탐색하여 현재 상황을 변화 혹은 개선하는 데 도움을 준다. 소위 전통적이고 주류적 입장으로 불린 과학자들의 입장에서는 규범적 요인들, 예를 들어 그 행위의 목적이 바람직한지 혹은 그 행동으로 인한 결과가 어떠한지와 같은 내용들은 그 과학적 정당성에 대한 논란들이 있을 수 있다고 판단하여 연구의 대상에서 제외한다. 하지만, 실행과학자들은 연구의 규범적 성격을 지지한다. 즉, 경험 이론과 규범 이론의 분리는 이론과 실천의 분리와 연관되어 있다는 것이 실행과학의 관점인 것이다(Argyris, Putnam, & Smith, 1985). 다시 말해 실행과학에서는 주류적 과학자들의 입장과는 달리 실천가들이 중요하게 다루는 규범적 가치가 과학의 가치와 엄격히 구분될 수 없다는 입장을 지지한다. 그렇기 때문에 실행과학을 주창하는 연구자들은 종래의 연구자들이 실제를 개선해 보려는 의도를 가지면서도 결국 당위성이나 가치관에 의해서만 특정 행위 혹은 실행을 설명하는 관습을 거부한다. 즉 개인 간, 개인과 환경, 그리고 조직 내 변인들 간의 관계나 역동성에 관심을 가지면서, 조직과 인간의 조화를 시도하고자 했던 것이다. 이처럼 실행과학은 어떻게 인간이 다른 사람과 관련하여 행동을 설계하고 구현하는지에 관해 탐구한다. 이러한 특성 때문에 실행과학은 교육학뿐 아니라 행정학, 심리학, 사회학 등 다양한 학문 분야에서 활용되고 있다.

이상에서 실행과학이란 전통적 주류 과학과 대비되는 입장에서 행위에 대한 과학적 연구의 특성을 드러내고 있는데, 이와 관련해서 조금 더 살펴볼 내용은 사회적 실천의 커뮤니티에 대한 내용이다. 여기서의 사회적 실천의 커뮤니티는 전통적인 과학 커뮤니티와 대비되는 개념이다. 전통적인 주류 과학자들로 구성된 과학 커뮤니티에서는 지식에 대한 주장을 정당화할 수 있는 탐구의 법칙의 발견과 규범을 재현하는 것에 관심을 가진다. 그렇지만 사회적 실천의 커뮤니티는 그와 같은 주장을 정당화하는 일에도 관심을 가진다(Argyris, Putnam, & Smith, 1985). 예를 들어, 과학 커뮤니티에서는 "그 사례는 무엇인가?"와 같은 유형의 질문들에 관심을 갖지만, 사회적 실천의 커뮤니티에서는 "무엇을 해야 할 것인가?"와 같은 실천적이며 가치 지향적인 질문들을 추구한다. 이는 앞서 언급했던 실천가들의 규범적 가치를 존중한다는 실행과학의 특성과도 일치한다. 아울러, 사회적 실천 커뮤니티에서는 이러한 실천적 관심을 추구하는 과정에서 지식에 도전하고 나름의 주장을 펼치고 이를 정당화하기 위해 노력한다. 그렇게 함으로써, 그들은 타당한 정보 및 효과적 행위를 생성하는 데 적합한 탐구의 법칙 및 규범을 재현하게 되는 것이다(Argyris, Putnam, & Smith, 1985). 그렇기 때문에 실행과학의 실천에는 주어진 문제와 관련하여 습관적으로 재현하는 탐구의 법칙 및 규범에 대한 반성을 중시하고, 이러한 과정이 공적인 성찰이 될 수 있도록 커뮤니티의 구성원들이 함께 참여하도록 독려한다. 다시 말해 실행과학은 지식의 주장에 대한 공적 검정 및 잠재적 반증을 위한 조건들을 고려함으로써 타당한 정보 및 일관성에 대한 실천가들의 선호를 중요하게 다룬다는 것이다(Argyris, Putnam, & Smith, 1985).

이상에서 살펴본 실행과학이란 무엇이고 어떠한 성격을 지니는지를 다음과 같이 정리할 수 있다(Argyris, Putnam, & Smith, 1985). 첫째, 실행과학이란 사회적 실제에서 연구의 공동체를 제정하려는 의도가 있다고 했다. 신뢰할 수 있는 믿음의 개념과 규칙에 따르면 과학적인 연구 과정에서 실행과학은 윤리를 실제적인 심의로 확장한다는 것이다. 둘째, 전통적 과학이 주로 원인에 대한 지식을 지향하며 기술적 적용은 그 다음으로 생각하는 반면, 실행과학에서는 행위를 돕는 지식을 지향한다는 것이다. 그리고 이러한 과정은 반성적 탐구를 통해 분명하게 되는 암시적 지식의 영역으로서 실천적 지식을 추구하는 실천적 인식론으로 연계된다는 것이다. 셋째, 실행과학은 불완전하며 상황의 요구로 채워질 수 있는 지식을 만들어 내는 데 기여한다는 것이다. 이론적 구조들은 쉽게 간단히 사용하기에 적합하지만, 특정 상황과 관련된 모든 특정들을 납득할 만하게 설명할 수 있는 것은 아니다. 때문에 이론적 구조들 역시 구체적인 상황에서 다루는 것이 적합하다. 즉, 실행과학은 우연에서 일어나는 규칙보다 행위의 의미와 논리에 초점을 둔다는 것이다. 넷째, 실행과학에서 지식 탐구는 공적인 탐구, 즉 자료에 의한 상호주관적 동의와 타당한 해석에 달려 있다는 것이다. 다시 말해 적절한 규칙과 규범을 따르는 한 전통적 과학에서 주장하는 지식의 영역은 연구의 공동체를 통해 생성되지만, 타당한 정보와 정련된 선택 그리고 내면적인 가치를 위해 규범을 정하는 것에 있어서 실행과학에서의 지식은 경험의 공동체적 성격을 지닌다는 것이다. 다섯째, 실행과학은 현재 상태에 대한 대안을 만들며 가치와 규범 수준에서 학습을 증진하게 한다는 것이다. 실행과학에서는 실행에 관여하는 인식을 정당화시키는 데 결정적인 영향을 미치는 구조와 체계에 관한 내적인 비판을 통해, 규범적인 위치를 주장하고 정당화하게 된다.

2) 실행과학의 발전 동향

Lewin은 나치 시절의 독일에서 추방된 지식인 중 한 명이었다. 제2차 세계대전 시기에 미국에서 활동한 Lewin은 사회과학을 자연과학처럼 연구해야 한다는 입장에 반대하며 실행과학을 사회과학 연구를 위한 중요한 방법론으로 발전시키게 된다. Lewin(1952)은 실용적인 관점, 즉 효과성에 중점을 두고 연구와 교육을 하나로 합쳐서 보다 더 민주적인 문화가 성장하는 것을 목표로 설정했다. 이를 위해 그는 복합적인 목적을 가진 실험을 했는데, 이 실험에서 Lewin은 민주주의 그룹의 참가자들을 훈련시키며 동시에 문제를 해결하고 기구에서 더 확고한 협동을 불러올 수 있는 새로운 지식과 사회 기술을 발전시켰다. 사회과학의 긍정적이고 개혁적인 역할을 주장했는데, 이를 통해 우리는 Lewin이 남긴 것이 이론과 실제의 밀접한 관계에 관한 관념뿐만이 아니라 지식의 민주주의적 형태로의 발전과 권위주의적 구조와 문화에 대한 비판임을 알 수 있다. 이러한 아이디어들은 실행과학의 핵심적 요소가 된다.

실행과학은 사람의 행동으로 인해 사회가 형성되는 것과 그래서 사회가 사람의 행동으로 인해 변할 수도 있다는 연구 전통으로도 해석될 수 있다. 인간들은 스스로 사회의 창조자이며 사회의 특정 분야이자 연구의 참여자이고 잠재적인 변화의 과정에 위치하면서도 항상 스스로 선택한 조건에 있지는 못한다(Marx, 1969). 우리는 실행연구의 기본적인 민주주의적 관념을 찾을 수 있다. 다시 말해 이 관념은 민주주의적 변화와 결합되었을 때의 연구 잠재성이다. 사람들이 현실을 바꾸려고 하는 것이다. 이렇게 현실을 바꿈으로써 사람들은 정보의 투영이 아닌 사회 문화 자체의 발전과 투영으로써 경험과 지식을 얻게 된다.

변화를 동반한 문화와 사회적 경험은 물론 자동적으로 민주주의적인 것은 아니다. 우리의 일상생활에서 문화적 지식은 사회적 행동을 위한 조건과 지배의 결과이다. 실행연구가들의 역할은 규범적으로 사회적이며 문화적인 절차에 개입하여 이들을 지식 창조의 절차로 만들어 내는 것이다. 실행연구가들이 지배와 구체화를 극복하는 도구를 찾는 것은 중요하다. 이렇게 함으로써 실행연구가들은 진실과 확고한 문화적 지식을 창조하는 데 기여한다. 문제는 이것 스스로가 어떻게 민주적인 절차로 생겨날 수 있는지, 조작되거나 권위주의적으로 해석되지 않고 생겨날 수 있는지에 관한 여부이다. 규범적이고 민주주의적인 측면에서의 실행연구는 지식의 해석적 철학의 산물이다. 미국으로 이민 가기 전에 Lewin은 독일계 인본주의적 철학에 몸담고 있었다. 해석적 전통에 따르면 문화적, 사회적 현상은 언어를 통해 관념화된다. 해석적 대화는 대화 상대에 의한 선이해의 변화를 기반으로 지식을 창조해 내고 이 대화를 통해 상대는 스스로를 교육하고 문명화시킨다. Skjervheim(1957)은 언어의 해석과 대화에서의 표현은 해석하는 사람과 해석을 당하는 사람(의식적이건 무의식적이건)이 일종의 실용적인 사례와 흥미를 공유할 때에야 가능하다고 역설한다. 특히 해석하는 사람과 해석되는 사람의 관계에 대한 질문에 있어서는 전통적인 해석적 철학과 해석적 관념의 차이가 실행연구에 깔려 있다는 사실을 알 수 있다. 실행연구의 해석학은 기본적으로 해석을 목적으로 하는 것이 아니라 해석과 공동의 행동을 같은 것으로 해석할 수 있다. 해석적 철학의 기본적 신조로서의 언어를 통한 의미의 창조는 사회적 변화를 조직하는 데 필수적으로 관련이 있다. 사회적 작용 이전과 이후의 대화는 사회적 작용 자체와 분리되어 간주될 수 없다. 이른바 실행연구의 실용적인 측면에서 해석과 작용의 통합은 기본적인 믿음이 되었다.

이러한 실행과학 패러다임이 인기를 끌게 된 이유에는 여러 가지가 있지만, 우선 실행과학의 아이디어가 민감한 철학적 및 개념적 이슈들을 제기하는 것을 가장 큰 이유로 생각할 수 있다. 행동과 과학은 서양 사상의 중심 개념으로, 서로 결합되기보다는 비교되는 경우가 더 많은 개념이다. 우리는 이론과 실천, 사고와 행동, 과학과 상식을 구별하는 데 익숙해 있다. 실행과학은 이런 개념의 단절을 이어 주는 역할을 한다. 이것이 실행과학에 대한 장애물들을 확인하고 이런 장애물들을 극복할 수 있는 방법을 제안하는 데 도움이 된다. Argyris와 Schon(1974)은 실행과학을 제안하면서 행동 접근 이론, 그리고 탐구하는 연구자, 교육자 및 중재자로서의 연구자 본인의 실천을 출발점으로 삼는다. 실행과학을 통해 기존의 이론들과 우리의 실천을 연결하고 또 우리의 실천을 되짚어 보도록 요구하는 것이다. 실행과학이 학문의 한 분야로 본격적인 성장을 할 수 있었던 것은 Dewey와 Lewin의 전통에서다. 전통적인 지식과 행동 분리에 매우 비판적이었던 Dewey(1929)는 과학적 방법과 사회적 실천 모두의 모델이었던 탐구 이론을 소개했다. 그는 실험적 탐구를 사회적 실천으로 확장하면 과학과 실천이 통합될 것으로 기대했다. 과학에 있어서의 실험은 행동에 있어서의 개념들을 검증하는 인간의 특별한 사례일 뿐이라는 점이 바로 실용주의적 인식론의 핵심이다. Lewin 역시 과학과 실천의 통합을 추구하면서, 집단 역학과 행동 연구의 선구자적 역할을 했다. Lewin(1931)은 복잡한 사회현상을 실험적으로 연구할 수 있다는 것을 보여 주었다. 그는 1930년대에 편견의 문제 개선에 관심을 갖기 시작하면서 거의 모든 조직 개발에 대한 노력의 구심점이 되고 있는 실행과학이라는 방안을 개발한다. 한편 Shani와 Pasmore(1985)는 실행과학에 대해 집단이 직면한 특별한 문제의 해결과 관련 있는 자료 수집을 위한 종합적 접근방법이라고 주장하기도 하지만 이 접근방법에 있어 중요한 열쇠는 상호 관련 문제의 해결 방법 양산을 위한 조사자와 집단 간의 협동이다. Lewin은 인간이 자신의 행동연구에 참여할 때 보다 결과에 순응하며 결과에 따라 행동하는 경향이 있다는 인식에 기초를 두고, 조직 개발의 출발부터 관련 자료의 계속적인 수집이나 종합에 초점을 두고 있었다.

Lewin 이후 그의 실행연구 접근방법을 Connecticut에서 인종 편견과 관련된 연구에서 응용하려고 한 시도가 이루어진다. 1946년 미국 내 인종 관계를 개선하기 위해 필요한 리더십을 탐색하기 위해 Connecticut 인종 위원회가 개최된다. 실행과학 방법론을 채택한 이 회의에서는 동일 회의 참석자들이라 하더라도 문제에 대한 인식이 서로 상이할 수 있음을 발견한다. 이러한 발견은 그 당시에는 매우 혁신적인 것이었다. 그 결과 집단 내에서 진행되는 과정에 초점을 맞추어야 한다는 지금의 공통된 인식을 이끌어 내게 된다.

한편 1950년대에 미국 Michigan 대학의 조사연구 센터에서 시작된 Likert와 Mann의 작업은 Dewey와 Lewin에 의해 시작된 실행과학의 전통을 계승한다고 여겨진다. 이들은 조사연구와 피드백 방법의 개발을 담당했다. 이것은 조직 개발에 새롭고 중요한 측정도구를 제공했고 아울러 그 구성원들의 변화에 대한 동기유발을 부여하는 방법도 제공했다. 이 접근방법에서 중요한 것은 작업환경, 예를 들어 리더십, 동기유발, 사기, 생산성 등과 관련한 자세와 인식의 평가를 위해 5단 척도 질문지를 사용했다는 것이다. 이것을 Likert 척도라고 부르며, 이것은 오늘날 다양한 학문 및 사회 분야에서 매우 유용하게 쓰이는 도구가 되었다. 이처럼 Likert 척도를 활용해 많은 자료들이 모아지면 다음에 그들은 이 자료의 출처 집단에 대한 피드백을 했다. 그리고 여기에서 확인된 문제에 대한 해결 방법을 모색하기 시작했다. 이러한 접근법의 영향력은 조직 개발 노력에 있어 매우 광범위하게 퍼지게 된다. 실행과학에 대한 관심은 미국뿐만 아니라 영국에서도 이어진다.

한편, 실행과학은 교육 분야에서도 큰 영향을 끼치고 있다. 개인과 조직으로 구성된 사회에서 실행과학은 근본적인 변화를 추구하기 위한 방법론적 접근이다. 행동의 관찰 가능한 결과 이외의 신념, 가치, 문화 등의 요소를 고려하는 실행과학은 수업 지도, 학급 관리, 교사 차원에서 다양한 시사점을 주고 있다. 먼저 학생 개인의 학습 성취에 대한 부분이다. 실행과학에서 인간은 타인에게 상황을 설명하는 설명이론과 실제 상황에서 행동하게 되는 사용이론이 상반됨을 주장한다. 따라서 지배적 가치의 수정으로 이론의 일치성을 도출해야 한다. 가령, 수업상황에서 교사의 학습활동 안내에도 불구하고 엉뚱한 활동을 하는 학생에 대해 효과가 있을 것이다. 교사는 학생들이 학습에 대한 개인 책무성과 학습 목표에 대한 인식을 갖게 유도하여 학력 신장에 기여할 수 있다. 전문가 협동 학습 모형을 수업에 적용하여 내적 책무성을 학생에게 부여하는 것이 중요하다. 더불어 동기유발 시, 학습 목표를 이끌어 내기 위한 브레인스토밍과 마인드맵 등 확산적 사고 기법을 활용하면서 상위인지 전략을 사용하도록 독려해야 한다. 행동의 목표를 인식하고 행동의 과정과 결과를 미리 인지할수록 실수를 줄이고 목표에 수렴할 수 있기 때문이다. 학습 목표를 Bloom이 제시한 것처럼 명세화하여 수업을 통해 이루어야 할 학습적 성취와 정의적 태도가 무엇인지 인식하는 것이 중요하다.

다음으로 학급 차원에서 공동의 규칙 및 수칙을 제정하고 지키는 것에 실행과학을 적용할 수 있다. 학생들은 다급한 상황에서 무의식적으로 혹은 반사적으로 돌발행동을 할 수 있다. 따라서 학기 초, 억압되지 않은 분위기에서 학생과 교사가 함께 논의하고 동의한 학급 규칙을 제정하여 학생 행동을 스스로 규제하도록 해야 한다. 기본 학습습관 형성과 관련해서 모둠 역할 배분, 수업 손 기호, 수업 준비를 위한 규칙은 학생들이 수업에 몰입하고 타인의 수업권을 방해하지 않도록 돕는다. 한편 기본 생활습관을 위한 1인 1역할, 학급비품 사용 목록

등에 관한 약속을 미리 정하는 것은 학생이 다급한 상황에서 규칙에 어긋나는 행동을 방지하게 돕는다. 나아가 창의적 체험활동을 통해 학생들에게 행동에 대한 상위인지 전략과 반성, 인성적 측면을 교육하도록 한다.

학급 지도 차원 내에 속한 다문화 가정의 학생 및 결손 가정의 이해에도 실행과학이 큰 기여를 한다. 학생들의 특정 행동은 개인의 신념이나 그가 속한 공동체의 문화, 가치를 반영하는 것이다. 따라서 문제적 행동이나 학습부진 등의 문제가 발생했을 때, 행동을 야기하는 요소를 고려한 적절한 처치를 할 수 있다. 이민 가정이나 다문화 가정에서 자란 아동은 학급의 학생들과 다른 문화를 가지고 있을 수 있으므로, 사전에 다문화 교육을 통해 상호문화에 대한 이해를 넓혀 주는 것도 하나의 방법이 될 수 있다. 학생 행동에 관련된 문제를 처치하는 방법을 실행과학의 측면으로 접근하면 관찰 가능한 요인과 그렇지 않은 요인을 고려하게 되어 보다 아동을 깊게 이해할 수 있으며, 곤경에 빠진 아동이나 학급 구성원과 어울리지 못하는 아동의 행동 변화를 이끌어 낼 수 있을 것이다.

마지막으로 교사 측면에서 실행과학은 행동에 대한 모니터링이 실수를 줄인다는 시사점을 준다. 교사 또한 행위의 주체이다. 예를 들어, 학생과 함께 정한 학급 규칙을 교사가 바쁘다는 핑계로 지키지 못할 수 있다. 학생들은 선생님은 규칙을 강조하기만 하고 지키지 않는다고 비난할 수 있다. 그러나 교사의 이런 행동은 자신이 학급 규칙을 어겼다는 것을 모른 채 이루어진 것이다. 다른 예를 들면, 계획한 연구수업을 실연할 때, 돌발 상황이나 긴장감에 의해 의도한 성취를 이루지 못하는 경우도 있다. 수업 도입부에 어떤 자료를 제공하고, 전개에서 모둠 활동 시 학생들에게 유의점을 안내하는 등 사소한 것을 망각하고 수업을 진행할 수 있다. 그러나 이 또한 실행과학에서 설명하는 설명이론과 사용이론의 불일치로 인한 것이며 고의적인 행동이 아니다. 그러므로 실제 행동의 근간을 이루는 사용이론과 이론적 설명을 위한 설명이론의 불일치를 극복하고 목표를 인지하여 행동하는 전략이 필요하다. 따라서 행동의 전, 후 그리고 과정에 대한 모니터를 통해 수업과 학급 관리에 대한 교사의 행동을 관리해야 한다. 더불어 수업이나 학급 관리에 대한 자기평가, 동료평가, 학생 및 학부모의 평가와 함께 이를 기반으로 한 반성은 교사 행동에 대한 피드백으로 작용할 것이다. 즉, 실행과학을 통해 교사는 유능한 수업자와 학급 관리자의 역할을 자청하는 것이다.

학교를 개인과 조직의 목표를 달성하는 조직으로 본다면, 실행과학은 개인과 조직의 목표를 모두 달성하도록 돕는 지원체계이다. 즉, 학생의 학력 신장과 교사의 수업 및 업무 효율성을 높인다. 관리자의 업무 책무성 및 학교 구성원 전체의 행동에 대한 상위인지 전략을 강조하여 정련된 행동으로 보다 높은 성취에 도달하도록 한다. 학습 주체이자 교육 주체인 학생의 행동에 변화를 일으키는 지배 가치를 고려하여 수업을 준비하고 학급을 관리해야 한다. 더불어 행동의 인과적 관계를 고려하면서 내재적 학습 동기를 유발하는 것 또한 중요하다.

2. '실행'의 의미에 대한 고찰

실행연구에서 강조되는 실행이란 과연 무엇을 의미하는지를 탐색하는 것은 실행연구의 존재론적 입장, 즉 실행연구에서의 실행의 본질에 대해 탐색할 수 있는 철학적 기초를 다지는 과정이 될 수 있다고 본다. 우선 실행에 대한 학술적인 개념에서의 정의를 살펴보면, 일련의 과학적인 탐구 절차를 통해 도출된 결과를 바탕으로 실제를 변화시키기 위한 구체적인 행위를 의미한다고 되어 있다. 또한 의식적인 실행이라는 특성을 지니고 있는데, 이는 연구자가 행위에 대한 지속적인 관찰과 성찰을 수행함으로써 새로운 실행 대안을 도출하는 과정과 밀접한 관련을 가진다.

우리들은 흔히 '실행(action)'이란 용어를 실생활 속에서 많이 사용하고 있지만, 정작 실행이란 것이 무엇인지 정리해 보라고 하면 쉽게 말하지 못하는 경우가 대부분일 것이다. 무언가를 한다는 것, 실천 등 다양한 의미들이 떠오르는데, 정작 그렇다면 실행연구란 용어에서 왜 굳이 연구란 용어 앞에 실행이란 용어를 위치시켰을까를 생각해 보면 이러한 의문은 더욱 미궁 속으로 빠지게 된다. 그렇기 때문에 실행과학 혹은 실행연구에서의 실행의 의미를 명확하게 만들기 위해서는 praxis의 의미에 대해서도 고찰할 필요성이 있다. praxis란 용어는 정치철학적 용어로, Aristotle로 대표되는 고대 그리스 시대로까지 그 용어적인 기원을 거슬러 올라갈 수 있다. 실행연구와 관련하여서는 Grundy(1987: 154)가 숙고된(deliberative) 실행으로 praxis를 해석한 것으로부터 Mckernan(1996), Master(1995), Williams와 Brydon-Miller(2004), Lykes과 Coquillon(2006) 등 다양한 학자들이 praxis와 관련된 논의들을 생성해 나갔다. 그렇다면 왜 실행연구자들은 praxis에 관심을 가졌던 것일까? 이는 praxis가 쉽게 말해 실행의 성격에 대한 탐색을 통해 실행연구가 가진 존재론적 성격을 드러내는 데 일조할 수 있을 것이라는 믿음 때문이었다. praxis를 단순히 사전적으로 해석하면 이론이나 생각을 행동으로 옮기거나 실행하는 것을 말하기도 하고(21세기 정치학대사전), 도덕적 실천, 행위 그 자체로서의 실천 등으로 해석되기도 하지만 결국 실행연구에서 중시하는 '실행'과의 연관성 속에서 praxis의 의미를 살펴볼 필요성이 있는 것이다.

먼저, Arendt(1957)는 praxis를 노동(labor), 작업(work)과 구분되는 action(행위)을 의미한다고 했다. 따라서 실행의 의미를 이해하기 위해서는 노동과 작업의 의미를 좀 더 살펴야 하는데, 먼저 노동은 어떤 목적에 의해 지배되는 행위가 아니고 인간이기 때문에 당연히 하는 행위로 이해된다. 마치 숨을 쉬고 물을 마시는 일처럼 인간이기 때문에, 특정한 의지나 의도를 가지지 않고 자연스럽게 하는 행동을 노동으로 해석한 것이다(박영주, 2011: 64). 물론, 노동과 생산성의 관계를 고찰해 보면 이러한 의미는 조금 달라질 수 있다. 즉, 노동의 결과로 얻어지는 생산성이냐 아니면 생산성을 위한 노동이냐에 따라 그 의미가 완전히 달라지기 때문이다. 그런데 노동의 목적이 정해지는 순간 노동의 praxis의 관점에서 벗어나게 된다. 예를 들어, 쌀을 생산하기 위해 노동을 한다면 이는 인간행위와는 무관하게 쌀의 생산성에 기여하는 일에 관여하게 된다는 것이다. 이러한 측면에서 살펴보았을 때, praxis는 인간의 의지와 밀접하게 관련되어 있음을 확인할 수 있다.

한편, 작업은 무언가를 만들어 내기 위한 행위이다. 앞서 Arendt(1957)는 목적이 선행되는 행위는 praxis의 개념으로 인정하지 않았지만, 작업과 관련해서는 그 목적성을 인정하고 있다. 그렇기 때문에 생산품이 만들어지는 순간 작업의 행위는 끝이 나게 된다. 단, 여기서도 단서가 붙는데 작업은 그 행위의 목적이 되는 생산품이 여러 사람에 의해 인정이 되는 경우에만 수용될 수 있다고 했고, 동시에 자연을 손상 불가능하게 파괴하지 않는 생산품을 만드는 행위만 인정한다는 점이다. 이러한 측면에서 살펴보았을 때, praxis는 여러 사람에 의해 일정한 합의가 도출될 수 있는 범위에서 논의될 수 있으며, 또한 자연과의 관계를 생각하는 도덕성(규범성)의 의미 역시 지니고 있음을 확인할 수 있다.

action은 행위 그 자체가 목적이 되는 것을 의미한다. 즉, 어떠한 목적을 위한 수단으로서의 행위를 인정하지 않는다. 이러한 행위에 영향을 미칠 수 있는 것은 바로 자신의 의지밖에 없다는 신념이다. 때문에 인간은 스스로 자신의 행위를 판단해서 실행해야 한다고 주장한다. 또한 이성의 불완전성을 극복하기 위해서는 다양한 영역에서 자신의 행위를 실현하여 자신의 행위와 관련된 이들의 의견을 경청해야 한다(박영주, 2011: 56).

결국 praxis란 소득을 얻기 위한 수단으로서의 노동과, 생계나 벌이를 위한 신체적·정신적 행위로서의 작업과 달리 행위 그 자체가 목적이 되는 행동을 말하는 것이다. 이러한 praxis의 의미로 살펴볼 때, 실행에 영향을 미칠 수 있는 것은 바로 자신의 의지밖에 없다. 특정한 목적을 위한 행위가 아닌 만큼, 개인의 판단이 무엇보다 중요하기 때문이다. 그래서 인간은 스스로 자신의 실행에 대해 생각하고 판단하고 실행해야 한다. Habermas(1974) 역시 praxis의 의식적 측면을 관심과 관련시켜 이론과 매개함으로써 그 이론이 주체에 의해 행동에 옮겨질 때 주체의 관심에 따라 이론이 객관화되어 현실로 정착하는 과정을 구조적으로 해명하고자 했다. 이러한 과정에서는 성찰이 필수적일 수밖에 없고, 때문에 praxis를 이해하기 위해서는 성찰의 과정도 늘 함께 고려해야 한다. Freire(1970)가 잘 정리하고 있듯이 praxis의 의미는 실천과 성찰의 연속으로 파악된다. praxis는 실천을 비판적으로 반성하는 것을 내포하며, 이론과 실천의 변증법에 기초를 두고 있어, 실천적 성찰이나 성찰적 실천을 동시에 요구하기 때문이다.

김태오(1991)는 Habermas(1974)의 논의를 바탕으로 고전적 의미의 praxis와 근대적 의미에서의 praxis를 구분하여 제시하면서 현대적 의미에서의 praxis의 재개념화를 시도했다. 먼저, 고전적인 praxis의 의미를 살펴보면 첫째, 선을 목적으로 하는 윤리적 실천을 의미하는 데, 도덕적으로 올바른 실천을 통해서 선을 증진시키는 것이 지식의 추구 방식이라는 것이다. 둘째, 실천적 지혜 또는 중요성과 연결된 활동이라고 했다. 즉, 실천 상황의 특수성을 그 상황의 윤리적 중요성에 비추어 일관되게 행동하는 것을 추구한 것이다(김태오, 1991: 153). 그런데 고전적 의미에서의 praxis는 하나의 상황에 필연적으로 실천되어야 하면서 객관적으로 가능한 행동을 얼마나 밝혀낼 수 있을까에 대한 비판에 직면하기 쉽다. 즉, 과학성이 결여되어 있다는 논쟁이 발생하게 되는 것이다.

때문에 근대적 의미에서의 praxis는 이러한 과학성에 대한 논란을 줄이는 방향으로 정리되는 경향을 보인다. 근대적 의미에서의 praxis란 첫째, 규범적 요소와 단절된 활동을 의미하는 데, 이는 실천이 근대에 와서 윤리적 필연성과 분리됨으로써 그 어떤 수단도 권력유지나 생존보호란 유일한 목적의 달성을 위해서라면 정당화된다. More(1965: 124)도 실천의 규범적 측면을 간과했는데, 왜냐하면 그는 이상적인 사회를 건설하는 데 필요한 법률적 조직화의 문제를 이와 무관한 도덕적 실천보다 우선했기 때문이다(김태오, 1991: 154에서 재인용). 둘째, 기술적 유용성을 추구하는 활동을 의미한다. Hobes(1938)는 praxis를 과학적 이론으로 정초하기 위하여 '과학적 엄밀성을 가지고 시계가 시간을 지배하듯이, 인간이 행위를 지배할 수 있는 제도'를 고안하고자 시도했다. 예를 들어, 물질과 운동을 측정하고, 거대한 물체를 움직이고, 건축물을 세우고, 바다를 항해하고, 모든 유용한 도구를 만들고, 천체의 이동을 관측하고, 시간의 흐름을 계산하는 기술이야말로 인간 최상의 필수품이라는 것이다. 즉, 사회에 대한 통찰을 통해 얻어진 사회 질서는 기술적으로 배열될 수 있고, 이러한 지식은 명백한 실천적 결과를 겸비한다는 것이다. 하지만 이러한 관점에 대해 Vico(1948: 35)는 앞선 학자들은 진리에만 관심을 쏟은 나머지, 다른 사람들이 어떻게 생각하는지 그리고 다른 사람들 역시 그 진리를 수용하는지에 대해서는 관심이 없다고 지적하고 있다.

고전적인 그리고 근대적인 의미에서의 praxis와 관련한 논의를 바탕으로 현대적 의미에서의 praxis를 살펴보면 규범성과 과학성의 징검다리로 정리를 시도하고 있음을 알 수 있다. 즉, 의사소통적 실천의 개념이 등장하면서 praxis의 참다운 의미는 의사소통적 행동에서 찾을 수 있다는 것이다(김태오, 1991: 156). 의사소통적 행동이란 규범적 타당성과 진리성을 회복하는 데 일차적 관심을 가지며, 대화주체들이 자유롭게 합의를 이루는 과정을 중시한다(Held, 1980: 135). 이러한 논의들을 Freire가 잘 정리하고 있는데, 그에 따르면 praxis란 역사적 현실 속에서 타자와의 상호작용을 통해 사회를 재구성하는 활동으로서 비판적 성찰과 행동의 끊임없는 변증법적 과정으로 이해하고 있다고 볼 수 있다(신득렬, 1987에서 재인용). praxis를 반성과 행동이 상호 연관되어 있는 언어에서 출발하는 것으로 보고, 대화가 현실을 근본적으로 변형시키는 원동력이 된다는 입장에서 언어-실천의 매개를 강조했다. 그리고 이런 과정에서 방법론적 엄밀성 역시 지향하게 되는데, 비판 가능성과 근거 제시가 이에 해당한다. 일반적인 자연과학적 방식의 엄밀성과는 차이가 있지만, 논의를 통한 보편타당성을 확보한다는 측면에서 의의가 있다는 것이다(김태오, 1991: 157).

이밖에도 어원으로 살펴볼 때의 praxis는 근본적으로 인간이 능동적으로 참여하는 실천의 개념을 포함하고 있다. praxis는 별도의 번역을 하지 않은 채 원어 그대로 praxis란 용어로 사용되기도 하는데, 이는 실천을 하는 데 있어서 이론을 동반하지 않은 단순한 행위로 그 의미가 협소해지는 것을 방지하고, 성찰과 이론이 부재한 실행과 차별화된 이론적 실천의 의미를 강조하기 위함이다(서윤경·권성호, 2004: 105). praxis라는 말은 삶의 객관적 상황(실제)과 주체적 행동(실천)을 동시에 가리키고 있는데 이를 주로 후자와 관련시켜 사회 철학의 개념으로 도입한 사람은 Marx이다(서윤경·권성호, 2004).

지금까지 살펴본 praxis의 개념을 종합하여 실행연구에서의 실행이 가지는 의미에 대해 살펴보면 다음과 같다. 첫째, praxis는 인간의 주체적인 활동을 의미한다. 그렇기 때문에 실행연구에서의 실행은 연구자가 단순한 관찰자 혹은 방관자가 아닌 적극적인 활동의 주체로서 참여하게 됨을 의미한다. 둘째, praxis는 비판적 성찰이 전제된 활동을 의미한다. 때문에 실행연구에서는 현상에 대한 반성적이며 비판적인 성찰을 통해 현실을 개선 혹은 변화시킬 실행을 중요하게 생각한다. 셋째, praxis는 삶의 자세를 의미한다. 인간의 활동이 엄격한 의미의 실천이 되기 위해서는 그 활동이 주체적이고 능동적인 의식을 필요로 하게 된다. 그렇기 때문에 여기서 말하는 실행은 현장에 대한 맥락을 굉장히 강조한다. 또한 여기서 말하는 현장은 단순히 물리적 환경을 지칭하는 것이 아니다. 어떤 지식을 생산할 것인가에 있어 의미 있는 기능이 중요한데, 이때 의미 있는 기능이란 현실의 구체적인 문제를 개선할 수 있는 지식, 이러한 점에서 현장에 대한 맥락을 강조하는 것이기도 하다. 따라서 실행연구에서는 지식이 생성되는 과정과 그 지식이 활용되는 현장 맥락이 일치해야 한다.

이러한 실행의 의미에 대한 철학적인 논의와는 조금 다른 방향으로 실행의 차원을 구분해 볼 필요가 있다. 왜냐하면 Lewin은 실행의 의미를 효과성의 판단을 위한 실용 기술이나 기법과 유사한 의미로 해석했지만, 많은 실행연구물에서의 실행은 이와 다른 차원으로 다루어지고 있기 때문이다. 학자들마다 서로 약간씩 차이가 나긴 하지만 크게 세 가지 방향으로 분류할 수 있다. 그것은 기술적, 실천적, 비판적 차원의 실행이다.

기술적 차원의 실행은 자연과 사회를 통제하고 지배하는 데 관심을 가지기 때문에 경험·분석적 과학 분야와 밀접하게 관련이 있다. 물리학, 공학, 기계학, 화학 등의 자연과학의 대부분이 이러한 관심의 범주에 속한다. 때문에 기술적 관심에 입각한 연구자들은 실험, 관찰, 통제된 상황에서의 연구를 중시한다. 그렇기

실행의 세 가지 의미의 방향성

때문에 실행의 기술적 관심은 실증주의와도 밀접한 관련성을 지닌다. 즉, 절대적인 진리가 있다고 가정, 그러한 진리를 밝히기 위해서 과학적인 과정을 강조하고, 이렇게 생성된 지식은 시간과 맥락을 초월하여 일반화할 수 있는 보편적 법칙으로 발전된다. 이 때 요구되는 연구자의 자세로서 연구자는 연구 대상과 객관적 거리를 유지해야 하며, 연구자와 연구 대상 간의 거리는 독립적이기에 상호 영향을 미치지 않아야 한다. 그렇기 때문에 통제된 환경에서의 실험, 관찰 등이 객관적 기준으로 여겨지는 것이다. 연구자의 가치 참여나 가치 판단이 강조되지 않는 일련의 연구 절차를 통해 기술적으로 유용한 정보를 획득할 수 있다.

다음으로 실천적 차원의 실행은 사회문화적 차원에서의 상호주관적 이해를 나타내는 지식의 창조를 목적으로 한다. Grnudy(1987: 14)는 실천적 관심의 근본적인 목적은 의미에 대해 합의된 해석에 바탕을 둔 상호작용을 통하여 현실을 이해하는 것에 있다고 지적하고 있다. 즉, 실천적 관심에서의 연구는 특정한 행동이 무엇을 의미하는지 또는 행위자가 무엇을 하는지에 대한 나름의 해석을 내리는 과정이 된다. 그리고 이러한 의미들은 행위자 내부로부터의 주관적인 의식 및 의도를 파악할 때 구체화될 수 있다. 또한 사회적 상황 속에서 다양한 참여자들이 그들 주변의 세상을 어떻게 구성해 내는지를 이해하고 해석해야 한다는 것을 의미하기도 한다. 이러한 과정에서 연구자는 객관적 입장에서 연구 참여자를 관찰하는 것이 아닌, 서로 상호작용함으로써 실재 세계에 대한 연구 참여자들의 견해와 지각에 대해 이해할 수 있다. 그리고 실재 세계에 대한 지각과 인식, 견해에 대해 살피는 과정에서는 실제 실천가들이 더욱 유리하다. 결과적으로 실천적 관심에 입각한 연구에서는 실천가들이 연구자가 되는 경우가 많게 되고, 이는 곧 이론과 실천의 통합으로 이어진다. 실천가이자 연구자들은 자신들이 처한 상황과 주변에 대한 성찰을 통해서 자신들의 실재를 재구성하게 된다. 그렇기 때문에 자연스러운 상황에서의 장기간의 관찰과 심도 깊은 면담 등의 과정이 중요하다. 역사·해석학적 연구 분야가 이와 밀접한 관련성을 가지는데, 해석학, 현상학, 사회학, 인류학, 역사학 등이 구체적인 예에 해당한다.

　마지막으로 비판적 차원의 실행은 개인적 실천과 상호행위 영역에서 지배와 이데올로기에 의해 야기되는 인간의 왜곡된 경험과 자기이해로부터 벗어나는 것에 관심을 가진다. 이러한 입장의 연구자들은 기본적으로 객관적 진리 혹은 실재가 외부에 있다고 전제한다는 점에서 실증주의와 같은 입장을 취하지만, 이러한 실재를 탐구하기 위한 과정이 결코 객관적일 수 없다고 전제한다. 왜냐하면, 세계 혹은 실재는 개인의 삶에 영향을 미치는 역사적인 상황의 구조에 의해서 구성된다고 주장하기 때문이다. 그리고 이러한 구조는 대부분의 사람들에 의해 자연스러운 것이고 불변한 것으로 취급되지만, 실제로 이러한 구조는 개인 간의 차별적 취급으로 이어지고 있다고 여겨진다. 때문에 이러한 비합리적이고 불공정한 구조, 혹은 이데올로기를 파악하고 변화시키는 데 관심을 가진다. 이러한 해방적 관심은 비판적 패러다임과 밀접한 관련성을 지니는데, 막시즘, 네오막시즘, 페미니즘 등의 연구 유형이 이에 해당한다. 즉 구속과 지배를 구조화시키는 권력의 관계가 무엇인지를 규명하는 자기반성과 사유가 중요하게 다루어진다는 것이다. 이러한 과정을 통해 인간의 자기 계발과 자기 결정력을 제한하는 불평등한 상황, 이러한 상황을 유지하게끔 하는 힘의 역학관계를 밝히고 변화시키게 된

다. 때문에 비판적 차원의 실행은 변화가 일어날 정치적 논쟁과 논의를 조성하는
데 중점을 둔다.

3. 실행에 대한 '연구'의 고찰

실행연구에서의 '연구'란 용어는 과학적인 과정임을 전제한다. 그러나 실행연구
에서의 '연구'가 가지는 의미는 우리가 일상적으로 받아들이는 의미와 같을 수도
다를 수도 있다. 때문에 과학적 과정으로서의 연구가 어떠한 특성을 가지는지에
대한 심층적인 고찰이 필요하다. 사전적인 의미에서의 연구란 합리적이고 현실적
인 문제의식을 바탕으로 체계적이고 과학적인 방법으로 문제의 원인과 대안, 즉
지식을 생산해 내는 활동을 의미한다. 더 나아가 사회현상에 대한 연구란 사회
적 맥락에서의 실제에 대한 이해, 그리고 실제의 개선을 위한 효과적인 처방을 제
시하는 것과 깊은 관련성을 가진다. 그런데 이러한 특성의 연구가 사회과학이란
범주에 속하기 위해서는 과학적이란 특성이 전제되어야 한다. 그런데 '과학적'이
란 용어의 사용에 있어, 극명한 입장에서의 논쟁들이 오랜 기간 지속되고 있다.
먼저, 자연과학의 방식을 사회과학에 그대로 적용할 수 있을 것인가에 대한 논
쟁을 들 수 있고, 다음으로 이론의 탐색과 실천이 따로 구분될 수 있는가에 대
한 논쟁을 생각해 볼 수 있다.

1) 사회과학의 연구 방식에 대한 논의

사회과학의 연구 방식에 대해서 논의할 때는 주로 자연과학과의 관련성을 많이
따지게 되는데, 이와 관련하여 크게 두 가지의 대립되는 입장이 있다. 먼저, 사
회과학 연구를 자연과학의 연구 방식과 마찬가지로 다룰 수 있다는 입장이다.
Francis Bacon, Thomas Hobbes, David Hume, 그리고 John Stuart Mill 등
이 대표적인데 이들은 실증주의적 경험론자로 불린다. 이들에 따르면, 자연과학

의 방식을 그대로 사회과학에 적용해서 연구를 수행해야 한다고 주장한다. 사회과학의 인식론은 기본적으로 자연과학의 인식론과 동일하다는 것이 그들의 입장이기 때문이다. 그리고 오랜 기간 자연과학을 염두에 두고 설계된 주류 설명은 그 동안 사회과학에도 적절한 설명으로 널리 수용되었다. Merton(1967: 150~153)은 이러한 주류과학자들의 입장을 Emile Durkheim의 자살이론(theory of suicide)을 활용해서 잘 설명하고 있다. Durkheim은 사회과학자로서 자살이론에서 경험적 일반화라는 자연과학의 방법을 그대로 활용하여 다음과 같은 일련의 과정을 통해 가톨릭 신자의 자살률이 개신교 신자의 자살률보다 낮다는 통계의 일관성을 살펴보고자 했다.

일반화의 과정

❶ 사람들의 누그러지지 않은 불안과 스트레스가 자살률에 큰 영향을 미친다.
❷ 사회적 응집성은 스트레스와 불안에 시달리고 있는 구성원들에게 도움을 제공한다.
❸ 가톨릭 신자들은 개신교 신자들보다 사회적 응집성이 더 크다.
❹ 따라서 개신교보다 가톨릭 신자들 사이에서 더 낮은 자살률을 기대할 수 있을 것이다.

Merton(1967)은 일련의 진술과 관련하여 이 예는 사회적 응집성과 같은 더 높은 층위의 추상화 수준의 개념과 경험적 일반화를 연결시킴으로써 경험적 일반화의 관련 특질들을 확인할 수 있다고 지적한다. 이것은 자살률, 이혼율, 정신 질환의 발생 등, 사회적 응집성의 정도와 연관되어 있을 수 있는 다양한 발견들을 연결하는 일을 가능하게 만든다. 그리고 이론을 검정할 수 있는 예측에 근거를 제공한다. 예를 들어, 가톨릭 신자들 사이의 사회적 응집성이 줄어든다면, 그들의 자살률은 늘어날 것이다. 또한 Merton은 이론이 검정할 수 있을 정도로 충분히 정확한 경우에만 비로소 이론이 이런 기능들을 정확히 수행할 수 있다고 지적한다. 가톨릭 신자가 개신교 신자보다 자살률이 낮다는 일반화는 교육·소득·국적·거주지 등 기타 요인들이 일정하다는 것을 가정한다(1967: 150). 이

가정은 주류 사회과학의 중요한 특성, 그리고 사회 연구의 많은 방법론적 장치들과 연관된 특성들과 관계된다. 특정 현상에 대한 많은 변수들은 일정하게 통제해서 인과 연결 관계를 확인할 수 있어야 한다는 것이다. 그리고 이를 통해 경험적 상황을 표준화하거나 아니면 피험자들 조건에 무작위로 할당하고, 변수들이 갖는 영향을 제외하기 위한 통계 기법을 주로 활용한다. Gouldner(1961)도 이것을 지지하는 이야기를 하는데, 이론은 관심 문제에 있어서 변화를 발생시키기 위해 인간에 의해 통제될 수 있는 변수들을 확인해야 한다는 요건을 가리킨다고 말했다. 이처럼 자연과학의 연구 방법을 신봉하는 사회과학자들은 위의 문제를 해결하기 위해 공동체를 강화하는 것을 주장할 것이다. 그것이 사회적 응집성을 향상시키고 그렇게 함으로써 범죄, 정신 질환 및 자살을 줄일 수 있으리라는 예측을 할 수 있을 것이다.

이와 반대되는 입장에서는 사회과학을 연구하는 방식은 자연과학을 연구하는 방식과 달라야 한다고 주장한다. Dilthey로 대표되는 이들 진영에서는 사회과학에서 신뢰성 있는 지식을 생성하는 것은 이해 의미에 달려 있고, 그렇기 때문에 텍스트를 해석하는 기술에 초점을 둔 해석학이 적극적으로 활용되어야 한다고 지적한다. 이는 현대에 이르러 현상학에도 영향을 주고 있는데, 그들에 따르면 사회 현상은 그것을 실행에 옮기는 인간들에게 의미가 있다는 것이다. 즉, 자연계의 사건들은 주관적인 의미와는 매우 독립적으로 진행되기에, 주류적인 입장에서 간과했던 이러한 의미들의 차이가 과학적 탐구의 논리에 대한 큰 차이를 만든다는 것이다.

Kuhn(1962) 역시 사회적 실행 혹은 실천의 의미를 이해하는 것은 자연계의 사건들을 설명하는 것과는 본질적으로 다르다는 점을 강조했는데, 결론적으로 사회과학을 연구하는 방식은 자연을 연구하는 방식과는 달라야 한다는 것이다. 왜냐하면 자연과학에서 생성된 이론의 역할은 현상 간의 규칙성을 설명·예측하는 것에 있고, 이에 따라 적합하게 통제된 환경을 만들고 여러 변인을 적절히 통제하여 이론을 검증 및 도출하는 데 관심을 가진다. 반면 사회과학은 사회

현상 혹은 이슈에 대한 의미의 탐구가 목적이기 때문에 그 접근에 있어 차별성을 지녀야 한다는 것이다. 단순히 이론을 도출하기 위한 자료 중심의 양적인 연구보다는 해석학적 방식을 활용해서 사회 현상 및 이슈에 대한 심층적인 이해를 추구한다.

그런데 이러한 해석학적 방법은 적은 사례에 대해, 그리고 연구자의 판단 및 가치가 개입될 수밖에 없기 때문에 전통적으로 자연과학을 옹호하는 입장에서는 비과학적이고 비논리적으로 여겨진다. 사회과학에서는 이러한 비판을 피하기 위해 정당한 논리가 필요할 것이다. 즉, 자신들의 방법이 과학적 방법에 비교하더라도 그 신뢰 수준이 떨어지지 않는다는 사실을 증명해야 하는 것이다. 이에 대한 고찰은 실행연구가 논리성과 체계성을 갖춘 연구 방법으로 인정받는 데 필수적으로 선행되어야 할 작업이 될 수 있다. 이와 관련해서 먼저, Rorty(1979)는 현상을 어떻게 이해하는지 그리고 이해해야 할지를, 지식 생성 과정에 대한 인식론의 측면에서 다룬다. 즉, "당신이 알고 있다고 생각하는 것을 어떻게 알게 되었는가?"와 같은 질문을 통해 주변 현상 혹은 사물을 어떻게 인식하는지 혹은 지식이 어떻게 생성되는지에 대해 고찰하는 것이다. 그에 따르면 Newton 이후의 과학은 인간으로 하여금 지식들을 누적적으로 생성하고 발전시켜 나가는 데 탁월한 방법으로 인정받게 되었다고 지적하고 있다(Rorty, 1979: 112~113). 이러한 영향으로 과학적인 것과 비과학적인 것을 분리하는 일에 많은 관심이 대두되었고, 과학적인 지식 생성의 조건을 구체화하는 일 역시 많은 관심을 받게 된 것이다.

이와 관련하여 해석학적 입장에 서 있는 학자들은 지식의 생성 및 성장은 과학의 구조적 측면, 조금 더 구체적으로 얘기하자면 공동체적 관점에서 이해되어야 한다고 주장한다. 왜냐하면 과학적 지식의 단위는 교육 및 도제제도(apprenticeship)의 공통된 요소들이 하나로 결속되고, 구성원들이 각자의 일을 인식하고, 그리고 전문적 공동체의 상대적 풍부함과 전문적 판단의 상대적 전원합의를 특징으로 하는 전문가 그룹으로 이루어진다고 생각했기 때문이다

(Kuhn, 1970: 253). 이러한 공동체의 구성원들은 패러다임 또는 어떤 문제가 중요한지 그리고 어떻게 그 문제를 해결할 수 있을지에 관한 일련의 가정들을 공유하게 된다. 그리고 이미 수용된 패러다임 내에서 활동하는 공동체의 구성원들은 공유한 패러다임을 확장하는 문제 해결 과정에 참여하게 되는 것이다. 그리고 이러한 참여적 해결과정이 변형되거나 공유된 패러다임이 더 이상 문제 해결에 도움이 되지 않을 때, 공동체는 기존의 패러다임을 새로운 패러다임으로 대치한다는 것이다.

Lakatos(1978: 115)는 Kuhn의 주장에 완벽히 동조하지 않았지만, 기존의 주류적 입장들이 강조했던 과학의 역사가 과학적 합리성 이론을 지지하지 않는다는 점에는 그와 의견을 같이한다. 또한 이러한 합리성의 기준이 공동체의 실천 속에 포함되어 있다는 점에도 동의한다. 하지만 그는 관찰 그 자체가 오류일 수 있기 때문에 확인되지 않은 예측이 어떤 이론이 그르다는 것을 증명하지 않는다는 점에 대해서는 의견을 달리한다. 예를 들어, 미생물학에서의 관찰은 현미경에 포함된 광학 이론의 타당성을 전제로 한다. 이론들은 오로지 다른 요인들이 추론하지 않는 가정에 근거하여 특정 사건들을 예측하는 경우가 일반적이다. 그렇기 때문에 공동체는 다른 것들도 동일하다는 말이 특별한 경우에는 비문제적이라고 간주할 수 있는지의 여부를 결정하기 위한 기준을 가지고 있어야 한다는 것이다(Lakatos, 1978: 111).

2) 이론과 실제의 분리에 대한 논의

사회과학으로서 실행연구가 가지는 연구의 의미에 대해 생각할 때 또한 쟁점이 되는 것은 바로 탐구(이론)와 실천(실제)의 분리에 대한 내용이다. 연구와 실천이 엄격히 구분되어야 하는가, 아니면 구분될 수 없이 통합적으로 다루어져야 하는지에 대한 극명한 두 입장 간의 오랜 논쟁이 계속되고 있다. 이들 중 한쪽의 입장은 이론과 실제는 분리되어야 하고 결과적으로 실제 현상의 개선을 위한 연구는 실천가들이 아닌 숙련된 연구자들이 담당해야 하며, 연구 결과를 바탕으로 한 실천은 실천가들이 수행할 수 있다고 주장한다. 즉, 연구 혹은 이론(연구)과 실제(실천)의 분리를 당연하게 지지하는 것이다. 연구는 탐구에 대한 과학적인 절차를 체계적으로 교육받은 숙련자들에 의해 수행되어야 하는데, 이는 이러한 과정에 의해 생산되는 지식이야말로 합리적이고 객관적이라고 여기는 것이다. 그리고 이러한 훈련이 제대로 되어 있지 않은 실천가들에 의해 생성되고 제안되는 지식들은 비합리적이고 주관적인 성향이 강하다는 것이다.

이러한 입장을 지지하는 이들을 경험적 실증주의자로 분류하기도 하는데, 이는 실증주의가 경험적 자연과학에서 유래되었기 때문이다. 이들은 사회가 어떻게 작동하도록 의도된 것인지를 설명하는 기제를 탐색하는 데 중점을 둔다. 사회의 구조는 개인적 의식과 달리 외부적인 것이며, 사회적 행위의 인과적 결정요인이 된다고 여긴다. 그래서 이들은 계획된 사회를 위한 합리적 기초를 지지하며, 이를 위한 통제를 정당화한다. 이러한 통제는 사회가 개선되고 있다는 과학적 증거가 뒷받침될 때 민주적인 것으로 간주된다. 그렇기 때문에 실증주의는 사회조직을 기획하고 설계하는 사람들에게 호소력이 있다. 다만 앞서 설명했듯이 실증주의적 경험론자들에 따르면 사회의 변화는 이론의 구현 혹은 적용이 뒤따라야 한다고 가정한다. 그런데 이와 상반되는 입장의 지지자들은 그러한 이론의 구현이 뚜렷하게 성공을 거두지는 않았다고 지적한다. 즉, 이론을 구현하고 적용하는 것이 주된 관심이 된 적이 거의 없었다는 것이다. 왜냐하면 이들 주류 과학자들은 이론을 구현하는 것을 응용의 문제, 실천의 문제로 보았기 때문에 이론과학의 문제로 여기지 않았기 때문이다. 즉, 이론과 실제가 구분되어 고려되어야 한다는 점을 지지했던 것이다.

반면 이들 의견에 동조하지 않는 입장에서는 다음과 같은 세 가지를 중심으로 실증주의적 패러다임의 한계를 지적한다. 첫 번째는 사회과학에서는 자연과학과 달리, 다양한 변수들을 통제하고 유지하는 것이 불가능하다는 것이다. 사회적 상황은 다중적이고, 상호의존적이며 서로 다른 힘들이 충돌하는 일종의 장

(field)이다. 그리고 이러한 상황에서의 실천 역시 상호의존적인 관계 속에서 끊임없이 수정되는 특징을 지닌다. 그런데 인간은 이러한 상황에 영향을 미치는 모든 것을 포착할 수 없다. 이는 우리에게 부여된 한정된 인식 능력과 관련된다(Simon, 1969). 그렇기 때문에 사회과학에서는 자연과학과는 달리 특정 상황과 관련되는 수많은 변수를 통제하고 유지한다는 것이 불가능하다. 대신 많은 상황에서 유용할 패턴들을 이론이 확인하고자 하는 접근법이 더욱 효과적이라고 여긴다. 그래서 사회과학에서 해석적 접근을 지지하는 사회과학자들은 연구의 초점이 사회적 장(social field)에서 운용되는 힘들의 패턴을 포착하는 데 도움이 되어야 한다고 지적한다(Lewin, 1952). 또한, 이론이 실제적 맥락에서 검증되고 수정되어 보완될 수 있다는 점을 강조한다.

두 번째, 행위와 관련된 지식을 오직 사회 통계 분석에만 의존한다는 점이 바로 실증적 접근을 취하는 이들이 가진 한계점이라고 주장한다. 통계의 경우 특정하게 통제된 행위 맥락에서만 추출되기 때문에 조금이라도 달라진 상황에서의 행위에 대해서는 믿을 만한 가이드를 제공하지 않는다. 이에 관련하여 Douglas(1967: 339)는 사회적 행위의 인과 관계(causation)에서 가장 중요한 것은 어떤 상태에 놓인 사회적 의미에 대한 연구는 사회적 행위의 구체적 사례로부터 설문지나 실험실 실험과 같은 방법으로 일반화하는 것은 가능하지 않다고 지적한다. 그렇기 때문에 해석적 관점에서는 사회과학의 탐구는 행위에 포함된 의미, 행위의 논리가 중심이 되어야 한다.

세 번째로 다룰 내용은 실천에는 규범적 차원이 포함되어 있기 때문에, 가치의 개입을 지양하는 자연과학적 접근으로는 사회과학적 탐구, 즉 실천에 대한 탐색을 시도하기에는 한계점이 있다는 것이다. 예를 들어, 앞서 언급한 자살률을 낮추는 방안과 관련하여 자연과학적 접근으로는 사회적 응집성 증가를 위한 일련의 행위가 얼마나 효과적인지에 관심을 둔다. 하지만, 집단의 응집성을 높이고자 하는 시도가 얼마나 바람직한지, 이와 관련하여 실천과정에서 발생할 수 있는 문제점들은 없는지, 자살률의 감소가 다른 어떠한 사회적 이슈와 연관될 수 있는지 등 자연과학에서는 관심을 가지지 않는 실천적, 윤리적 문제들은 실천이 개인뿐 아니라 다른 사람들에게도 다양한 영향을 미칠 수 있다는 점에서 사회과학적 탐구에서는 다루어져야 할 성격의 것이라 간주할 수 있다.

이러한 주장에 섰던 대다수의 해석주의자들은 앞서 살펴보았듯이 자연과학적 접근 혹은 경험론적 실증주의적 탐구는 여러 제한점이 있다는 것을 지적함과 동시에 탐구되어야 할 사회적 구조 혹은 실재는 외부에 있는 것이 아닌 개인의 내면에 있다고 주장했다. 사람들은 자신의 행위를 통해 주관적 의미를 표현하게 되는데, 이러한 의미를 살펴보기 위해서는 사람들과의 상호작용 및 구성원들 간에 공유되는 특정한 형식의 의미들에 대한 탐색이 뒤따라야 한다는 것이다(Mckernan, 1996). 그렇기 때문에 그들은 개인의 행위를 인과적 기계론의 효과로 분석하는 방식보다는 개인의 행위를 합의된 규칙과 삶을 구성하는 간주관성으로 분석 및 해석하는 방식을 제안하고 있다. 다시 말해 개인이 주변과의 상호작용을 통해 의도적으로 그들의 의식 속에 재생산되는 사회적 구조들에 대한 탐색을 강조했다. 비슷한 맥락에서 Kincheloe(2003)는 연구와 실천을 구분하는 이분법은 이론가는 화석화된 지식의 생산자, 실천가는 단순 기능인으로만 제한하게 된다고 비판했으며, Lewin(1952) 역시 당시의 사회과학적 연구는 몇 가지 변수 사이에 있는 가설화된 관계를 검정하는 실험 방법에 의존했고 그 결과 연구내용이 실천과 동떨어지게 되었다고 지적하고 있다. 그렇기 때문에 연구와 실천의 통합을 지지하면서, 사회과학적 탐구에 있어 연구의 기여와 실천의 기여가 따로 구분될 수 없다는 주장이 힘을 얻었던 것이다(Argyris, 1970).

이론과 실제는 구분되는 것인가, 통합되어야 하는 것인가의 이분법적 구분에는 적합하지 않지만, Carr와 Kemmis(1986)가 주장한 비판-해석적 연구의 유형 역시 살펴볼 필요성이 있다. 그들이 주장한 비판-해석적 연구에서는 실천가들이 그들의 행위의 의미에 대한 해석적인 의미를 탐색하는 것뿐만이 아니라, 그 행위를 제한하고 있는 것들을 극복하기 위한 노력을 강조한다. 이 역시 오늘날 실행연구의 대표적 유형 중 하나인 비판(참여적) 유형에 많은 영향을 미치기 때문에 살펴볼 필요성이 있다. 이들 주장은 비판 이론(critical theory)으로 유명한 Habermas 등이 포함된 프랑크푸르트학파의 학자들과 입장을 같이한다고 할 수 있는데, 이들 비판적 사회과학자들은 개인 및 구성원이 다루는 그 실천에 대한 내부적 그리고 외부적 비판에 주목하기 때문이다.

비판 이론에서는 '무엇'과 관련한 현상이나 개념에 대한 이상주의적 타성을 경계한다. 즉 당연시되는 것들에 대한 점검에 초점을 두는 것이다. 이상주의 타성이란 교육을 통해서 사람들을 우둔함에서 벗어나게 할 필요로서 강조된 계몽을 뜻한다. 이러한 이상주의적 기준은 비판적 지식을 얻기 위해서 필수적이다. 이상주의적 분류를 통해서만 실재적으로 민주주의를 실현할 가능성을 헤아릴 수 있다. 다시 말해 비판 이론은 무엇을 개념화할 때 고전 이상주의가 계몽사상처럼 구체화되지 않은 사회를 이해하는 것을 주관적이고 체계적으로 참고한다고 볼 수 있다(Aodrno 1963: 206). Adorno와 Horkheimer는 비판 이론에서 고전·현대철학, 사회과학, 문화 분석을 수반하는 지적 활동을 보았다. 두 사람은 대안적인 사회운동이나 실험에 참가하지 않았다. 오히려 두 사람은 제도화된 활동으로부터 독립되는 것을 높이 샀다. 제도화된 활동에 종속되는 것이 개념 도구주의로 이어질 수 있다고 판단했기 때문이다. 대안이나 실험의 목적이 그것을 수행하는 것 자체로 바뀌는 것이다. 그래서 두 사람은 사회운동이나 진보적인 정당으로부터 떨어져 있었다. 비판 이론에는 역설적인 부분이 있다. 지성인과 연구자들이 물화되고 구체화된 문화를 해체하기 위해 사회의 이상향을 구상해야 하는 한편, 그러한 이상향을 실현시키기 위한 관습적인 운동이나 조직에 관여되어서는 안 된다는 것이다. 이는 지성인과 연구자들이 독립된 상태로 남고, 비판성을 유지하기 위함이다. 비판 이론의 이 역설을 바탕으로 이상주의적 비판주의 철학을 실행연구에 적용할 수 있다. 이 적용의 연장선상으로 고정된 현실과 문화를 역사적인 이상주의 범주를 통하여 해체해야 할 필요성도 알 수 있다. 실행연구상의 절차들은 반드시 연구 프로젝트 환경의 사회적 특성에 대한 이론적 반성에 선행되어야 한다. 이는 조사자들이 수행해야 하는 첫 해체과정이다. 물론 사회적 맥락에 관한 비판적 반성거리는 바람직한 실행연구가 이루어지는 동안 상당 부분 관련 대화의 일부분이 될 수 있다. 해체적 반성이 대화의 "시공간"을 구성하는 방법은 대화 참여자와 조사자들이 일상을 경험하고 표현하고, 더 나은 삶에 대한 이상향을 표현할 때 중요하다. 앞서 우리는 사회과학 탐구에서 중요한 것은 개인의 행위에 대한 탐색이 중요함을 인지할 수 있었다. 더불어, 비판적 사회과학자들이 말하는 것처럼 사회과학 탐구에서는 개인의 성찰이 중요하다는 점 역시 함께 살펴볼 수 있었다.

참고문헌

21세기 정치학대사전. http://terms.naver.com/

김태오(1991). Habermas의 praxis 이론과 그 교육실천적 논의. **교육철학연구, 9**(-), 151–168.

박영주(2011). 한나 아렌트 행위 'praxis'에 대한 고찰: 초등학교 도덕과 교육에 주는 시사. **초등도덕교육, 36**(-), 55–85.

서윤경 · 권성호(2004). 프락시스 중심의 디지털 리터러시 학습을 위한 학습 전략 개발 및 적용. **교육공학연구, 20**(2), 101–131.

신득렬(1987). 성인교육의 철학적 이해: Freire를 중심으로, **계간성인교육, 5**(2), 3–42.

Adorno, T. (1963). *Eingriffe. Neun kritische Modelle.* Frankfurt am Main: Suhrkamp Verlag.

Arendt, H. (1957). The Human Condition. Chicago: University of Chicago Press. 이진우 외 역 (1996). **인간의 조건.** 파주: 한길사

Argyris, C. (1970). *Intervention Theory & Method: A Behavioral Science View.* Boston: Addison–Wesley.

Argyris, C., Putnam, R., & Smith, D. M. (1985). *ACTION SCIENCE: Concepts, Methods, and Skills for Research and Intervention.* San Francisco: Jossey–Bass Publishers.

Argyris, C., & Schon, D. (1974). *Theory in Practice: increasing professional effectiveness.* San Francisco: Jossey Bass.

Carr, W., & Kemmis, S. (1986). *Becoming critical: Education, knowledge and action research.* Geelong: Deakin University Press.

Dewey, J. (1929). *The quest for certainty Study of the Relation of Know.* New York: Minton Balch.

Douglas, R. J. (1967). The hippocampus and behavior. *Psychological Bulletin, 67*(6), 416–442.

Elliott, J. (1991). *Action research for educational change.* Philadelphia: Open University Press.

Freire, P. (1970). *Pedagogy of the Oppressed.* New York: Herder & Herder.

Gouldner, A. W. (1961). Theoretical requirements of the applied social sciences. *American Sociological Review, 22*(1), 92–102.

Grundy, S. (1987). *Curriculum: Product or praxis.* London: The Falmer Press.

Habermas, J. (1974). Theory and Practice. Trans. J Viertal, London: Heinemann as cited in Grundy, S. (1982). Three Modes Of Action Research. In Kemmis, S. and McTaggert, R. (eds) (1988). *The Action Research Reader (3rd ed.).* Geelong: Deakin University Press.

Kemmis, S., & McTaggart, R. (1988). *The Action Research Planner.* Victoria, Australia: Deakin

University.

Kincheloe, J. L. (2003). *Teachers as researchers: Qualitative inquiry as a path to empowerment.* London and New York: Routledge.

Kuhn, T. S. (1962). *The structure of scientific revolutions.* Chicago: Univrsity of Chicago Press.

_____(1970). *The structure of scientific revolutions (3rd ed.).* Chicago: University of Chicago Press.

Mort, J., & Lakatos, A. I. (1970). Steady state and transient photoemission into amorphous insulators. *Journal of Non—Crystalline Solids, 4*(−), 117–131.

Lewin, K. (1931). The Conflict between Aristotelian and Galileian Modes of Thought in Contemporary Psychology. *Journal of General Psychology, 5,* 141–177.

_____ (1946). Action research and minority problems. *Journal of Social Issues. 2*(−). 34–46.

_____ Lewin, K. (1952). *Field theory in social science: selected theoretical papers.* Cartwright, D. (ed). London: Tavistock.

Mann, F., & Likert, R. (1952). The Need for Research on the Communication of Research Results. *Human Organization, 11*(4), 15–19.

Lakatos, I. (1978). *The Methodology of Scientific Research Programmes.* Worrall, J., & Currie, G. (eds). Cambridge: Cambridge University Press.

Lykes, B., & Coquillon, E. (2006). Participatory and action research and feminisms: Towards transformative praxis. In Hesse—Biber, S, N. (ed) (2011). *Handbook of feminist research: Theory and praxis,* Thousand Oaks: Sage.

Marx, K. (1969). *Das Kapital. Kritik der Politischen Ökonomie.* Erster Band. Berlin. Dietz Verlag.

Masters, J. (1995). The History of Action Research. In Hughes, I. (ed). Action Research Electronic Reader. The University of Sydney, on—line http://www.behs.cchs.usyd.edu.au/arow/Reader/rmasters.htm.

Mckernan, J. (1996). *Curriculum action research* (2nd ed.). London and New York: Routledge.

_____ (1998). Teacher as researcher: paradigm and pracis, *Contemporary Education, LIX*(3), 154–158.

Merton, R. K. (1967). *On theoretical sociology: five essays, old and new.* New York.: Free Press.

More, T. (1965). Utopia. In Logan, G, M., & Adams, R, M. (tras) (2011). *More Utopia.* London: Cambridge University Press.

Rorty, R. (1979). *Philosophy and the Mirror of Nature.* New York.: Princeton University Press.

Shani, A. B., & Pasmore, W. A. (1985). Organizational Inquiry: towards a new model of the action research process. In Warrick, D, D. (Ed) (1985). Contemporary Organization Development: current thinking and applications. American Society for Training and Development..

Simon, J. L. (1969). *Basic research methods in social science: the art of empirical investigation*. New York.: Random House.

Skjervheim, H. (1957). *Deltaker og Tilskodar*. Oslo: Oslo University Press.

Williams, B., & M. Brydon-Miller. (2004). Changing directions: Participatory action research, agency, and representation. In Brown, S. G., & Dobrin, S. (eds). *Ethnography unbound: From theory shock to critical praxis*. Albany: State University of New York Press.

실행연구의 개념적 이해

이 장에서는 본격적으로 실행연구란 무엇을 뜻하는지를 살펴보고자 한다. 지금까지 실행연구에 관한 여러 이론들과 핵심 개념들을 살펴보았다면 이미 실행연구가 어떠한 뜻을 갖고 있는 연구 방법인지 감을 잡았을 것이다. 이러한 점을 생각하면서 실행연구에 관해 학자들이 제시하고 있는 정의를 따라가 보도록 하자. 실행연구의 정의를 확실하게 이해한다면 앞으로의 연구 방향과 목표를 설정하는 데 훨씬 수월할 것이다.

1. 실천적 지식과 성찰

실행연구는 결국 실천적 지식을 생성하고 이해하기 위한 노력이다. 실천적 지식을 갖게 되면 연구자가 본인의 내면 혹은 실천에 대해 스스로 성찰하는 것이 가능하게 되고, 이것은 더욱 나은 실천을 도모할 수 있는 기초가 된다. 특히 연구자가 자신의 삶과 연구 과정에 대하여 반성적으로 사유하고 성찰하는 것은 굉장히 중요하다. 이제 실행연구에서 성찰 없는 연구는 의미가 없는 것으로까지 생각되고 있다. 이것은 우리로 하여금 실천적 지식과 성찰이 정확히 무엇이며, 그것을 획득하기 위해 어떻게 해야 하는지를 생각해 보게 만든다. 이에 지금부터 실천적 지식이란 무엇이며, 성찰의 개념과 절차는 어떻게 되는지를 살펴볼 것이다. 한편으로는 실행이 전제되지 않는 성찰은 무의미하다. 따라서 추가적으로 실천적 성찰에 관해서도 살펴보고자 한다. 이러한 작업은 실행연구자들에게 자신의 연구에 정체성을 부여할 수 있도록 만들어 줄 것이다.

1) 실천적 지식

실천적 지식이란 기존의 지식의 개념에 반하여 나타난 개념이다. 실천적 지식에 대비되는 전통적 지식은 지식이 인간에 의해 발견될 뿐 창조되지는 않는다는 관점을 갖고 있다. 왜냐하면, 기존의 철학자들은 지식이란 우리의 외부에 있는 영구불변의 진리로서 인간은 그저 원래 숨겨져 있던 것을 발견하는 존재로 생각을 했기 때문이다. 따라서 개인의 느낌이나 직관 등은 지식의 근원이 될 수 없다고 여겼다. 따라서 인식의 주체가 인식의 대상을 선입견 없이 이해하기 위해서는 감정이나 직관을 완전히 배제한 추상적인 추론의 과정이 필요하다는 생각에까지 이르게 되었다(홍미화, 2005: 103). 그런데 이와 대비되는 실천적 지식관은 지식의 절대성과 객관성을 부정하고, 지식이란 개인의 인지적 작용에 의해 지속적으로 재구성될 수 있는 성격의 것으로 보았다. 또한 사회 문화적이고 개인적인 맥락 속에서 존재한다는 점 역시 강조된다. 즉, 실천적 지식관은 특정한 상황 속에서 지식이 새롭게 구성될 수 있다고 보았기 때문에 실천가가 현실의 맥락 속에서 경험과 이론을 어떻게 재구성하는가에 많은 관심을 두게 된다(홍미화, 2005: 105).

실천적 지식을 처음 언급한 학자는 Okkeshott이다. 그는 인간의 모든 실천에는 지식의 두 종류, 즉 기술적(technical) 지식과 실천적(practical) 지식이 함께 존재한다고 주장했다. 그러면서 실천적 지식이란 가르치고 배울 수 있는 성격의 것이라기보다는 전수되고 획득될 수 있는 성격의 것이며, 실천 속에서만 존재하고, 부단히 실천하는 사람과의 계속적인 만남을 통해서만 얻을 수 있다고 했다(Oakeshott, 1962: 15). 이처럼 실천적 지식은 자신이 인식하지 못하는 사이 정확히 표현할 수 없지만 무언가 다른 종류의 지식을 획득했다고 깨닫는 것이다(홍미화, 2005: 105). 실천적 지식을 이해하려면 동시에 기술적 지식의 의미를 함께 이해해야 하는데, 이는 이들 지식이 별개로 존재할 수 없기 때문이다. 즉, 실천적 지식은 기술적 지식처럼 사실이나 규칙의 형태로 명문화될 수 없고, 오직 활용하는 과정에서만 드러나는 지식이다. 교사의 경우로 예를 들면, 기술적 지식에는 교수학습 과정, 칠판의 판서, 교사의 발문 등이 해당하고, 교사의 교육관이나 관점, 표현하는 스타일 등은 실천적 지식에 해당한다고 할 수 있다. 결과적으로 실천적 지식은 교사의 교육적 활동의 원천이 되는 개념이자, 지식의 명시성과 암묵성을 동시에 표현하는 총체성을 지닌다(홍미화, 2005: 105). Carter(1990: 299)는 실천적 지식이 교사가 수업을 수행하고 계획하는 방식에 활용되는 지식이며, 교사가 교실 상황과 그들의 환경에서 목적적으로 행동을 수반하는 가운데 직면하는 실천의 갈등을 내포한 지식이라고 보았다. 따라서 이 지식은 사려 깊고 상호작용적이며 행위 내 사고의 복잡성을 설명할 수 있고 교사가 알고 있는 정보나 사실의 개념을 일반화하기보다는 교사가 그들의 지식을 어떻게 구성하고 획득하며 사용하고 있는지에 대하여 더욱 관심이 많다.

Elbaz의 주장을 정리한 홍미화(2005: 113)에 따르면, 교사의 실천적 내용은 크게 교육과정 지식, 교과내용 지식, 교수학습 지식, 교사 개인 지식, 교수학습 환경 지식 등의 다섯 가지로 나눌 수 있다. 첫째, 교육과정(curriculum) 지식은 교육과정 개발 과정과 방식 및 교육과정 재구성과 관련된 지식이다. 둘째, 교과내용(subject matter) 지식은 교사가 가르칠 교과의 내용에 대한 지식 및 교과의 내용을 가르치는 데 필요한 기능과 관련된 지식 모두를 의미한다. 셋째, 교수학습(instruction) 지식은 학습의 의미를 어떻게 보는가를 포함한 학습자에 대한 이해 및 일반적인 교수(teaching) 지식과 교수법(teaching method)적 지식을 의미한다. 넷째, 교사 자신(self)에 대한 지식은 교사 자신의 개인적 가치와 목적에 대한 이해, 전문인으로서의 교사가 자신을 바라보는 지식이며, 동시에 타인과의 관계 속에 놓인 자신을 이해하거나 판단하는 능력과도 관련된다. 다섯째, 교수학습 환경(milieu of school) 지식은 교사가 위치한 학교 및 교실을 둘러싼 사회, 문화, 정치, 경제, 지리적 환경에 대한 이해이자 교사가 갖는 지식의 범위와 질을 결정하는 지식을 의미한다.

한편 실천적 지식을 고찰함에 있어 실천적 지식이 어떤 배경에 의하여 왜 형성된 것인지를 이해하는 '성향(orientation)'이라는 용어를 이해해야 하는데(홍미화, 2005: 115~116), 성향을 통해 실천가가 가진 지식의 특성을 분명히 파악할 수 있고, 실천적 지식의 형성 과정을 이해할 수 있기 때문이다. 실천적 지식의 내용과 비교해 보면, 실천적 지식의 내용과 구조는 수업을 구체적으로 표현해 주는 양상에 해당하고, 왜 그 교사가 그 상황에서 그와 같은 행위를 하게 되었는지를 추론해 보는 과정이 바로 성향 이해에 해당한다. 이를 통해 성향은 특정한 실천과 언어의 배경이 되고, 미래의 어떤 행위를 지향하도록 하는 기반으로 작용한다고 볼 수 있다. 이를 구체적으로 살펴보면 실천적 지식의 성향은 상황적, 개인적, 사회적, 경험적, 이론적 성향으로 구분할 수 있다. 이 가운데 이론적, 상황적, 사회적 성향은 교사의 외적 환경의 영향이고, 경험적, 개인적 성향은 개인의 가치와 신념이 내포된 교사 지식의 내적 형성 요인이다. 성향은 교사가 특정 수업에서 표현하는 지식 이면의 지식을 파악할 수 있도록 돕는데, 이는 수업 속에서 드러나는 교사의 가르침이 암묵적 지식에 기반하는 경우가 더 많기 때문이다. 그리고 교사의 실천과 언어적 표현은 특정 성향에만 근거하지 않고 복합적으로 작용한다.

성향은 크게 다섯 가지로 나눌 수 있다. 첫째, 상황적 성향은 실천적 맥락으로 인해 지식이 방향성을 갖는다는 것이다. 수업과 연관된 실천적 지식은 학교 상황, 자신의 상황, 교육과정의 적용 상황 등 특정한 상황에 따라 형성될 수밖에 없기에 교사의 실천적 지식은 그와 유사하거나 같은 상황에서 가장 잘 활용된다. 둘째, 개인적 성향은 실천적 지식을 형성하는 데 있어 교사 개인의 느낌, 목적, 가치, 지적 신념이 갖는 관점과 관계한다는 것이다. 교사는 교실에서 일어나는 다양한 상황에 대하여 개인적으로 의미 있는 방법을 지향하는 데 관여한다. 셋째, 사회적 성향은 실천가가 실천적 지식을 형성할 때 영향을 주는 사회적 요인을 의미한다. 예를 들어, 사회적 요구와 자신의 신념이 대립할 때라든지, 특별한 사회적 배경을 가진 학생을 지도할 때 등이 이에 해당한다. 넷째, 경험적 성향은 실천적 지식을 형성할 때 영향을 주는 경험적 요인을 의미한다. 이것은 교사가 경험의 의미를 새롭게 재구조화하고 또 다른 교수 상황에 적절히 반응하도록한다. 다섯째, 이론적 성향은 실천적 지식을 형성할 때 영향을 주는 교사의 이론적 요인을 의미한다. 이론에 대한 교사의 존중은 교사가 마음으로 그리는 지식의 종류를 결정하고 그것을 특별한 상황에 활용하려는 특징을 가진다. 이처럼 실천적 지식의 성향은 개인에 따라 서로 다른 맥락에서 형성되고 활용됨을 알 수 있다. 따라서 성향에 따른 실천의 이해는 해당 행위가 갖는 의미와 실천가의 실천적 지식이 가지는 암묵적 측면을 잘 읽을 수 있도록 돕는다.

한편, Elbaz(1980)는 교사의 실천적 지식을 일반화의 정도에 따라 실천적 규칙(rule)과 실천적 원리(principle), 이미지(image)의 수준으로 구조화했다(홍미화, 2005: 118). 실천적 규칙은 특별한 상황에서 어떻게 해야 하며 무엇을 해야 하는지를 규정 짓는 가장 기본적인 진술이자 목적을 함의하는 수준이다. 즉, 실천적 규칙은 실천적 상황에서 접하는 내면적 갈등을 어떻게 다룰지와 직접적으로 관련되고, 교사가 수업의 목적을 위하여 접하게 되는 상황의 유형을 다루는 방식이 된다. 실천의 원리는 규칙보다 더 넓고 포괄적인 수준으로 개인의 경험에서 유래하는 숙고와 반성의 방식에 의존한다. 따라서 실천의 원리는 구체적 행위보다는 특정 행위에 대한 실천가의 목적의식이 드러나는 진술의 특성을 가지고, 현재의 문제와 관련 있는 과거의 경험으로부터 현재 혹은 미래를 예측하는 데 의미를 둔다. 앞서 규칙이 수업에 있어 매우 특수하고 구체적인 것이라면, 실천의 원리는 시간을 초월하여 개인의 신념과 목표에 일치하는 행동을 기대하는 것이다. 따라서 이것은 이론적 관점을 가지면서도 직관적인 경험에 의해 형성되어 온 것이며, 실천과 이론의 연결을 만들어 준다.

행위에 대한 연구는 결국 실천적 지식을 생성하고 이해하기 위한 노력이다. 그리고 이러한 과정에서의 성찰은 매우 중요시된다. 왜냐하면 행동의 의미를 파악(행위와 지식의 관계 생성)하기 위해서는 행동의 목적이 무엇인지를 반성적으로 파악, 즉 성찰하는 것이 중요하기 때문이다. 그렇기 때문에 행위를 파악한다는 것은 개인의 행위에 내재된 가설을 확인하는 것과 행위에 대한 실증적인 설명의 정당성을 따져 보는 것을 의미하기도 한다. 내재된 가설을 확인한다는 것은 암시적인 가설과 관련되고, 실험적인 가설과는 다른 점은 행위자가 상황을 탐구하면서 언제든지 상황을 바꾸는 계획을 수립할 수 있다는 것과 관련성을 가진다.

이러한 맥락에서 Schön(1987)은 전문적인 실천의 과정은 가치가 함의되어 있기에 다양한 해석이 가능하다고 했다. 그래서 실천과 관련하여 암묵적 지식(tacit knowledge)의 특성을 강조했다. 앞서 사람들의 실천에 복잡성과 다양성, 가치 등이 내재되어 있다고 했는데 이는 암묵적 지식, 즉 스스로 인지하지는 못하지만 직관적으로 습득한 지식에 대해 인지하지 못하는 경우도 많고, 또한 인지하더라도 이를 표현하는 데 곤란을 겪는 지식의 영향을 많이 받는다는 것이다. 이와 관련하여 Schön(1983: 49)은 우리의 앎은 우리의 행위 안에 제한되어 있다는 말로 표현하고 있다. 그렇기 때문에, 실천가들은 행위 중 반성(reflection in action)을 통해, 실천가가 실천에 대한 의미 있는 체계를 새롭게 재구성하고 재구조화할 필요가 있다는 것이다(김재웅, 2000: 274). 그리고 이러한 과정에서 체득하게 되는 지식이 바로 실천적 지식의 성격을 띠게 된다는 것이다.

2) 성찰의 의미

성찰(Reflection)은 사전적으로는 심사, 숙고, 반성 등의 의미로 해석되고, 철학적 용어로는 성찰, 반성으로 해석되어 사용된다. Dewey(1929: 5)에 따르면 성찰은 일련의 사고의 흐름을 의미하는 데, 공통의 목적을 향해 일관된 움직임이 될 수 있도록 하는 과정이라고도 설명했다. 즉, 성찰의 가장 중요한 기능 중의 하나는 연구자로 하여금 그들의 인지적 구조를 비판적으로 지각하고 재구조화하도록 돕는 것이라 했다. 곽현주(2004: 20)는 성찰이란 자신의 행동을 내면적으로 분석하고 논리적으로 생각하는 것을 말한다고 했다. 이 외에도 다양한 학자들이 아래와 같이 성찰이란 무엇인가에 대한 개념화 작업을 시도했다. 이에 여러 학자들이 반성에 대해 언급한 내용을 정리하면 다음과 같다.

성찰에 대한 개념

학자	연구 주제
BoudKeogh, Walker(1985)	성찰은 자신의 경험을 토대로 그것에 대해 사고하고, 숙고하고, 평가하는 활동을 의미한다.
Habermas(1974)	성찰은 이전에 당연하다고 받아들였던 실제에 대해서 인식해 가는 과정이다. 즉, 그 현상에 영향을 미치고 있는 다양한 변인들을 탐색하고 이들에 대한 통제력을 얻어 가는 과정이다.
Killion, Todnem(1991)	성찰은 미래의 행동을 안내하는 것으로 시작하며, 미래의 실제를 안내하는 실천적 도구이다.
Lucas(1992)	성찰은 비판적 피드백과 평가, 가르침을 위한 하나의 안내 원리, 능동적 학습의 유형으로 해석된다.
Schön(1987)	성찰은 무언의 지식을 의식적인 행동으로 옮기는 것을 발전시키는 사고의 유형을 일컫는다. 뿐만 아니라, 가르침의 과정 속에서 순간순간 생성되는 딜레마를 다루기 위한 진보적 지식을 구성하도록 촉진한다.
Swindal(1999)	성찰은 반성하는 행동 속의 내용 및 반성하는 행동 자체를 일컫는다.

※ 위 표는 곽현주(2004: 12)의 논문 내용을 재구성한 것임.

이상의 정리들을 통해 연구자는 성찰의 종합적인 개념화를 시도할 수 있었다. 즉, 성찰이란 경험을 토대로 기존에 당연하게 여기던 실제에 대한 반성적 인식 및 탐색의 과정이라고 할 수 있다. 또한 현상에 영향을 미치는 다양한 변인들에 대한 비판적 탐색 및 평가를 통해 실천적 행동의 변화를 도모하는 속성 역시 지닌다. 그리고 이러한 성찰적 과정은 곧 미래의 실제를 안내하는 실천적 도구로 작용하게 된다. 이러한 관점에서 Killion과 Todnem(1991: 15)은 성찰하는 것은 과거, 현재, 미래를 동시에 포괄하는 과정이고, 과거 행동과 현재 행동을 점검하면서 미래 행동에 대한 지식을 생성한다고 지적한다. 이상에서 정리한 성찰의 개념을 교육적 상황에 적용시켜 보면, 교사가 자신의 교수학적 경험을 인식하고 반성적으로 탐색하고 평가함으로써 실천에 대한 통제력을 강화하고 개선을 도모하는 정신적·실천적 과정을 교육적 상황에서의 성찰이라고 정리할 수 있다.

그런데 이렇게 성찰이란 개념을 정리하면서 함께 떠오르는 단어인 반성에 대해서도 살펴볼 필요성이 있다. 왜냐하면 일상생활에서는 성찰이란 용어와 반성이란 용어가 구분 없이 혼용되는 경우가 많기 때문이다. 하지만 사전적으로 그리고 학술적으로 쓰이는 성찰이란 용어는 반성이란 용어와는 다른 의미를 지니고 있기에 그 차이점에 대해 살펴봐야 한다. 이러한 과정은 성찰의 의미를 명확하게 정리하는 데 더욱 도움이 되기 때문이다. 먼저, 반성은 자신의 언행에 대하여 잘못이나 부족함이 없는지를 돌이켜 보는 것을 의미한다. 그리고 성찰은 자기의 마음을 반성하고 살피는 것이다. 유사한 것 같지만 반성은 부정적인 의미로 더 많이 사용되고 있음을 살펴볼 수 있고, 성찰은 긍정적인 의미와 부정적인 의미를 모두 포함한 채로 사용되고 있다고 볼 수 있다(임현정, 2010).

그렇다면 왜 이런 특성의 성찰이 실천의 과정에서 중요하게 다루어져야 하는 것인가? 사람들의 특정한 생각과 신념은 사람들이 행동하고 생각하는 것에 대한 '틀'을 만들고, 그 '틀'은 우리로 하여금 특별한 방식으로 행동하도록 하는 경향과 관련되어 있다. 또한 일반적으로 우리는 일상적인 사건보다는 예상치 못한 혹은 곤란에 처했던 것에 대해서만 성찰을 하려는 경향을 지닌다(Naughton &

Hughes, 2008: 148). 이는 사람들이 그들의 행동으로 인해 어떤 특정한 사건들이 일어났는지에 대한 이론을 형성하는 데 중요한 근거가 된다(Peters, 1999). 이처럼 특정한 사고의 틀은 어떻게 생각하고 행동할지를 효율적, 효과적으로 만들어 주는 도구로 작용하기도 하지만, 한편으로는 일상적이지 않은 현상을 대할 때 혹은 다르게 생각하고 행동하는 것을 방해하는 요소로 작용할 수도 있다. 그렇기 때문에 자신이 가지고 있는 이러한 틀에 대해 성찰하는 것은 조금 더 나은 변화를 위해 필수적인 과정이라고 할 수 있다. 그렇기 때문에 실제적인 성찰을 위해서는 우리가 하는 것에 대해 왜 그것을 하고, 그에 따른 영향은 무엇인지에 대한 성찰의 과정이 필요하다. 즉, 연구자 자신이 무엇을 하는지, 왜 그것을 하는지, 그리고 어떤 영향이 변화를 이끌어 낼 수 있는지에 대해 생각해야 하는 것이다.

이번에는 성찰이 어떻게 이루어지는지에 대한 과정, 즉 절차를 살펴보고자 한다. 이를 위해 Schön과 Dewey를 중심으로 소개하고자 한다. 먼저 Schön은 교육 분야에서 성찰 과정의 중요성을 강조했다. 그는 Dewey의 영향을 받아 성찰을 재념화하고자 했는데, Schön에 따르면 20세기 후반에 들어서 교직의 전문성 향상이 중요한 논점으로 대두되면서 Dewey의 성찰적 사고 개념이 교원의 전문성 신장을 위해 필수적으로 포함되어야 할 요소로 두각되었다. 교사가 자신의 수업 행위에 대해 지속적으로 성찰적 실천을 함으로써 자기 스스로 자질을 개선해 가는 과정에 주목하며 성찰 과정을 통해서 전문가로 성장해 간다고 보았던 것이다. 교사를 연구자들이 형성한 이론적 지식을 그대로 실천해 보는 수동적 행위자라기보다는 자신의 수업 상황에서 의욕적인 방법으로 문제들을 탐구하고 새로운 수업 이론을 창출하는 능동적인 연구자로 인식하기 때문에 교사가 실천의 과정 속에서 자기성찰 과정에서 얻는 실천적 지식을 교사의 중요한 자질로 보았다. Schön의 이러한 이론화에 영향을 준 Dewey(1933)가 제시한 성찰의 절차는 다음과 같다(박창민, 2015: 23~24).

그에 따르면 성찰의 첫 번째 절차는 문제 상황에 부딪쳤을 때 즉각적으로 떠

제안	지성화	가설 이끌기	추론	제안
문제 상황 인식	문제 명료화	해결방안들에 대한 가설 설정	해결방안들의 논리적 검증	최종 선택된 해결방안 실천

Dewey의 성찰 절차

오르는 문제 해결방안을 인식하는 단계이다. 만약 하나의 방안만이 제시된다면 그러한 생각에 따라 행동을 하면 되지만, 여러 개의 방안들이 제시되는 경우에는 이들을 탐색하는 과정이 필요하다. 그렇기 때문에 두 번째 단계는 해당 상황에 대해 더욱 많은 질문들을 던지며 문제를 명료화하는 과정이다. 세 번째 단계는 각각의 해결방안들이 어떤 결과를 가져올 수 있을지에 대한 가설을 세우는 단계에 해당한다. 그렇기 때문에 다음 단계인 네 번째 단계에서는 이러한 각각의 방안들을 논리적으로 그리고 분석적으로 검증하게 된다. 그리고 마지막 다섯 번째 단계에서는 최종적으로 선택된 해결방안을 실천함으로써 그 문제에 대한 성찰을 끝내게 된다. Dewey도 지적하고 있듯이, 물론 이러한 성찰 과정이 천편일률적으로 진행되는 것은 아니다. 개인에 따라서 순서가 바뀔 수도 있고, 생략되는 단계가 있을 수도 있고, 혹은 특정 단계들만 반복될 수도 있는 것이다. 이러한 성찰의 단계를 교육적 상황에 적용한다면, 교사는 자신의 교육적 신념 및 교육관, 그리고 이를 근거로 한 자신의 교육적 활동이 어떤 생각으로부터 출발하고 어떻게 표출되는지에 대해 깊은 성찰의 시간을 가지는 것을 일컫게 될 것이다. 즉, 교사는 이러한 성찰의 과정을 통해 자신이 구성하고 실행과 교육과정 및 수업 방법들이 어떤 가치 혹은 믿음부터 출발하는지, 그리고 그러한 생각의 근거나 이유가 무엇이며, 이로 인해 발생된 논리적 결과를 심층적으로 고찰해 보면서 반성적 실천가로서의 역할을 수행하게 된다.

Copeland와 그의 동료들은 성찰의 절차, 특히 교육 상황에서의 성찰의 절차

| 문제의 인식 | > | 해결방안의
일반화 | > | 해결방안의
검증 | > | 반성 |

Copeland와 그의 동료들이 제안한 성찰의 절차

를 다음과 같이 4단계로 구분하여 안내하고 있다(박창민, 2015: 24).

첫 번째 단계인 '문제의 인식' 과정에서는 교사의 실천 혹은 수업 상황을 중심으로 성공적인 교육적 경험을 위한 혹은 교사 개인에게 의미 있는 문제에 대한 인식이 이루어진다. 두 번째 단계인 '해결방안의 일반화' 단계에서는 교사가 기존에 가지고 있던 지식에 근거해 문제를 해결하기 위해 가능한 해결책들을 고민해 보게 된다. 이때는 해당 해결책이 학습자에게 긍정적인 영향을 미치는지 그리고 교사 자신의 실천을 비판적으로 검토하는 과정이 반영되었는지를 살펴보는 것이 중요하다. 세 번째 단계는 '해결방안을 검증'하는 과정이다. 말 그대로 앞선 단계에서의 여러 해결책 중 실제로 실행된 해결책과 이러한 해결책이 수업 혹은 교육적 상황에 끼친 영향을 검증하는 단계이다. 마지막 네 번째 단계는 '반성'의 과정인데, 단순히 자신의 실천이 어떤 영향을 미쳤는지를 살펴보는 것에 그치는 것이 아니라, 기존에 가지고 있던 신념이라든지 가치관, 관점, 상황적 이해 및 해석 등이 어떻게 변화해 가는지, 혹은 변했는지에 대해서 반성적으로 되돌아보는 과정이다.

van Manen(1997)은 성찰의 수준을 기술적 수준, 전문가적 수준, 그리고 윤리적 수준으로 분류했다. 엄격히 말하면 이들은 성찰의 절차 혹은 단계는 아니지만, 문제 상황에서 어떠한 성찰들이 발현되는지를 분석할 수 있다는 점에서 함께 살펴보았다(박창민, 2015: 24∼25에서 재인용). 먼저, '도구적 수준'의 성찰의 목적은 주어진 목적을 달성하기에 효과적인 지식 혹은 경험, 기술을 적용하는 것과 관계가 깊다. 따라서 왜 그렇게 해야 하는가에 대한 반성보다는 당연히 추구해야 하는 성격에 가깝기 때문에 성찰의 영향은 상대적으로 미비하다. 다시 말해 실행에 대한 성찰은 단지 효율성과 같은 기술적인 측면에 정의되는 관점을 의미한다. '전문적 수준'의 성찰은 문제 상황에 직면하거나 이를 해결해야 할 때, 이들 상황에 직면한 교사 본인의 신념, 가치관, 관점 등의 분석과 관계가 깊다. 즉, 자신의 생각 및 실천이 본인이 기존에 가지고 있던 생각 혹은 경험과 관련성이 있다는 점을 인식하고 이에 대한 반성이 이루어지는 것이다. 이 관점은 아주 도구적인 활동에서는 벗어나지만 기저에 깔려 있는 가정이나 경향성에만 집중하는 수준을 의미한다. 마지막으로 '윤리적 수준'의 성찰 과정에서는 실천에 대한 윤리적인 점을 고려하는 것을 일컫는다. 즉, 단순히 자신의 실천의 행동 자체에만 집중하는 것이 아니라, 그러한 실천이 얼마나 정의로운지, 평등한지, 그리고 궁극적으로는 행복한 삶을 영위하는 데 얼마만큼의 영향을 줄 수 있는지에 초점을 맞추는 것이다.

3) 성찰적 실천

앞서 성찰의 개념과 절차, 대상에 대해서 살펴보았는데, 이는 결국 실행연구 과정에서 성찰이 어떠한 역할을 하는지를 고찰하기 위함이다. 결국, 실천의 과정에서의 성찰에 더 집중할 필요성이 있으며, 바꾸어 말하면 '성찰적 실천'에 관심을 가져야 할 것이다. 성찰적 실천은 Schön(1983)의 저서 「Reflective Practitioner: How Professionals Think in Action」에서 처음으로 사용되었는데(이경숙, 2015: 25), 이후 성찰적 실천의 개념에 대해서는 다양한 학자들이 논의하고 있다. 먼저, Dewey(1983)는 성찰적 실천이란 전문가가 자신의 행위에 대해 스스로 질문하고 검토하고 숙고함으로써 현실 세계의 불확실한 문제 상황에 능숙하게 대처하는 데 필요한 실제적 지식과 이론을 구축해 나가는 과정이라 했다. 손은정(2003)은 성찰적 실천의 개념을 특정한 사건이나 문제에 대하여 깊이 사고하는 성찰을 통해, 실천 과정에서 발생되는 오류나 문제점을 비판적 입장에서 보고 이를 해결하거나 개선하기 위한 대안적 관점이나 이론적 가정을 재개념화하여, 다시 실천 현장에 적극적으로 적용하는 순환적인 학습 및 탐구 과정이라 했다. 정영란과 김동식(2003: 43~45)은 성찰적 실천의 개념을 다섯 가지로 구분했다. 첫째, 자신의 실천에 관하여 다른 사람들과 토론하고, 윤리 도덕적인 측면을 스스로 평가할 수 있는 전문적 능력과 기술로서의 성찰적 실천, 둘째, 비판적 사고를 통하여 전문 분야에 대한 깊은 이해와, 대안적 관점을 개발하는 것으로 성찰적 실천을 개념화하는 비판적 사고로서의 성찰적 실천, 셋째, 인지적 과정으로서의 전문적 지식을 습득하는 측면보다는, 구성주의적 관점에서 학습 주제에 대한 다양한 관점을 바탕으로 깊은 이해를 얻게 되는 심도 있는 학습 과정으로서의 성찰적 실천, 넷째, 자신을 되돌아보거나, 타인과의 담화를 통해, 무엇이 문제인지 인식하게 되며, 자신이 알고 있는 것과 알아야 할 것이 무엇인지 인식하는 자기 인식의 과정으로서의 성찰적 실천, 다섯째, 석연치 않은 의심의 상황, 내적인 사고의 불균형 상태, 딜레마의 상황, 불완전한 상황과 같은 문제 상황을 해결하고자 하는 문제 해결 과정으로서의 성찰적 실천으로 제시했다(이경숙, 2015: 24).

이들 학자들의 논의를 중심으로 성찰적 실천의 주요 키워드를 추려 보면 전문 분야, 특정한 사건이나 문제, 실천 과정에서의 문제점에 대한 비판적 성찰, 해결을 위한 대안을 탐색, 실천 현장에 적극적으로 적용, 타인과의 협력, 순환적 과정으로 정리할 수 있다. 이러한 키워드를 바탕으로 성찰적 실천의 개념을 종합·정리해 보면 전문 분야에서의 실천의 과정 중에 발생하는 특정한 사건이나 문제점을 인지하고 해결 혹은 개선을 위해 타인과의 협력을 통해 비판적으로 성찰한 후, 여러 대안을 탐색하고 적용하여 상황의 개선을 도모하는 순환적인 일련의 실천적 과정을 일컫는다.

여기서는 앞서 제시한 정영란과 김동식(2003)의 성찰적 실천의 개념을 실천적 성찰의 대상으로 연계시키고자 한다. 첫 번째로 제시할 수 있는 실천적 성찰의 대상은 전문적 능력과 기술이다. 즉, 성찰적 실천을 전문가로서의 능력과 기술을 습득하기 위한 주된 학습 방법으로 보는 관점이다. 두 번째 성찰의 대상은 전문 분야 및 제도 등이다. 즉, Mezirow(1990)는 비판적 사고를 통하여 전문 분야에 대한 깊은 이해와, 대안적 관점을 갖게 되는 것으로 성찰적 실천을 개념화하는 입장을 취했다(정영란·김동식, 2003: 91). 세 번째 성찰의 대상은 학습의 과정이다. 이러한 관점은 연구자로서의 교사의 역할을 매우 강조한다. 즉, 성찰적 실천 과정을 일련의 교수학습 과정과 연관을 지어 분석하고자 한다. 네 번째, 성찰의 대상은 자기 인식 과정과 밀접히 관련된다. Osterman과 Kottkamp(1993)는 성찰적 실천을 통해 자기 인식을 높임으로써 진정한 의미의 개선이나 변화가 가능하다는 것을 강조했다. 자기 인식과 같은 성찰적 태도는 학습자의 전문적 능력 계발에 중요한 바탕이 된다는 것이다(정영란·김동식, 2003: 92). 다섯 번째로는 문제 해결 과정으로서의 성찰적 실천을 살펴볼 수 있다. 문제 해결 과정으로서의 성찰적 실천은 발생한 문제를 해결하기 위하여 대응적(reactive)으로 대처하기보다는, 문제 상황을 먼저 인식하고 문제 상황을 개선하기 위한 실천적 과제를 주체적으로 수행하는 매우 선행적(proactive)인 대처를 강조한다(정영란·김동식, 2003: 92).

성찰적 실천은 성찰이 실천의 과정 중 언제 일어나는지에 따라 유형화되기도 하는데, 현재 시점에 대한 성찰, 과거 시점에 대한 성찰, 미래를 위한 성찰 및 자기성찰이 이에 해당한다. 성찰의 유형에는 어떤 실천 행위를 완료한 뒤에 자신의 실천과 생각에 대해 성찰하는 '행위에 대한 성찰(reflection-on-action)', 즉각적인 수정을 목표로 사건이 일어나는 도중에 성찰하는 '행위 중의 성찰(reflection-in-action)', 이러한 두 가지 성찰의 결과로 미래의 실천을 위한 지침을 도출하는 '행위를 위한 성찰(reflection-for-action)', 교사 자신의 신념과 가치, 목적과 의도, 감정 등에 대해 탐구하는 자기성찰 등이 있다(Yost 외, 2000; 곽영순, 2014: 175에서 재인용).

Schön은 이러한 실천적 성찰의 유형 중에서 '행위 중의 성찰'에 주목하는데, 특히 '행위 중의 성찰' 과정에서 일어나는 앎과 행위의 상호작용은 전문적 실천가의 지식이 어떻게 형성되는지를 보여 주며 이 과정을 통해 실천가는 성찰적 실천가로 성장해 간다고 했다(이경숙, 2015: 26에서 재인용). 또한 그는 이러한 과정을 설명하기 위해 '행위 중의 앎(knowing-in-action)', '행위 중의 성찰(reflection-in-action)', '실천 중의 성찰(reflection-in-practice)'로 성찰의 차원을 구체화했다. 그 첫 번째 차원인 '행위 중의 앎'이란 우리의 행동과 감정 속에 암묵적으로 녹아있는 앎(knowing)을 의미한다. 즉, 무의식적, 직관적으로 일상적인 행위를 할 때, 사람들은 자신만의 방법으로 개별화된 지식을 갖고 있음을 추측할 수 있지만 실제로 이를 표현하는 것이 쉽지 않은 성격의 앎이 있다. '행위 중의 앎'이란 이런 성격의 앎을 일컫는 것이다(Schön, 1983: 49). 두 번째 차원인 '행위 중의 성찰'이란 예상치 못한 경험의 결과로 일어나게 되는 성찰을 의미한다. Schön(1983: 56)에 따르면, 직관적이고 연속적인 행위에 따라 예상했던 결과가 나타나면 우리는 그것에 대해서 더 이상 생각하지 않는 경향이 있는데, 직관적인 행위가 놀라움, 즐거움 혹은 원하지 않았던 결과를 끌어내면 우리는 '행위 중의 성찰'로 나아가게 되는 것이다. 세 번째 차원의 '실천 중의 성찰'이란 확립된 이론이나 기술에 의존하기보다, 개별화된 사례에 적합한 이론을 만들어 내는 과정과 밀접한 관련성을 가진다. 이러한 과정을 구체적으로 살펴보면, 자신의 행위에 영향을 미치는 기저 지식을 표면화해서 문제 상황을 어떻게 이해했고 그로부터 어떤 문제를 도출했는가 하는 기존의 문제 제기의 관점을 비판적으로 성찰한다. 그리하여 문제 상황을 다른 관점에서 보고 새로운 관점에서 문제를 도출한다. 문제 상황에서 문제가 무엇인가를 보는 틀을 재구성하는 것이다(이경숙, 2015: 28).

2. 실행연구의 개념

실행연구는 단순히 말하면 연구자가 자신의 개인·사회적 삶을 탐구하며 변화와 개선을 위해 자신이 주체가 되어 수행을 하는 연구라고 말할 수 있다. 좀 더 자세히 들어가면 실행연구는 연구 분야에 따라 다양한 정의를 가지고 있고, 교육 연구의 형태로 발전 중에 있다는 점 역시 기억해야 한다(Kemmis & McTaggart, 2000). 실행연구란 용어를 공식적으로 사용한 것은 Lewin(1946: 205)인데, 그는 '실행에서 수없이 시험되어 사회적 삶에 중요하게 영향을 미치는 법칙들의 생성'에 기여했던 연구의 형태를 조사하기 위해서 활용하기 시작했다. 그에 따르면 '실행연구'의 결과는 실제로 적용되고, 그 실제적 효과에 근거하여 다시금 사회과학에 의해 생성된 이론들을 수정하고 개선하게 하는 수단으로 정의되었다.

실행연구 용어의 의미를 조금 더 살펴보면 action research는 action과 research의 변증법적 발달을 도모하는 뜻을 지니고 있다. 전통적인 주류 과학의 관점에서는 이론과 실제(실행)는 엄격히 구분되어 있지만, 앞서 실행과학에서도 살펴보았듯이 실행연구에서의 관점에서는 이론과 실제가 구분할 수 있는 성격의 것이 아니라는 것이다. 그보다는 실행을 통해 생성된 지식은 이론의 정립에 기여하고, 이러한 이론은 다시 더 나은 실행에 영향을 미치게 되는 변증법적인 발달을 거친다는 것을 뜻한다. 이와 관련하여 Rapoport(1970: 499)는 실행연구란 당면한 문제 상황 속에서 사람들의 실천적 관심뿐 아니라 상호 납득할 만한 윤리적 프레임워크 내에서 공동의 협력을 통해 사회과학의 목적들에도 기여할 수 있다고 했다. 즉, 문제를 경험하고 있는 참여자들로 하여금 직접적으로 해결책을 모색하는 과정에 참여하게 하고 동시에 사회과학에도 상당한 이론적 보상을 가져오는 특별한 종류의 응용연구를 실행연구로 보고 있다.

이러한 실행연구의 개념을 이해하기 위해서는 실행연구의 역사적 동향에 대해서 살펴보는 것도 도움이 된다. 초기에 발생했던 실행연구의 유형은 무엇이고, 어떠한 영향 때문에 어떻게 변화해 왔는지를 살펴보는 것은 실행연구의 주된 초점이 무엇인지, 그리고 이를 통해 과연 실행연구란 쉽게 말해 어떻게 정리할 수 있는지를 탐색하는 데 도움이 된다. 물론 실행연구의 역사와 관련하여 다른 장에서 언급할 것이기 때문에 여기서는 아주 간략하게 살펴보기로 한다. 1930 ~ 1940년대는 초기의 실행연구 접근이 대두된 시기인데, 이 시기의 실행연구는 실증적 패러다임의 영향을 많이 받으면서 발전했다. 전통적인 주류 과학자들이 주장하는 것처럼 이론은 연구가들이, 실제는 실천가들이 담당해야 한다는 관점은 극복하는 과정이었지만, 실제와 이론의 변증법적인 발전은 실증적 패러다임에서 규정된 방법론적 원칙들을 충실히 따름으로써 도모할 수 있다는 관점이 힘을 얻는 시기였던 것이다. 그런데 이러한 주장들은 1950년대를 거치면서 사회 연구와 사회적 실천을 연결하려는 과정에서 실증주의의 방법론적 접근들이 충분한 기여를 하지 못한다는 인식이 확대되었다(Sanford, 1970). 이러한 인식들은 곧 실행연구가 하찮게 여기지고 급격한 쇠퇴로 접어들게 되는 계기로 작용했다.

이러한 실증주의적 접근의 실패 후, 1970년대를 기점으로 실행연구는 다시금 관심을 얻기 시작한다. 이전까지의 실행연구에 대한 관심이 주로 미국에서 일어난 것이라면, 이 시기에는 영국을 중심으로 논의가 일어나기 시작했다. 이 시기에 실행연구에 관심을 가지던 이들은, 실천가인 교사가 제외된 채 이루어지는 교육과정에 대한 이론이 실제 학교 현장에서의 이슈와 직접적인 관련성을 가지지 못한다는 점 때문에 교육적 연구에 대한 교사의 무관심이 확산되었다고 주장했다(Kemmis, 1988). 즉, 교사의 전문성은 실천가들에게 연구자의 역할을 부여함으로써 향상될 수 있고(Stenhouse, 1975), 이러한 개개인의 교사 전문성의 향상은 곧 교육과정의 변화 및 개선에 직접적인 영향을 미치게 된다는 것이다.

이 시기에도 실행연구 방법에 의해 생성된 실제적 지식들을 교사들이 직접 교육과정 정책과 제안을 그들의 교실에서 시험해 보는 것을 가능하게 함으로써 교육학적 실천에서 발전을 가져오고 변화를 자극한다는 실증론적 관점이 완전히 폐기된 것은 아니다(Elliott, 1978). 하지만 여러 측면에서 초기 미국에서의 실행연구의 관점과는 차이가 있다. 먼저, 초기에 실패한 실증주의 연구 방법론을 실행연구에 그대로 적용하는 것을 지양하고, 대신 '해석학적' 접근법이 관심을 갖게 되었다는 것이다. 즉, 이론이 실제에 얼마나 효과적으로 적용될 수 있는지에만 관심을 가지는 '양적' 연구보다, 실천가의 행위가 사회적 관련성 속에서 어떻게 해석되고 변해 가야 하는지에 초점을 맞춘 '질적' 연구가 적용되기 시작한 것이다(Kemmis, 1988). 이와 관련하여 Elliott(1991)은 초기의 실행연구에서의 '실행(action)'은 얼마나 효과적인지 평가될 수 있는 실용 기술이나 기법의 맥락으로 해석했지만, 해석적 접근으로의 '실행'은 교육적 가치들이 포함되는, 즉 규범적인 의미에서의 '행동'으로서 이해하여 교육적 실천에 대한 탐구를 수행해야 한다고 주장했다. 또한 Kemmis(1988: 44~45)도 실행연구는 더 이상 사회과학적 이론들의 실천적 유용성을 측정하는 방법보다는 전문직 영역에서의 실천가들이 그들의 실천 안에서 내면화된 '암묵적 이론'을 탐색하는 수단이 된다고 지적했다.

이러한 과정을 거쳐 실행연구는 실행과 연구 혹은 이론과 실제의 변증법적 발전을 두루 추구하지만, 그럼에도 불구하고 이론보다는 실제, 즉 실행(action)에 주된 초점을 두게 된다. 결국 실행연구는 다양한 문제를 안고 있는 사회적 세계를 이해할 수 있게 할 뿐 아니라, 사회적 환경 속에서 삶의 질을 향상시키고자 할 때 적극적으로 활용할 수 있는 특성을 지님을 확인할 수 있다. 이러한 점은 실행연구가 비단 교육 분야뿐 아니라 보건 및 의료 분야, 행정학, 경영학 등 사회과학의 다양한 분야 등에서 활용되는 데 기여했다. 그리고 최근에는 비판적 패러다임에 입각한 실행연구의 대두까지 이어지고 있다. 비판적 관점은 Habermas(1981)의 이론에 많은 영향을 받게 되는데, 실행연구는 앞선 실증적 방식의 적용, 혹은 그 대안으로의 해석적 접근법의 적용이라는 이분법적인 구분으로는 성공을 거두기 어렵다고 지적한다(Morrow & Brown, 1994). 왜냐하면, 실행(action)에 대한 연구는 개인과 집단에 영향을 미치는 사회적 관계에 대한 비판이 강조되어야 한다는 것이다. 물론 기존의 양적 혹은 질적 접근법이 사회적 관계 속에서의 개인과 구성원들의 성찰을 강조해야 하고, 변화 과정이 다시 사회적 관계에 영향을 주는 것을 의도하지만, Bronner와 Kellner(1989)는 이러한 기존 방식이 사회적 관계가 개인들의 삶을 어떻게 지배하고 억압하는지에 대해 비판적이지 못했기에 큰 성공을 거두지 못한다고 혹평한다. 그러면서 개인의 행복에 영향을 미칠 수 있는 모든 사회생활의 측면들, 예를 들어 경제 권력이라든지, 성별 관계, 인종으로 인한 억압이나 차별에 대해 비판적으로 탐구해야 함을 강조했다. 다시 말해, 무심하게 넘어가기 쉽지만, 실천에 있어 문제가 되는 정치적, 경제적, 사회적, 조직적 구조에 도전하는 개인적, 집단적 성찰을 강조하는 비판적 접근법은 1990년대 이후 실행연구의 한 분야로 자리매김하고 있다.

이처럼 실행연구는 발전 과정에서 실증적 관점, 해석적 관점, 비판적 관점에 이르기까지 다양한 패러다임의 영향을 받았기에, 실행연구에 대한 정의도 학자들에 따라 조금씩 차이를 보이게 된다. 학자들의 정의를 간단히 살펴보기로 하자. 먼저 Ebbut(1985)는 실행연구란 참여 집단의 실행과 그 실행의 효과에 대한 반성에 의한 교육 실제의 개선을 위한 체계적인 연구로서 참여 집단에 의한 교육적 실제를 개선시키는 연구로 보았다. Glickman(1993)은 실행연구는 학교라고 하는 연구 공간에서 교사들이 동료들과 함께 특정한 실천의 결과로서 수업을 개선하는 활동이라 했다. 이들 학자들은 앞서 장에서 계속 논의했던 이론과 실제의 분리를 반대하는 입장에서 실행연구의 개념을 정리하고 있다고 파악할 수 있다. 즉, 학교 혹은 교육 실제와 관련된 문제들은 실천가인 교사들의 실천적이고 협력적인 참여 과정을 통해 실천의 효과를 반성하고 개선해 나가기 위한 일련의 연구 방식을 의미하는 것이다. Johnson(2008) 역시 Carr와 Kemmis의 정의와 유사하게 실행연구란 연구자 스스로의 필요에 의해 수행하는 과정이며, 이는 곧 자신의 실제에 대한 진정한 탐구이며 동시에 체계성을 갖추어야 하는 연구라고 했다. 주로 교육적 상황에서의 교사 중심의 실행연구에 많은 관심을 가졌던 그에 따르면, 실행연구는 교사가 자신의 교실에 대해 더욱 잘 이해하기 위해 혹은 수업의 질이나 효과성을 극대화하기 위해 연구하는 형태를 가져야 한다고 지적하고 있다.

Carr와 Kemmis(1996)는 앞선 학자들과는 또 다른 관점에서 실행연구를 정의하고 있기에 살펴보아야 한다. 그들에 따르면 실행연구란 참여자 자신의 실제에 대한 합리성과 정의, 이들 실제에 대한 이해, 그리고 실제가 수행된 상황을 개선시키기 위한 사회적 상황에서 참여자에 의해 이루어진 단순한 자기 반성적 형태로 정의했다. 이러한 정의는 연구자 또는 교육 관련자가 교육적 경험 내에서 실제적인 개선을 위한 노력을 강조하고 있다는 점에서는 앞선 학자들의 정의와는 비슷하지만, 자신의 실제에 대한 합리성과 정의에 대한 내면적인 탐구 및 자기 반성적인 연구를 중시했다는 점에서 차이점을 발견할 수 있다.

Mills(2011)의 경우에는 실행연구는 교사나 교육 행정가 등이 그들의 교육적 실천이 어떻게 이루어지고 있고, 이로 인해 학생들이 어떻게 학습을 하고 있는지를 살피는 연구라고 했다. 즉, 단순히 교사 중심의 연구가 아닌 교사뿐 아니라 교육 행정가, 그리고 교사에 의해 영향을 주고받는 학생들에게까지 연구의 범위를 확대하고 있다. 그렇기 때문에 실행연구란 교실에만 초점을 맞추는 연구라기보다는 학교가 어떻게 운영되고 있는지에 대한 효과적인 정보를 얻기 위해 행해지는 체계적인 탐구라고 동시에 정의된다. Burns(1994: 293) 역시 실행연구란 실천의 질을 개선시키려는 시도로 사회적 상황에서의 실제적 문제 해결을 위한 사실 발견의 적용이라고 소개하고 있다. 또한 이러한 과정은 연구자, 실제가, 그리고 문외한의 협조와 협동을 포함한다고 했다. Burns는 교실 상황이 아닌 사회적 상황에서의 문제를 해결하기 위한 필요로서의 실행연구를 안내하고 있다는 점에서 실행연구의 대상을 교육 현장에서 사회적 현장으로 확대하고 있다는 점에 의의를 지닐 수 있다. 즉, 실행연구가 교육학뿐 아니라 오늘날의 발전상처럼 사회학, 심리학, 인류학, 의료·보건학, 경영학 등 다양한 분야에서 활용될 수 있는 개념적 기반을 마련했다고 평가할 수 있다.

이상에서 우리는 실행연구에 대한 다양한 정의들을 살펴보았다. 물론 패러다임 자체가 다른 여러 입장을 종합하기에는 무리가 있지만, 실행연구를 정의함에 있어 다음과 같은 공통적인 개념들을 도출할 수 있다. 그것은 실행연구가 개선 지향적이고, 참여·협력적이며, 체계적 탐구라는 세 가지의 중요한 요소들을 가진다는 점이다. 이를 통해 실행연구의 정의를 종합하여 내리면 다음과 같다. 첫째, 실행연구란 결국 연구자가 자신의 환경적 그리고 내면적인 실제의 변화와 개선을 가져오는 것을 목적으로 하는 연구라고 정의할 수 있다. 실행연구는 반드시 문제 해결을 포함하며 현장을 개선하려는 목적을 갖는다. 행동을 통해 연구 성과가 도출된다. 이것은 상대적인 기준에 따라 판단된다. 둘째, 이러한 과정에서 연구자 본인뿐 아니라 연구자가 포함된 공동체 구성원들의 참여와 협력을 요청하는 연구라고 또한 정의 내릴 수 있다. 다시 말해 실행연구는 참여에 기초를 두고 있으며 공통의 목적을 가진 개인에 의해 이루어진다. 또한 그것은 상황에 기반을 두고 있으며, 연구 역시 상황에 따라 다르게 이루어진다. 실행연구는 연구 참여자들, 그리고 연구자가 상황을 어떻게 해석하느냐에 따라 다른 성찰을 요구한다. 지식은 행동을 응용하여 현장에 적용하면 생겨나는 실천적 성격을 지닌다. 셋째, 실행연구는 실제에 대한 평가적이고 반성적인 탐구이며, 체계적인 자료의 수집과 분석, 활용에 기초한 탐구적인 연구라 할 수 있을 것이다. 넷째, 실행연구는 실제 중심의 지식 생성에 관한 연구이다. 실행연구는 실제 상황에서 이루어지는 행동을 바탕으로 지식을 생성한다. 연구자는 직접 실천해 보고 이를 통해 학습하게 된다. 즉, 이론과 실천 사이의 괴리를 좁히고자 하는 목적을 갖는다. 구체적인 상황에서 어떻게 실천할 것인지에 관해 정보를 제공하고, 직접 행동한 결과를 바탕으로 이론을 생성하게 된다.

3. 실행연구의 의의

앞서 실행연구의 개념이 무엇인지를 탐색하고자 했다면, 이번에는 이러한 실행연구를 통해서 우리가 얻을 수 있는 의의가 무엇인지를 살펴야 할 것이다. 이것이야말로 실행연구에 관심을 가지는 연구자들과 독자들이 왜 실행연구를 해야 하고 왜 실행연구물을 읽어야 하는지에 대한 해답이 될 수 있을 것이다.

첫 번째로 이론과 실제를 연계할 수 있는 방안으로서 실행연구의 의의를 고찰할 수 있다. 우리는 앞서 실행연구가 하나의 학문적인 영역으로 자리 잡게 된 것은 현실을 개선함에 있어 기존의 자연과학적인 방식으로는 한계가 있기 때문임을 계속적으로 살펴보았다. 이에 대해 Johnson(2008) 역시 잘 정리하고 있는데, 그에 따르면 현장의 교육자나 간호사, 상담 심리사 등과 같은 실천가들이 아닌 대학의 연구자 등과 같이 현장에 직접 속해 있지 않은 전문적인 연구자들의 경우에는 연구를 수행함에 있어 일상적인 실천가들의 어려움에 주목하기가 어렵다는 점을 지적하고 있다. 또한 그러한 연구의 결과인 출간물들 역시 지나치게 이론적이거나 학술적인 용어들을 포함한 장황한 기술로 정작 실천가들이 필요로 하는 내용들에 대한 논의는 부족하다는 점을 말하고 있다. 더불어, 전통적인 연구 관점에서는 전문적인 이론가들에 의해 생성된 지식은 이러한 훈련을 제대로 받지 못해 적정한 이론 혹은 지식을 생성하지 못한다고 가정되는 실천가들에게 일방적으로 적용하는 것을 전제로 한다고 생각했다. 때문에 실천가들은 단지 전문 연구자들에 의해 만들어진 지식 및 이론을 수동적으로 수용해야만 하는 존재로 가정된다. 이러한 현상은 실질적으로 실천가들이 현장에서 부딪치고 대응해야 할 실질적인 문제를 제대로 다루지 못한다는 결정적인 단점을 지닌다고 지적하고 있다. 하지만 연구 현장이 결국은 현재 우리가 삶을 살고 있는 현장이라는 점에서 현실에서 괴리된 채 이론가들에 의해서만 생성된 지식은 우리 주변의 문제를 개선하고 변화시킬 수 없다는 것은 자명한 사실이다. 그렇기 때문에 실천가들이 직접 연구자가 되어 실제를 변화시키거나 혹은 실제를 변화시키는 데 도움이 되는 이론들을 생성하고 이를 적용해 봄으로써 최상의 실제를 위한 시도를 하고, 이러한 시도는 다시 더 나은 이론의 생성을 도모한다는 변증법적인 발전을 촉진하는 것이 바로 실행연구가 가진 의의인 것이다.

두 번째로 생각해 볼 실행연구의 의의는 바로 실천가의 전문적 역량 강화에 있다. 전문적 역량과 관련하여 Garden(1988)은 특정 영역에서의 전문적 역량이란 풍부한 관련 지식과 함께 이러한 지식을 바탕으로 기술과 기능을 잘 실천할 수 능력을 일컫는다고 했다. 그리고 더불어 전문적 지식을 향상시킬 수 있는 연구 역량도 함께 지녀야 한다고 말하고 있다. 정리하자면 전문적 역량을 강화한다는 것은 단순히 많이 아는 것뿐 아니라 아는 것을 통해 잘 실행할 수 있고, 더불어 이러한 자신의 역량을 지속적으로 높일 수 있는 연구를 수행할 수 있다는 것을 의미한다는 것이다. 곽영순(2014)은 교육의 측면에서 교사의 전문성이란 이론과 실천 모두가 요구된다고 했는데, 교사로서의 전문성은 실천되어야 하는 이론적 지식과, 새로운 지식 구성을 위한 기반인 실천적 지식이 결합하여 성장한다고 했다. 여기서 명시화된 이론적 지식과 교사의 암묵적 실천 지식 사이의 간극은 개별 교사가 지닌 개인적 특질, 지식, 판단 등으로 채워 나간다. 그리고 이러한 간극을 좁히기 위한 과정으로서의 실천적 성찰은 교실에서 일어나는 사건이나 교사 자신의 신념 혹은 교수 방법에 대해 도덕적, 윤리적으로 고찰할 수 있게 해준다. 그렇기 때문에 교사는 어떤 내용과 학습 방식이 좋은지에 대해 끊임없이 성찰하고 실천행위의 반성적 성찰을 통해 교육 내용을 창의적으로 재구성하고 그러한 과정에서 교사의 전문성이 강화된다고 볼 수 있다(이경숙, 2015: 30).

이러한 관점에서 보면 실천가는 자신의 전문적 역량을 향상시키기 위해 자신의 현장에서 발생하는 다양한 딜레마, 이슈들을 인식하고 해결을 시도하기 위한 전문적 지식을 갖추어야 한다. 또한 최적의 해결책을 찾기 위해 관련 자료를 수집 및 분석하여 적용하는 연구를 수행하고 이를 더 나은 실제를 위한 실행으로 옮길 수 있어야 한다. 이처럼 전문적 역량 강화와 관련하여 실행연구는 실천가이자 연구자로서의 역할을 강조하기에 의의가 있다. 이처럼, 생성된 지식을 기능과 기술에 적용하고 이의 결과를 반성적으로 성찰해 보는 과정을 끊임없이 거쳐야 한다는 점에서 전문적 역량 강화에 실행연구가 기여하는 바를 잘 알 수 있다. 비슷한 맥락에서 이러한 개인적인 역량 강화의 과정이 단순히 관련 문제에 대한 지식을 증대시키고 최선의 해결책을 탐색하는 데 도움이 될 뿐 아니라, 실천가 자신과 자신을 둘러싸고 있는 주변에 대해 심층적으로 이해할 수 있는 기회를 제공한다는 점 역시 생각해 볼 수 있다. 즉, 실행연구를 하면서 생각하고 익히고 노력한 내용들이 이와 관련된 여러 활동들에 긍정적인 영향을 미쳐 더욱 전문적이고 효과적인 실행을 하는 데 기여하게 된다는 것이다.

세 번째로 다루어 볼 수 있는 실행연구의 의의는 바로 실제를 개선하는 데 효과적인 연구 방식이라는 것이다. 이는 연구자 본인이 처한 문제를 해결한다는 개인적 차원보다 연구자와 영향을 주고받는 환경이 개선될 수 있다는 관점에 더 가깝다. 현실의 개선이 이루어지기 위해서는 현실 속에 위치한 실천가들이 그들의 전문적 실행과 이러한 실행과 연관을 맺고 있는 주변에 대한 비판적 자각에서 부터 시작해야 한다고 할 수 있다. 그런데 이러한 실제의 개선이 단지 개인적인 차원에 머무르지 않는다는 점에서 실행연구가 가진 강점이 더욱 강화된다고 할 수 있다. 앞서 실행연구가 가진 참여적이며 협력적인 의미에 대해서 살펴보았는데, 실행연구에서 강조하는 것은 참여적이며 성찰적인 실천인으로서의 역할뿐 아니라 공동체 구성원들과의 협력적인 사고 과정도 중시한다. 늘 당연시하던 것을 새롭게 보는 것은 같은 맥락 속에서 고민을 하는 타인들의 다른 관점, 경험, 생각을 살펴보는 것이 효과적일 수 있다. 즉, 현실을 개선하기 위해서는 일상적이게 받아들이던 것들에 대한 인식의 전환이 필요하다. 있는 그대로의 현실을 그대로 받아들이지 않고, 더욱 나은 실제를 위해서는 지금 나를 둘러싸고 있는 환경 및 상황에 대한 비판적 성찰이 필요한데, 이러한 과정은 개인적인 노력으로는 한계가 있다는 것이다. 그리고 이렇게 특정 현상에 대한 집단적이고 비판적인 성찰의 과정은 자신의 현실뿐 아니라 우리 모두가 관여된 공동체의 현실 및 실제를 더욱 효과적으로 변화시킬 수 있다는 점에서 실행연구가 가진 의의는 더욱 크다고 할 수 있다. 간호 분야에서의 실행연구를 다루었던 Dickinson(2008)의 연구는 실행연구의 이러한 의의를 잘 제시한 사례라고 할 수 있는데, 그에 따르면 노인 환자들에 대한 영양 간호 부족 문제와 관련하여 '병원 내 식사시간의 경험을 개선하기 위한' 연구를 실시했는데, 그러한 과정에서 연구 과정에 함께 참여했던 간호사들이 실제로 식사시간을 중요하게 다루어야 할 필요성과 그들의 권한에 대해 인식하기 시작했다고 밝히고 있다. 그 결과, 환자들의 식사 경험이 개선되었고 이는 환자들의 회복률에까지 영향을 미쳤다는 것이다. 살펴볼 수 있듯이, 실행연구는 연구자의 성장과 더불어 연구와 관련성을 맺는 실제에 광범위하게 영향을 미칠 수 있다는 점에서 더욱 의의가 있다.

네 번째로 제시할 수 있는 실행연구의 의의는 사회적 구조에 대한 민감성 및 비판의식을 높일 수 있다는 것이다. 앞선 실행연구의 개념에서도 살펴보았듯이, 실행연구는 개인적 성장, 공동체의 발전뿐 아니라 연구자를 둘러싸고 있는 사회적 구조에 대한 의식 역시 강화시킬 수 있다. 이러한 유형의 실행연구는 참여(비판적) 실행연구로 구분하는 데, 이와 관련해 Freire(1970)는 실행연구를 통해 문맹, 성소수자, 가난하고 소외된 구성원 등과 같이 사회적 약자로 여겨지는 이들에게 힘을 줄 수 있어야 한다고 했다. 자유와 정의, 인권 등의 개념을 바탕으로 불평등한 사회적 구조로 인해 억압받았던 사회적 약자들의 현실을 개선하고자 하는 비판적인 의식 및 실천이 중요하다는 것이다. 그렇기 때문에 실천가들은 정치·사회·경제적 모순에 대한 지식을 갖추고, 억압받는 개인을 해방시킬 수 있는 현실 억압적인 요소를 개선시키고자 노력해야 한다. 이러한 관점에서 비판적인 실행연구자들은 사회적으로 구성된 실천과 이해를 비판적으로 인식하고 개발하기 위한 책임을 갖는다.

Brygon-Miller와 Greenwood(2006)는 실행연구는 개인적, 조직적, 구조적 변화를 위한 체계적인 접근이며 인간의 자결권과 비판 의식의 발전 및 긍정적 사회 변화를 사회과학 연구의 중심 목표로 두는 의도적이고 명백한 정치적 노력이라고 잘 정리하고 있다. 공동체와의 유기적인 협력 속에서 사회적 변화를 위한 탐구 및 실행은 개별적 노력을 넘어서, 개인적이고 조직적이며 구조적 변화에 의도적인 목적을 둔 집단적 노력으로 전환될 수 있다는 것이다.

참고문헌

김재웅(2000). 학교행정가의 전문성 보장을 위한 대안적 접근: Schon의 실천적 인식론을 중심으로. *The Journal of Educational Administration*, 18(1), 265–286.

곽영순(2014). 교사 그리고 질적 연구: 앎에서 삶으로. 파주: 교육과학사.

곽현주(2004). 수업 반성 과정과 유치원 교사의 교수행동. 중앙대학교 대학원 박사학위 논문.

박창민(2015). 초등학교 다문화학생의 수업을 위한 교사들의 협력적 자기연구. 진주교육대학교 석사 학위 논문.

손은정(2003). 반성적 사고와 전문가 교육. 학생생활연구, 28(–), 31–54.

이경숙(2015). 교사 학습 공동체 활동을 통한 가정과 교사의 성찰적 실천에 대한 실행연구. 경상대학 교 대학원 박사학위 논문.

임현정(2010). '성찰'과 '비평'의 개념에 기초한 수업보기. 초등교육학연구, 17(1), 105–128.

정영란 · 김동식(2003). 웹 기반 프로젝트 중심학습에서 성찰적 실천과정이 학습자의 태도 및 학습결 과에 미친 영향. 교육공학연구, 19(2), 87–115.

홍미화(2005). 교사의 실천적 지식에 대한 이론적 논의: 사회과 수업을 중심으로. 사회과교육, 44(1), 101–124.

Brydon-Miller, M., & Greenwood, D. (2006). A re-examination of the relationship between action research and human subjects review processes. *Action Research*, 4(1), 117–128.

Burns, A. (1994). *Collaborative atcion research for englisth language teacher*. Cambridge: Cambridge University Press.

Carter, K. (1990). Teachers' knowledge and learning to teach. In Houston, W. R. (Ed.). *Handbook of research on teacher education*. New York: Macmillan.

Dewey, J. (1929). *The quest for certainty Study of the Relation of Know*. New York: Minton Balch.

Dickson, G. (2008). Aboriginal grandmothers' experience with health promotion and participatory action research. *Action Research*, 6(2), 171–192.

Ebbutt, D.(1985) Educational action research: some general concerns and specific quibbles. In Burgess, R.(Ed.). *Issues in educational research: qualitative methods*. Lewes: The Falmer Press.

Elliott, J. (1978). What is action research in school? *Journal of Curriculum Studies*. –(10). 355–357.

_____ (1991). *Action research for educational change*. Milton Keynes: Open University Press.

Freire, P. (1970). *Pedagogy of the Oppressed*. New York: Herder & Herder.

Garden, G. (1988). Professional attitudes. *Irish Educational Studies, 7*(1), 27–40.

Glickman, C. D. (1993). *Renewing America's Schools: A Guide for School–Based Action*. San Francisco: Jossey–Bass.

Habermas, J. (1981). New Social Movements. *Critical Theory of the Contemporary, 49*(–), 33–37.

Johnson, A. P. (2008). *A Short Guide to Action Research*. New York: Pearson.

Kemmis, S. (1988). *Action Research*. In Keeves, J. P. (ed.) *Educational Research, Methodology and Measurement: An International Handbook*. Oxford: Pergamon Press.

Kemmis, S., & McTaggart, R. (2000). Participatory action research. In Denzin, N., & Lincoln, Y. *Handbook of qualitative research*. Thousand Oaks: Sage.

Lewin, K. (1946). Action research and minority problems. *Journal of Social Issues*. –(2). 34–46.

Mills, G. E. (2011). *Action research: A guide for the teacher researcher (4th ed.)*. New York: Pearson.

Morrow, R. A., & Brown, D. D. (1994). *Critical theory and methodology (3rd ed.)*. Thousand Oaks: Sage.

Naughton, G. M., & Hughes, P. (2008). *Doing Action Research In Early Childhood Studies: A Step–By–Step Guide*. England: Open University Press.

Oakeshott, M. (1962). *Rationalism in politics and other essays*. Indianapolis: Liberty Press.

Peters, B. G. (1999). *Institutional Theory in Political Science: The New Institutionalism*. New York: 80 Maiden lane.

Rapoport, R. N. (1970). *Three Dilemmas in Action Research*. Human Relations, 23(6), 499. as cited in McKernan, J. (1991). Curriculum Action Research: A Handbook of Methods and Resources for the Reflective Practitioner. London: Kogan Page.

Sanford, N. (1970). Whatever Happened to Action Research?, *Journal of Social Issues, 26*(4), 3 – 23.

Schön, D. A. (1983). *The reflective practitioner: How professionals think in action*. New York: Basic Books.

_____ (1987). *Educating the reflective practitioner*. San Francisco: Jossey–Bass.

Stenhouse, L. (1975). *An Introduction to Curriculum Research and Development*. London: Heinemann.

3

실행연구의 확산

이 장에서는 실행연구의 기원과 더불어 실행연구가 중요한 연구 방법으로 자리매김하게 된 과정에 대해 알아볼 것이다. 하나의 이론을 알아볼 때 그 역사를 탐구하는 것은 이론이 생겨난 과정과 그 변화 양상을 총체적으로 이해할 수 있게 된다는 점에서 매우 중요하다. 이에 따라 실행연구가 어떠한 철학을 갖고 있는지, 그리고 이론의 지향점과 기반은 어떠한지를 분야별로 세부적으로 살펴보고자 한다.

우리가 잘 알고 있는 위대한 연구들도 처음에는 우리와 같은 실천가들이 현장에서 느꼈던 작은 부조리함, 불편함 등을 해결하기 위해 시작되었다. 그리고 수많은 학자들에 의해 이론적 기반이 다져지고 연구 결과들이 축적되며 기반이 확립되었다. 다른 연구 방법론에 비해 실행연구의 이론적 토대는 역사도 오래되고, 기반도 비교적 탄탄한 편이다. 지금도 수많은 실행연구물들이 쏟아져 나오고 있으며, 실행연구를 우리에게 소개시켜 주기 위한 저서도 상당히 많은 실정이다.

이러한 사실은 실행연구에 대한 우리의 두려움을 약간이나마 해소시켜 준다. 그러나 아직 많은 연구자들은 실행연구가 과연 무엇인지에 대해 혼란스러워하고 있다. 이는 실행연구의 특성이 명확하게 구별되지 못한 채 현장에 제대로 된 소개 과정 없이 도입된 탓이 크다. 심지어 많은 실천가들은 실행연구에 대한 제대로 된 인식을 가질 틈도 없이 그저 좋은 이론이라는 이유로 무작정 실행연구법을 사용할 것을 강요당하기도 한다. 물론 이 책을 읽는 독자들은 실행연구의 필요성에 대해 잘 알고 있겠지만, 연구의 필요성을 알고 있는지 없는지의 여부는 연구의 성패에 대단히 중요한 역할을 한다.

간단히 소개하면, 실행연구는 과학 및 사회의 복합적인 연결을 어떻게 바라볼 것인지에 대한 의문으로부터 시작되었다. 실행연구의 기초는 Dewey와 Lewin에서부터 시작하는 데, 그들이 수행했던 여러 사회연구 결과를 바탕으로 실행연구를 정립했다. 이후 실행연구는 인류학 분야에서 활발하게 연구되었고, 최근에는 교육학에서 가장 많이 사용되는 연구 방법 중 하나가 되었다. 실행연구는 여러 변화를 거쳐 현재까지 지속되어 오고 있으며, 대표적인 사회연구 방법 중 하나로서 다양한 학문에 적용되고 있다. 이러한 실행연구에 대한 이해를 돕기 위하여 다양한 학문에서 연구되었던 실행연구의 역사와 실행연구를 위한 다양한 연구 주제들을 제시하고자 한다. 다만 시작하기에 앞서, 실행연구가 인류학과 교육학 분야에서 시작되었기 때문에, 이와 관련된 내용을 중심으로 실행연구의 역사를 정리했음을 미리 알려 두는 바이다.

실행연구의 다양한 패러다임들

1. John Dewey의 진보주의, 그리고 Kurt Lewin의 사회 심리학

실행연구는 고유한 역사를 지닌다. 물론 국가별로 실행연구가 등장한 시기, 배경, 발전의 동향 등이 다양할 수는 있다. 다만 여기에서는 실행연구라는 용어가 공식적인 학술용어로 사용되었고, 그 발전 과정 역시 뚜렷하여 오늘날 전 세계에서 수행되고 있는 실행연구에 많은 영향을 주고 있는 미국과 영국의 사례를 중심으로 실행연구의 역사적 동향을 탐색하고자 한다. 지금 이 글을 읽고 있는 여러분은 실행연구라는 단어를 처음 듣는 신진 연구자일 수도 있고, 이미 여러 번 실행연구를 실시해 본 베테랑일 수도 있다. 어쨌든 분명한 사실은 연구 방법으로서의 실행연구는 1940년대부터 지금에 이르기까지 지난 수십 년 동안 연구를 수행하는 데 중요한 역할을 담당해 왔다는 것이다. 사실 실행연구에 대한 개념은 어느 한 사람의 머리에서 갑자기 나온 것이 아니며, 이미 미국 교육학 고전의 작품 속에서도 찾을 수 있다. 일단, 현장 실천가들이 적극적인 연구 참여자일 뿐만 아니라 연구의 사용자 혹은 대상이 되는 실행연구의 초기 아이디어는 John Dewey와 Kurt Lewin이 제시했다.

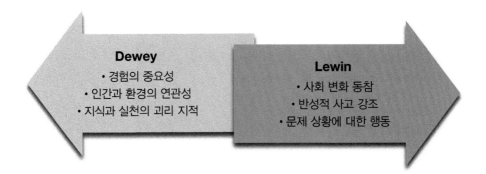

Dewey는 인간과 자연적, 인공적 환경 사이에서의 상호작용적 성격으로서의 경험의 중요성을 강조했다. 그리고 이러한 경험은 의견, 감정, 행동 및 인식을 두루 포함하고 있는 것이다. 인간은 고립된 존재가 아니다. 인간은 환경과 밀접한

연관성을 지니면서 자신을 둘러싼 여러 존재들에 따라 변화하고, 더 나아가 환경을 변화시켜 나가게 된다고 주장했다(Ziniewicz, 1999). 이는 실행과 반성에 따른 경험이 학습의 중요한 요소이고, 경험으로부터 시작되는 사고를 활성화시킴으로써 배움이 강화될 수 있다는 것을 뜻한다. Dewey(1919)는 사람이 행동하기를 결정하는 이유를 크게 두 가지 종류로 구분했다. 첫째, 사람들은 그들이 안전하지 못한 상황이나 문제점들을 가능한 한 빨리 제거하기 위해서 즉각적인 행동을 수행한다고 주장했다. 둘째, 연구 장벽이나 자원들에 근거한 행동은 보다 명확한 답을 우리에게 제공할 수 있다고 했다. 이렇게 지연된 행동은 문제 상황에 대한 의도적이면서도 지능적인 답을 찾을 수 있게 한다.

이처럼 Dewey는 실행에 관해 의미 있는 제안을 했다. 다만 Dewey는 실행연구를 오로지 실행이라는 용어로 간주했다. 그는 실제 문제와 그것을 연구하는 방법 사이에 상당히 큰 괴리가 존재한다고 생각했다. 연구자들은 기존 상황을 있는 그대로 받아들이고, 명확한 목표나 계획 없이 행동하기를 계속한다고 비판했다. 즉, 그 당시의 사회연구들이 사회적 재건에 기여할 수 있는 적극적이며 실험적인 제안을 제시하기보다는 일반적인 개념 체계의 틀 속에서 사실들을 정렬하는 데 머무르고 있다고 생각했다. 이처럼 Dewey의 사상은 지식과 실천의 분리를 비판하고 이론과 실천을 연결하기 위한 요청으로 이해해야 한다. 이러한 주장은 당시 연구 관행과 관련하여 혁신적인 연구 과정으로 대표되는 실행연구와 같은 새로운 과학적인 접근 방식의 창조에 커다란 기여를 했다(McTaggart, 1997).

한편, Lewin(1952)은 실행연구를 개척한 연구자이다. 그는 처음으로 실행연구라는 용어를 사용했으며, 기존의 추상적이고 형이상학적 사유 중심의 연구에 과학적이고 실증적인 연구 방법을 도입하자고 주장했다. 다만 그가 처음에 의도했던 실행연구의 의미는 현재 우리가 널리 사용하고 있는 과학적인 입장의 실행연구와는 그 맥락이 약간 다르다. 즉, Lewin은 사회학적으로 실행연구를 접근했다. Lewin은 1940년대 초반에 다양한 연구를 통해 실제적인 사건을 경험했고, 실행연구를 반성적 사고, 논의, 결정, 그리고 실천의 힘과 같은 용어로 설명했다. 즉, 실행연구는 사회 문제를 해결하는 것을 돕는 데 그 목적이 있다고 본 것이다. 착취를 제거하고 민주주의를 세우는 일이 바로 사회적 변화이며, 이를 가능케 하는 것이 실행연구라는 것이다. Lewin은 실행연구에서 또 다른 아이디어도 제공했다. 바로 집단 의사결정에 관한 생각이다. 이것은 모든 연구 과정에 연구 참여자를 포함시키는 것을 의미한다. 즉, 연구에서 참여자들의 행동을 변화시키는 데 가능성 있는 방법들에 대해 논의하고자 한다. 한편으로는 과학자와 실천가들로 구성된 집단에서 연구가 실시될 때 계획, 실행, 평가에 이르는 나선형적인 단계를 거친다(Masters, 1995)는 생각을 강조하기도 했다.

　Lewin이 실행연구를 활용한 분야는 사회 노동자들이 사회 변화에 동참하도록 격려하거나 현재 사회를 비판적으로 분석하는 것이었다. 이처럼 Lewin이 제시했던 실행연구에 대한 개념화는 사회에서의 변화에 영향을 끼치는 연구였다. 이때의 실행연구는 문제 상황 내에서 행동을 취하는 것, 실행과 노력에 대한 정보 수집, 그리고 일종의 평가와 같은 개념이다. 어떤 주어진 상황의 조건에 수용하기보다는 존재하는 문제의 상황을 변화시킴으로써 문제를 해결한다는 의미에서의 실용적 연구였다. 즉, 실행연구는 사회적 기업이나 사회적 기술 서비스 속의 연구로 개념화되었으며, 1940년대 초반부터 시작된 Lewin의 실행연구 실험은 반성적 사고, 논의, 결정, 그리고 실천의 힘을 강조하는 과정이었다.

　이러한 주장은 미국의 사회 노동자이자 인류학자인 John Koller의 연구에서도 잘 드러난다. 그는 Roosevelt가 운영하는 인디언 구호기구의 의장을 맡고 있었다. Koller는 지역 문화가 강조되어야 하고, 교육에 대한 책임감을 지녀야 하며, 이러한 과정이 실행연구를 통해 이루어져야 한다고 강조했다. 그가 강조하는 실행연구 형식도 관리자들과 지역 사회 구성원들의 협력으로 인해 실행될 수 있는 것이다. 관리자들은 스스로를 학생들보다 더 우월하다고 생각해서는 안 된다고 주장하면서 Lewin의 의견을 지지했다.

　이처럼 초기의 본격적인 실행연구는 Lewin(1946)에 의해 이루어진 것으로, 미국의 빈곤과 인종 차별 등의 사회 문제에 대한 실천적 연구에 바탕을 두고 있다. 초기 실행연구는 공동의 문제에 대한 협동적 연구의 형태로서 발전하게 된다. Lewin의 주장은 당시에 상당히 혁신적이고 타당성이 있었기 때문에 그의 주장을 계승하여 실행연구에 관심을 갖고 연구하는 학자들이 생겨나기 시작했다.

2. 교육학과 실행연구

1950년대부터는 교육학에서 실행연구가 발전된 시기이다. 본격적으로 실행연구가 실제 적용되면서 다양한 주제들을 형성하기 시작했다. 물론 앞서 Lewin은 1940년대에 실행연구를 통하여 사회 문제를 광범위하게 다루었으며, 덕분에 실행연구뿐만 아니라 사회연구 방법의 대표적인 학자로 널리 알려질 수 있었다. 다만 그의 실행연구에 대한 일련의 작업은 잠시 멈추었다가 십여 년 후에 Corey(1952)와 같은 학자들이 교육 문제에 활용하면서 다시 활발하게 연구되었다.

특히 실행연구가 중점적으로 주목받은 곳은 미국과 영국이다. 미국의 실행연구는 1950년대에 컬럼비아 대학의 교육대학에서 Corey에 의해 활발하게 연구되기 시작했다. Corey는 실행연구를 처음으로 학교의 실천 향상 작업에 활용한 학자이다. 그는 교사들이 자신의 교육활동을 실행연구를 통해 개선시키도록 독려했다. 그 전까지는 교사들의 교육활동은 오로지 외부 전문가들이 객관적으로 연구해야만 하는 것으로 여겨졌다. 하지만 Corey는 교사들이 스스로 자신의 교육행위를 과학적으로 분석해 보기를 원했다. 그리하여 그들이 자신의 결정을 평가해 보고, 그에 따라 자신의 행동을 수정하고, 계획을 다시 생성하도록 유도했다. 그러한 순환 체계가 바로 실행연구의 본질임을 강조하기도 했다. Corey는 교사들의 연구는 협력적 활동이며, 민주적인 가치를 지닌 것이라 보았다(Cunningham, 1999).

Lewin의 실행연구 개념은 변화를 실행하기 위해 현장에서 하는 연구 참여자의 것이었다. 반면 Corey(1952)는 가설 검증을 통한 지식 생성에 더 관심을 보였으며, 실행연구가 교육연구에서 주도적인 형태로 수용되는 데 기여했다(Noffke, 1990). Corey의 실행연구 설계는 실용적이고 문제 해결을 추구하고 실제에서 해결책을 검증하는 것을 담고 있다. 그의 모델에는 가설 검증을 통한 것이 최선책이라는 가정이 들어 있다. 이러한 과정에서 연구자들은 계획과 실천 후 성찰과 논의, 의사결정의 과정을 통한 발견을 하는 나선형적인 연구 과정이 일어나는 실행연구의 초기 형태를 제안했다. 이처럼 실행연구는 점점 실제적 문제를 연구자의 해석이나 조정 과정을 거친 후 심층적 기술을 하는 연구로 변화하게 된다.

이러한 패러다임의 변화에 따라 1960년대와 1970년대에 들어서게 되자 미국에서 실행연구는 연구 방법으로서 거의 주목을 받지 못하게 된다. 왜냐하면 그 당시에는 이론을 계획하는 집단과 실천하는 집단 간의 분업화가 활발히 이루어졌기 때문이다. 따라서 실천가들에게는 위에서 만들어져 내려오는 체계적인 이론을 단순히 적용하는 일만이 주어졌다. 이것은 실행연구에도 그대로 적용되었다. 그동안 반성과 실천 지식과 같은 고차원적 사고를 강조하던 실행연구에 단순한 이론의 적용과 반복이라는 과업이 주어지자 그 힘은 급속히 축소되었다. 따라서 각 분야에서도 관련된 대학 내에서 실천가들이 이론을 공부해 적용하는 수직적인 연구 풍토가 유행했다. 즉, 연구자가 자신이 만들어 낸 주제로 연구를 하는 것은 아니었다. 따라서 실행연구는 처음 이론이 발생할 때 강조했던 실천과 반성에 대한 것에서 멀어져 점점 사회과학 이론을 적용해 보는 단순하고 실제적인 것으로 바뀌어 갔다(Oja & Smulyan, 1989).

그러나 긍정적인 점으로는 교육과정 분야에서 실행연구가 대두되었다는 것을 꼽을 수 있다. 이는 영국에서 찾을 수 있다. 우선 영국의 실행연구는 실험적인 교육과정이나 교육과정 재개념화를 위한 학교위원회의 인문학 교육과정 프로젝트에서 시작되었다. 이 분야의 선구적인 학자는 바로 Lawrence Stenhouse이다. Stenhouse는 영국의 교육학자로서, 교사 연구에서 외부 연구자들의 생각을 주입하는 것에 반대하고, 교사들이 주도적인 역할을 하는 것을 옹호하고 적극 지지했다. 그는 Corey와 마찬가지로 교사들이 자신만의 실천 활동을 직접 연구하기를 원했다. 특히 그는 교사들이 지적, 도덕적, 정신적으로 자유로워질 수 있는 유일한 방법은 스스로를 정의하고, 인정하는 연구에 있다고 보았다. 그들은 자신의 실천 활동에 최소한의 책임감을 가져야 한다는 말도 덧붙였다.

Stenhouse는 학생들에게도 관심을 가졌다. 특히 학생들이 교사의 권위의식에서 벗어나 스스로 발견하고 그 지식을 자신의 것으로 만들어야 한다고 주장했다. 즉, 실행연구에서 무조건 교사만을 옹호한 것은 아니었다. 다만 이러한 사실들을 제안함으로써 교사들이 지금 상황을 비판적으로 바라보고, 자신의 현재 위치를 자각하기를 원했다. 좀 더 나아가서 그는 학교, 지역사회에도 관심을 가졌는데, 해방적이고 창의적인 학교는 스스로 변하기 위해 외부의 정보도 쉽게 받아들이는 역동성에 주목했다. 물론 학교가 외부의 압력에 굴복해서는 안 된다는 점도 지적했다. 교사의 성공적인 변화로부터 학교의 변화가 시작되어야 한다는 점을 강조했다(Cunningham, 1999).

Stenhouse는 실행연구에 관한 확고한 이론을 적용하고자 했다. 특히 교육과정이 지나치게 과학적 방법론에 치우친 것을 비판하고자 인문학을 교육과정에 적용하기 위한 방안을 논의하는 세미나를 개최했다. 자연스럽게 실행연구의 비판적 기능에 주목하게 되었으며, 이러한 논의는 실행연구를 교육과정과 실제 수업 간의 관계를 규명하기 위해 사용하도록 촉진하게 되었다. 즉, 영국에서 Stenhouse가 주도한 교육과정 실행연구를 통해 미국과는 다른 실행연구의 한 축을 완성하게 된다. 특히 이 프로젝트를 통해 교사들이 실행연구의 전면에 등장하게 되는데, Elliott(1991)은 이러한 현상에 대해 Stenhouse가 교사들로 하여금 인간성 교육과정 프로젝트(Humanities Curriculum Project)의 적용에 적극적인 역할을 하도록 주문했기 때문이라고 서술하고 있다. 즉, 영국 교육에서 실행연구가 주된 연구 방법으로 사용될 수 있었던 요인에는 통합 인간성 교육과정의 영향이 컸다고 할 수 있다. 이 프로젝트에서는 학생과 가장 많은 교감을 이루고 있는 교사의 역할이 가장 중요할 수밖에 없었고, 교사들을 이론적으로 무장시키는 데 실행연구가 가장 큰 역할을 했다. 연구에서 교사를 관여시키고 프로젝트에서 중요한 역할을 하도록 훈련하는 과정에서 실행연구 이론을 적용했던 것이다. 이외에도 영국에서는 Ford 수업 프로젝트와 상호작용과 학습 프로젝트를 통해 실행연구를 확산시켰다.

1960년대를 지나면서 잠시 소강상태에 접어들었던 실행연구가 교육학, 그것도 교육과정 분야에서 상당한 호응을 이끌어 내고, 주요한 연구 방법으로 자리 잡게 된 것은 1980년대 즈음이었다. 특히 그 당시 미국에서는 그동안 잠들어 있던 교육 실행연구를 새로이 조명하고 새로운 역할을 부여하려는 움직임이 일어났다. 이러한 현상을 짚고 교육학에서 실행연구의 역할을 강조한 학자는 바로 Noffke와 Zeichner(1987)이다. 이들이 주도한 실행연구 패러다임의 변화는 그 폭이 상당히 큰 것이어서 당시에 수백 개에 이르는 단편 논문들과 교사들의 에세이가 게재될 정도였다. 따라서 이 시기에는 자연스럽게 실행연구를 활용한 교육학 연구가 상당히 다양한 방식으로 실행되곤 했다. 다만, 실행연구는 현장에서 일어나는 연구이며, 현장 속 생생함을 포함하는 것이 중요하고, 문제 상황에 대한 해결책은 반드시 실제적이어야 한다는 점은 모든 연구에서 공통적으로 주장하는 내용이었다.

교육학에서 활용된 실행연구에서는 다음과 같은 점을 중요하게 생각했다. 우선 연구자들에게 주어지는 실제적인 연구 주제는 연구 참여자들 스스로에 의해 규명되어야 한다는 측면이 중요했다. 그 전까지 연구 주제를 제시하고, 연구의 방향을 설정하는 작업은 전문가들에 의해 이루어지던 작업이었다. 한편으로는 교육학과 관련된 실행연구에서는 연구 참여자들이 얻는 많은 혜택들에 관해 수많은 주장이 제기되었다.

또한 실행연구의 세 가지 기능이 확실히 정립되었다. 첫째는 실행연구가 교육적 실천에 기여한다는 점이었다. 이것을 통해 실행연구가 실천의 학문임을 주장할 수 있게 되었다. 둘째는 이러한 실천이 일어남에 따라 상황이 개선된다는 주장이다. 즉, 실행연구가 사회적 변화와 문제를 해결하는 데 있어 중요한 역할을 한다는 사실이 증명되었다. 셋째는 앞에서 이야기한 개선점들이 연구자와 연구 참여자인 실천가 사이에 공유된다는 점이다. 이것은 기존의 사회과학 연구와 차별화되는 점이다. 이러한 장점들이 교육 사회에 널리 퍼지며 교육학에서 실행연구가 상당히 발전하는 계기가 되었다.

실행연구에서 Zeichner(1986)가 제시한 주요한 두 가지의 주제는 다음과 같다. 첫째, 실행연구의 효과에 관한 연구이다. 이에 따라 다양한 형태의 연구 중에서도 교사의 이해를 강조하는 연구들이 눈에 띄게 증가했다. 실행연구 이론을 자세하게 알지 못하는 교사들도 실행연구 방법론을 명확하게 이해할 수 있는 자료 수집과 검증 중심의 실행연구가 인기를 끌었다. 즉, Zeichner가 생각한 실행연구의 주된 특징은 다양한 목표를 위한 협력, 그리고 모든 연구 과정에 참여를 보증하는 것이었다(Noffke & Zeichner, 1987). 연구자들은 교사들의 실천 결과를 수집하여 실행연구 전 과정에서의 유사성과 차이점을 완전히 분석하는 것을 중요하게 생각했다. 이것은 Lewin의 연구 전통을 강조한 결과였다. 즉, 실행연구의 여러 특징 중에서 순환적인 측면과 민주적인 의사결정 과정을 강조했다.

두 번째 주요한 주제는 실행연구 위의 실행연구에 관한 문제이다. 이 프로젝트는 Wisconsin 대학에서 실시되었다. 실행연구를 초등학교 학생들의 교육 프로그램에 적용하여 교사 스스로의 실천을 점검하고 반성하고자 하는 목적을 갖고 있었다. 이러한 연구를 통해 실행연구에서 시스템적인 성찰이라는 용어가 처음 사용되었으며, 연구 참여자들의 사고를 들여다보고, 변화를 강조하려는 움직임이 나타났다. 이것은 실행연구의 일반적인 단계들 중에서도 성찰 단계가 중요시되었다는 사실을 의미하고 있다(Noffke & Zeichner, 1987).

3. 인류학에서의 실행연구

인류학은 실행연구가 가장 심도 있게 논의된 학문 중 하나이다. 사실 인류학은 서구 후기 제국주의 문명들이 식민지로 삼았던 여러 국가들에 대해 이해하기 위해 촉발된 학문 체계이다. 그러나 한편으로는 그 당시 상황이 인류학의 기본 가정들을 만들어 내는 데 기여했다. 인류학에서 제시하는 문화 상대주의, 기능주의 등의 관점들은 이 때 생겨난 것이다. 또한 인류학은 실행연구에서 영감을 얻을 만한 민속지와 같은 질적 연구 방법을 도입하기도 했다. 인류학에서 실행연구 방법을 정립한 학자는 미국의 인류학자 Tax(1975)이다. 그는 1951년도에 '실행 인류학'이라는 용어를 처음 사용했다. 그를 비롯한 인류학자 연구팀은 Chicago 대학에서 인류학을 논의했다. 일련의 작업을 거치는 동안 Chicago 대학은 문화 인류학의 과학적 전통을 더욱 강화할 수 있었다. 연구팀은 주로 다른 문화를 비교하면서 그 속에서 벌어지는 문화 변화의 문제를 다루었다. 그리고 연구의 결과로서 상대적으로 작은 사회는 기술적이고 정치적인 장점을 가진 더 크고 강한 문화의 압력에 시달린다는 의견을 제시했다.

Tax는 프로젝트 Fox로도 잘 알려져 있다. 이 프로젝트는 미국 원주민 보호구역에서 부족 간의 의사소통 방식에 관한 실행연구이다. 이러한 접근법은 대규모의 연구팀이 필요했으며, 분업된 과정 혹은 상당히 오랜 기간의 연구 적용과정이 요구되었다. 연구팀의 학생들은 교수의 이론적 방법을 수용하고 그것을 자신의 것으로 소화하여 연구 현장에 적용했다. 이러한 프로젝트를 실행하면서 실행연구가 널리 알려지는 계기가 되었다. 이에 따라 Tax는 현장 연구자로서 그와 그의 연구자들이 상황에 대한 새로운 무엇인가를 발견하고 떠난 후에도 변화와 저항이 일어나야 한다는 실행연구의 기본적인 가정을 제시했다. 이를 위해서는 각 개인과 모든 사람들에게 주의를 기울이는 것이 요구되었다. 연구의 범위도 다양한 문화를 반드시 포함해야 한다고 주장했다. Tax의 주장에 따라 실행연구를 실시하는 인류학자들은 임상적이고, 실험적인 방법을 적극적으로 활용했다. 그들은 단순히 관찰하는 것에서 벗어나서, 현실에 영향을 주는 연구 방법을 택했다. 그러면서 그들은 인류학 주제를 행위의 맥락에 두는 경향을 가졌다. 이것은 '실행 인류학'이라고 이름 붙여졌다. 현장 작업은 연구 집단에서부터의 학습을 완수해야 하고, 연구하려는 집단을 결국에는 도와줄 만한 것이어야 했다. 즉, 프로젝트 Fox에서 실행 인류학 연구는 인디언들이 그들에게 무엇이 적합하고 무엇을 원하는지 발견하도록 돕는 데 필요하다는 사실에 기초하고 있었다(Tax, 1958).

이처럼 인류학에서의 실행연구는 다른 문화에 들어가 연구를 실시할 때 사전에 그 문화에 대한 정보를 잘 알아야 한다는 점을 강조했다. 또한 연구자 본인의 문화를 내세우지 않으며, 연구 방법에 있어서도 해당하는 문화를 제대로 보여 줄 수 있는 민속지, 면담, 관찰 등의 질적 연구 방법을 활용하는 등의 유연한 연구 자세를 보여 주어야 한다고 주장했다. 인류학에서 주장하는 실행연구의 기본적인 원칙들은 오늘날까지도 전해지고 있다.

4. 실행연구의 현재: 다양한 담론들

지금까지는 실행연구가 확립되고 그것이 확산되기까지의 과정을 나열했다. 실행연구의 역사는 사회학, 교육학, 인류학 등의 여러 분야에 걸쳐 있으며, 최근에는 간호학, 유아교육, 복지학 등에 실행연구를 적용하려는 시도가 생겨나고 있다. 즉, 실천과 이론의 조화가 중요하게 생각되는 곳에 실행연구에 대한 요구가 활발해지고 있는 것이다. 다만 크게 나누어 보았을 때, 실행연구는 다음의 세 가지 방향에 의해 발전하고 있으며, 각각의 항목들은 고유한 의미를 지니고 있다. 특히 이러한 담론들은 나중에 소개할 실행연구의 모형 부분에 잘 구현되어 있으므로, 각 모형의 배경지식이 되는 다음의 내용들을 잘 숙지하는 것이 좋다.

1) 연구자로서의 실천가

첫째, 가장 먼저 제시할 수 있는 요소로는 '연구자로서 실천가' 부분이 있다. 현재 실행연구는 상당히 많은 분야에서 그 두각을 드러내고 있다. 그중에서도 교

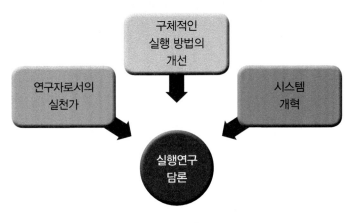

실행연구의 다양한 담론들

육학, 인류학 분야에서의 실행연구는 문제를 해결하는 실제 방법을 결정하는 데 상당히 도움이 된다는 의견이 지배적이다. 이에 따라 실행연구는 이론을 개발하는 수단으로서 자주 활용된다(Johnson, 2008). 다만 몇몇 학자들은 대학의 연구자들이 탐구한 결과가 왜 현장의 실천가들에게 제대로 전달되지 못하는지에 대해 비판의 목소리를 높이기도 했다. 즉, 연구자들이 그들의 연구를 통해 수행하고 그 결과를 보고하는 과정에서 일어나는 학습과 현장에서 실천가들이 실천하면서 학습하는 것 사이에는 큰 격차가 존재한다는 점이다. 교육학을 예로 든다면, 실제 교실 현장에서는 수업 실제와 학생의 학습과 관련된 가치 있는 연구 결과를 반영하지 않고 있다는 말로 정리할 수 있다. 이것은 실천가들이 의도적으로 연구자들에 의해 수행된 연구 결과를 배제하고 반영하지 않는다기보다는, 연구자들의 연구와 그 결과가 실제 현장에서의 실천에 대한 실천가들의 연구에 대한 필요 및 요구에 부합하지 않는다는 것을 의미한다.

이에 대해 Johnson은 이론과 실제의 실패 원인을 두 가지로 설명하고 있다. 첫째, 대학 교수 및 여타의 연구자들에 의한 연구는 그 특성상 현장 실천가들의 일상을 제대로 반영하지 않는 상태로 수행되고 있다는 것이다. 이러한 결과로 발표된 논문들은 종종 지나치게 서술적이고 지나칠 정도로 많은 학술 용어를 담고 있다는 점을 지적했다. 우선 이러한 연구 논문들은 어렵다. 그리고 실천가들의 일상적인 요구와 그들이 활용할 수 있는 자원의 종류에 적합하지 않은 연구 방법을 활용한 경우도 많다. 둘째, 연구자로부터 현장 실천가들에게 일방적으로 제공되는 정보의 흐름을 지적했다. 많은 연구자들은 실천가들의 역할이 자신들이 제공하는 연구 결과물을 단지 수동적으로 수행하는 데 있다고 착각하고 있다는 것이다. 이러한 현상은 결과적으로 실천가들의 관점과 실제 현장에서 일어나는 다양한 일들이 가진 복잡성, 그리고 일상적인 생활 환경에서 매번 마주하는 실제적인 이슈, 딜레마, 문제들에 대해 제대로 인식하지도 혹은 고려하지도 못하는 결과로 이어지고 있는 실정이다.

이러한 측면에서 실행연구는 연구자와 실천가의 양방향적인 정보의 흐름을 만들어 낼 수 있는 장점이 있다. 때문에 이론과 실제의 격차를 줄일 수 있는 방안이 될 수 있다. 따라서 실행연구에 의해 도출된 연구 결과는 현장에서 우리가 할 수 있는 최선의 해결책을 알려 주고, 눈앞에서 벌어지는 갖가지 딜레마들에 대해 더 냉철하게 이해할 수 있도록 해 준다. 동시에 실천가로서 연구자가 자신의 직장, 교실, 생활 현장에서 수집하고 분석한 자료들은 바람직한 실천과 관련된 이론과 연구들을 개선하는 데 활용될 수 있다(Johnson, 2008). 이처럼 실행연구를 통한 양방향적인 소통을 통해, 이론과 실제의 격차가 좁혀지는 점에 대해 Parsons와 Brown(2002)은 다양한 문제 상황에서의 결정 이론과 실제 현장에 대한 연구의 영향을 받음과 동시에 전통적인 이론과 연구를 현장에서 구체화하거나 혹은 새로운 방향의 개선에 기여하기도 한다고 언급하기도 했다.

때문에 실행연구에서 가장 주요하고도 핵심적인 주제는 바로 연구자 자신의 이야기가 될 수 있다. 실천가가 곧 연구자라는 아이디어는 매우 중요한 의미를 지닌다. 먼저, 다양한 이론을 실천하는 장으로서 현장을 바라보게 되면 자신의 연구 작업은 교육과정 등 해당 분야의 자격을 갖춘 전문가들이 독점하는 배타적이고 갇힌 영역이 아니게 된다. 실천은 마땅히 개방적이고 자유로우며 독자적인 영역이 되어야 한다는 점에서 상당히 민주적이고 투명한 의미를 지닌다(Mertler,

2014). 지금까지는 과학적으로 훈련되고 자격을 갖춘 사람만이 전문적인 연구를 할 수 있다는 입장이 대부분이었다. 이러한 입장은 '실천가는 그러한 문제를 잘 이해하지 못한다는 것'으로 단정되어 왔기 때문이다. 이러한 시각은 실제 및 문제에 대한 실천가들의 지식을 강화할 수 없을 뿐만 아니라 외부 전문가들에 의해 창출된 지식에 대한 그들의 이해와 수용 능력도 무시하는 결과를 초래한다. 이론가들과 실천가들을 이분법적으로 나누고 그들의 역할을 정해 버리는 것에 문제가 있었다.

이론가들과 실천가들을 구분하는 패러다임에서 나온 대표적인 시스템 중 하나가 바로 집단적인 연수 시스템이다. 지금까지는 실천가들을 교육하기 위해 최신의 교육 이론을 바탕으로 연수 자료를 만들고 현장의 실천가들을 연수 장소로 모이게 하여 대규모의 직접 교육을 실시했다. 이와 같이 전문성을 발전시키기 위해 주요 활용되는 대규모의 직접 연수에 대해 Johnson(2008)은 다음과 같이 지적한다. 실천가들은 하루 종일 현장에서 일하고 사람들과 만난 후 지친 몸을 이끌고 연수과정을 수강하게 되는데, 그들은 연수과정에서 제시하는 새로운 방법 혹은 자료들이 실제 나의 현장 상황이나 일하는 형태에 직접적으로 영향을 미치지 못한다고 느낀다는 것이다. 왜냐하면, 실천가들은 효과적으로 새로운 지식을 배우거나, 그들의 작업에 긍정적 변화를 도모할 수 있는 충분한 시간 및 내용, 활동들을 제공받지 못하기 때문이다. 결과적으로 연구자들이 대규모 연수를 실시하여 실천가들이 겪는 모든 교실 상황의 어려움들을 해결할 수 있으리라고 생각하는 것 자체가 사실은 시대착오적인 발상이라는 지적이 쏟아지고 있다.

때문에 실행연구에서 실제적이고, 실천적이라는 특성에 관심을 갖게 되었다. 그리고 이러한 연구를 실행시킬 수 있는 주체는 바로 실천가 자신이 될 것을 요구하고 있다. 물론, 모든 실천가가 연구자의 역할을 수행하기는 어렵다. 때문에 실천가가 연구자의 역할을 감당해야 하는 실행연구를 수행하도록 하는 데 필요한 조건들을 살펴볼 필요가 있다. 첫째, 실천가는 우선 기초적인 교육학 이론 및 자신에게 필요한 연구 과정에 대해 어느 정도 이해하고 있어야 한다. 그것은 양적 연구가 될 수도 있고, 질적 연구가 될 수도 있다. 둘째, 연구 결과가 실천가들로 하여금 모종의 행위를 취할 수밖에 없도록 이끌어야 한다. 이를 위해서는 실천가가 수행하는 연구도 학문적으로 인정해 주고, 적극적으로 지원해 줄 필요가 있어 보인다(Mertler, 2014).

2) 구체적인 실행 방법의 개선

두 번째로 제시할 수 있는 실행연구의 담론은 바로 현장에서 실제로 실행되고 있는 구체적인 실행 방법의 개선과 관련이 있다. 현장에서 직접 이루어지는 실천 방법의 개선은 실행연구의 핵심 과제이다. 이제는 실행연구가 확산됨에 따라 전통적인 실천가들에게 기존의 이론을 해석하여 실행하는 전통적인 실천가의 역할뿐만 아니라 연구자의 역할을 동시에 수행할 것을 요구하고 있다. 실제적으로 실천가는 자신이 현장에서 마주치는 동료들과 고객, 혹은 학생들과 원활하게 의사소통하면서 문제 상황에 대해 합리적으로 의사결정을 할 수 있기를 바란다. 이를 위해서는 실천가가 자신의 기준을 갖고 자료를 수집하면서, 스스로의 역량을 강화시킬 필요가 있다. 실천가의 역량 강화는 현장 구성원들의 요구를 충족시키는 문제 해결 방법 및 프로그램을 운영할 수 있도록 해 준다. 즉, 실천가가 자신만이 가지고 있는 독특한 전문 기술, 재능, 창의성을 발휘하도록 하는 것은 실행연구의 성패를 가르는 중요한 문제인 것이다(Johnson, 2008). 실행연구에서 실천가는 언제 어디서든지 문제 해결에 적절하다고 생각되면 다양한 위협 요인을 제거하면서 자신의 실천 방식을 변화시켜야 한다. 실행연구는 이것을 촉진하고 격려하는 역할을 한다. 즉, 이러한 접근법은 앞서 살펴보았던 전통적인 집단 연수 시스템과 같은 일방적인 명령 방식과는 구분된다(Johnson, 2008). 즉, 행정가나 관리자 혹은 연구자들에 의한 리더십과 달리, 실천가 중심의 리더십 기능이 필요하다는 것이다. 결국, 현장에서 직면하게 되는 여러 도전 혹은 문제를 인지하고 이를 해결하기 위한 실천가 중심의 소규모 연구는 현장을 변화시키는 데 더욱 효과적일 수 있다. 즉, 실행연구의 주요 초점은 현장에서 구체적인 실행 방법을 개선하는 데 있고 실천가가 자신의 실제에 대해 반성적이고 비판적일 때, 그들은 정보에 근거한 실용적 의사결정을 촉진하는 수단으로서 그들이 수집한 정보와 관찰한 현상을 활용하게 된다(Parsons & Brown, 2002).

이러한 논의는 주로 교육학에서 많이 찾아볼 수 있다. 예를 들어 Schön (1983)은 교육 사태에서 '문제'는 교사에게 객관적인 것으로 주어지지 않고, 불확실하고 불안정하며 특수하고 가치 갈등을 특성으로 하는 '문제 상황'으로부터 교사에 의해 구성된다고 언급했다. 즉, 교사가 문제 상황으로부터 문제를 도출해 내야 하는 것이다. 따라서 교사의 역할은 문제가 무엇인지 모르는 혼란스러운 문제 상황에서 문제가 무엇인지를 도출해 내는 문제 제기에 있으며, 이것은 과학적 이론과 기술을 적용해서 해결될 수 있는 것이 아니라, '행위 중 앎'이라는 예술적이고 직관적인 과정에 의해 이루어진다는 특징을 갖는다(서경혜, 2005). 여기에서 Schön이 말하는 '행위 중 앎'이라는 것은 우리가 무의식적이고 직관적으로 수행하는 일상적 행동 속에 존재하는 것으로, 일반적으로 실제적 지식 또는 암묵적 지식이라고 부르는 것과 유사하다. 이에 따라, 실제적 관점에서는 연구자들이 교실 밖에서 이론을 구축하는 것이 아니라, 교실 내에서 벌어지는 일에 초점을 맞추어 교사들의 실천지를 규명하는 데 보다 중점을 둔다(Cochran-Smith & Lytle, 1999, 소경희, 2009에서 재인용).

이처럼 실행연구를 통해 실천가는 자신의 실천이 주로 이루어지는 현장에 초점을 맞추고, 개선과 변화를 위한 연구를 수행할 수 있다. 이러한 과정은 실천가의 자신감과 전문가로서의 자긍심을 높여 줄 뿐만 아니라 문제 해결 기능, 전문성 발달 및 시스템 변화를 위한 그들의 태도를 개선하는 수단으로 활용된다(Parsons & Brown, 2002). 게다가 실행연구는 실천가들에게 전문성 발달에 있어서 하나의 실제적인 목소리를 갖추게 함으로써, 스스로 전문가로서의 역할을 확인시켜 준다. 이것은 특정한 목적이나 주제가 직장 및 지역 사회에 소속된 모든 실천가들에게 필요한 것이어야 한다는 말과는 대조된다(Schmuck, 1997).

개선을 목적으로 하는 실행연구의 과정은 전문성 발달을 위해 더욱 의미 있는 접근법으로서, 개인별로 최적화된 전문성 발달을 가능하게 해 준다. 또한 실천가가 그들 자신의 실제를 탐구하고, 그들의 생활 속에서 효과가 있는 것과 없는 것을 제대로 식별할 수 있도록 돕는다.

실행연구를 통해 실천가는 단순히 자신의 역량을 강화하는 것을 넘어서서 자신이 속한 현장, 더 나아가 거주하는 지역에서 일어나는 현상에 대해 훨씬 더 적극적이고 이론적으로 참여할 수 있게 된다. 가령 예를 들면, 실행연구의 결과로부터 교사는 수업에 대해 실제로 배우는 것도 있을 것이다. 더불어 실행연구를 수행하는 과정에 참여함으로써 교사가 배우고 개발하는 기능들은 학급 경영과 관련된 일상적인 활동에 전이될 수 있고, 학급 경영을 더욱 효과적, 효율적으로 수행할 수 있도록 해 줄 것이다(Mertler, 2014). 간호사들은 간호에 필요한 실제적인 의료 기술들을 습득하고, 동료 간호사들과 상호작용하며 다양한 환자 사례에 적용할 수 있는 개인적인 간호 메커니즘을 확립하는 데 기여할 것이다. 사회복지사들 역시 하나의 실행연구 사례에서 힌트를 얻어 다른 종류의 복지 사업이나 프로그램 운영에 힌트를 얻을 수 있을 것이다. 이처럼 실행연구의 주요 초점은 현장 실제의 개선에 있다. 실천가가 자신의 실제에 대해 반성하고 비판적일 때, 그들은 정보에 근거한 실용적 의사결정을 촉진하는 수단으로서 그들이 수집한 정보와 관찰한 현상을 활용한다. 실행연구의 분명한 장점은 반성적, 협력적이고 궁극적으로는 실제에서 개선을 선도할 수 있다는 것이다(Parsons & Brown, 2002).

이것은 이따금 우리 자신이 생각해 왔던 현장에 대해 생각하고 접근하는 방식에 대해 전환을 요구한다. 많은 실천가들은 자신이 이미 전문성을 갖추었고, 지금까지 해 온 대로만 한다면 성공할 것이라 믿는다. 그러나 아이러니하게도 정말 성공한 실천가, 즉, 우리가 전문가라고 부르는 사람들은 지속적, 체계적으로 자신의 행위 및 그 행위의 결과에 대해 반성한다. 이러한 지속적인 반성은 실천 과정에서 새로운 지식을 획득하게 해 준다(Mertler, 2009). Parsons

와 Brown(2002) 역시 실천가들은 하루 종일 다른 사람들과 함께 생활하며 일하며 각자 자신만의 방식대로 행동한다고 말한다. 개별 인간은 상이한 욕구, 열망, 동기, 흥미, 학습 양식, 장점과 단점을 갖고 있기에, 개별 혹은 집단은 실천가가 저마다의 독특한 접근법을 활용하도록 특유의 도전 기회와 개선 과정을 끝없이 제공한다고 했다.

이러한 과정에서는 앞서 언급했듯이, 반성적 사고의 과정이 매우 중요하게 여겨진다. 반성이란 특정한 문제 상황이나 경험을 해결하거나 인식하거나 의식하거나 또는 숙고하기 위한 모색, 통찰력, 평가 및 피드백으로 이어지는 일련의 행위를 일컫는다(박창민, 2015). 이러한 반성의 개념을 교육적 상황에 구체화시켜 보면, 현장 실천가가 스스로의 가르침의 과정, 혹은 경험에 대해 인식하고 이를 되돌아보고 성찰함으로써 전문성을 개선시키는 과정을 반성적 사고라고 일컬을 수 있다(Adler, 1991; Dewey, 1919; Pultorak, 1993; Zeichner, 1986).

박창민(2015)에 따르면, 많은 현장의 실천가들은 누군가에게 무엇인가를 전달하는 데 매우 익숙해져 있음을 지적했다. 그리고 이러한 경향은 주변의 다양한 생각 혹은 경험들을 받아들이는 열린 자세보다는, 자신의 생각이나 의견 등을 주변에 전달하는 데만 익숙한 폐쇄적인 자세를 가질 가능성이 높다고 했다. 그렇기 때문에, 의식적으로 주변을 열린 마음으로 바라보고 자신이 혹여나 가지고 있는 편견 혹은 선입견 등이 없는지를 끊임없이 점검해야 할 필요성이 있다고 언급하고 있다. 또한 급격하게 변하는 세상 속에서 우리의 경험들은 연구 참여자들의 경험과 일치하지 않을 가능성이 매우 높다(박창민, 2015). 즉, 실천가가 기존에 경험한 것들을 단순히 현장 상황에 대입하여 특정 문제를 해결하려고 한다거나, 상황을 이해하려고만 한다면 무리가 따를 수 있다는 점을 지적했다. 효과적인 지도를 위한 반성적인 사고를 위해서는 변화하는 세상, 특히 우리 주변의 삶과 경험에 대해 많은 관심을 가지고, 그들의 경험을 직·간접적으로 경험하고자 하는 노력들이 중요하다. 이러한 점에서 실천가는 연구자로서 자신의 실천과 내면을 되돌아보고 끊임없이 점검하면서 반성적 사고를 실천하려는 노력이 꼭 필요하다(박창민, 2015).

3) 시스템 개혁

마지막으로 제시할 수 있는 실행연구 분야는 바로 체제 개혁과 관련되어 있다. 이는 실행연구의 비판적 관점과 맥을 같이한다. 실행연구의 비판적 관점은 이론화를 통한 실천의 이해와, 실천에 기반을 둔 이론화를 동시에 추구하고자 한다. 궁극적으로는 연구를 통해 시스템 및 현장 전반과 관련한 이론과 실천의 변증법적 발달에 목적을 둔다. 앞에서 논의했듯이 이러한 비판적 패러다임의 등장은 이전까지 미국과 영국의 일부 학자에게만 관심을 받던 실행연구가 여러 학자들의 주목을 끌게 된 결정적인 계기를 제공해 주었다. 왜냐하면 '연구자와 연구자의 상황 모두를 변화시키면서 체계적인 진화를 거듭하는 살아있는 과정'(McTaggart, 1991)으로서의 실행연구는 그 자체로도 매력적이고, 실행연구의 이론적 가정 속에서 실천가들은 이론과 실천이 변증법적으로 발달할 수 있겠다는 희망을 보았기 때문이다. 즉 실행연구에서는 자신의 실행에 대한 좀 더 깊은 이해를 추구하면서 동시에 이러한 이해가 후속적인 실천으로 이어지는 출발점이 됨으로써 '교육적 지식의 창조가 다시 교육적 실천으로 재창조되는 순환'(김희연, 2004) 과정을 가능하게 한다고 주장한다. 결국 실행연구는 행위와 연구의 변증법적인 통합을 가능하게 한다는 점에서 개인적인 측면뿐 아니라 시스템 전반을 개혁시키고 발전시키는 데도 기여할 수 있다.

앞서 우리는 개별 현장의 실제를 개선하기 위한 반성적 수단으로 실행연구를 활용하는 것에 초점을 두었다. 그런데 실행연구는 개선을 위한 보다 체계적인 유형을 장려하는 방법으로 조직화되거나 촉진될 수도 있다. 즉, 시스템의 발전 및 개혁에 기여할 수 있다는 것이다. 이를 실현하는 방식 중 하나는 실행연구를 일종의 협력적 활동으로 접근하는 것이다. 그리고 그 과정에 대한 책임을 공유하는 것이다. 협력적 활동으로 실행연구를 진행하게 되면 다양한 관점, 아이디어,

경험, 자원을 결합할 수 있게 된다(Mertler, 2014). 협력적 실행연구라고 불리는 이러한 방식은 협력적으로 설계되어 실행된다는 점에서 개인적으로 수행되는 실행연구와는 구분된다. 협력적 실행연구는 실천가로서의 연구자와 행정가 및 지원 인사가 체계적이고 자기 주도적으로 현장의 개선을 위해 참여하는 이상적인 시스템이 될 수 있다.

이 개념은 단순히 실행연구를 수행하는 연구자에만 국한되지는 않는다. 오히려 현장 속의 모든 사람들을 포함할 정도로까지 확대될 수 있다. 실천가는 협력적 실행연구를 수행하면서 자신의 실천에 대해 철저히 반성하고 자신의 이론적 및 실천적 지식을 구축하는 과정을 공개할 수 있다. 이를 통해 현장에 기반을 둔 새로운 이론을 수립할 수 있는 기회를 가지게 된다. Mckernan(1996)도 비슷한 맥락에서, 이론은 종결된 완전체가 아니라고 했다. 왜냐하면, 실천가의 의도 혹은 역량, 그리고 구성원들과의 상호작용 등의 다양한 요소에 따라 같은 이론을 적용한다고 하더라도 매우 다양한 과정 혹은 결과로 나타나기 때문이다. 때문에 이론의 개선 및 변화를 위해서는 사회 및 현실 변화 요구를 받는 실천가들이 현장에서 직접 직면하는 어려움이나 이슈들에 대해 끊임없는 질문을 던지고 이에 대한 답을 찾아야 하는 책무성을 가져야 한다고 지적했다. 이것이야말로 진정한 의미에서의 이론 탐구의 정신이며, 우리는 탐구하고 발견하는 사람으로서 실행연구의 철학에 집중하지 않으면 진전될 수 없다는 사실을 지적한 것이다. 이제 실천가들은 단순히 위에서부터 내려온 지침, 이론, 절차에 따라 일을 처리하고 결과를 보고하는 역할만 해서는 안 된다. 이제 그것은 바람직한 실천가의 자세가 아니게 되었다. 오히려 실천가들은 스스로 비판적이고 반성적 사고를 통해 합리적으로 탐구하고 생각하도록 요구받게 되었다(Mckernan, 1996).

이렇게 실천가에 의해 확대된 새로운 전문성 개념의 창출은 우리로 하여금 검증해 볼 만한 가치가 있는 생각 및 새로운 수행 윤리 또는 태도를 폭넓게 확산하도록 요구하고 있다. 그것들은 고정적이고 숭배해야 할 대상이 아니라 가치 있는 아이디어 중의 하나로 다룰 수 있다. 예컨대 교육학 분야에서는 중핵 교육과정 및 개별화 수업 등과 같은 교육 개혁 실제 및 방안의 모색에 도움을 줄 수 있다(Mertler, 2014). 인류학 분야에서는 직업 전문성이나 직무에 필요한 다양한 부가적인 역량 발달에 적절한 역할을 할 수 있을 것이다. 이제 새로운 지식의 발견 및 변화는 과거의 신념을 견고하게 붙들고 있음으로 도래하는 것이 아니게 되었다. 현장 유지에 대한 의문을 지속적으로 제기함으로써 이루어지게 되는 것이다. 그리고 이러한 지식의 진전은 어떤 한 개인의 카리스마나 능력에 의해 이루어지는 것이 아니라, 그 분야의 담론 공동체와 연구자들의 총체적 결과에 의해 이루어질 수 있다(Mckernan, 1996).

원래 실천가들은 담론 공동체에 속하지 않았었다. 그러나 실행연구의 패러다임 접근에 따라 실천가들이 공동체에 적극적으로 참여하게 되면서 현장에 대한 실제적인 연구가 가능해지게 되었다. Dewey, Corey와 Stenhouse와 같은 저명한 연구자들 역시 실천가들로 하여금 연구에서 자신의 역할을 온전히 하도록 요구하고 있다. 지금까지는 과학적으로 훈련되고 자격을 갖춘 사람만이 전문적인 연구를 할 수 있다는 믿음이 무비판적으로 통용되어 왔다. 하지만 이러한 관점은 '실천가는 그러한 문제를 잘 이해하지 못한다는 것'으로 단정하는 부적절한 믿음과 관련된다. 이러한 시각은 실제 및 문제에 대한 실천가들의 지식을 강화할 수 없을 뿐만 아니라 외부 전문가들에 의해 창출된 지식에 대한 그들의 이해와 수용 능력도 무시하게 되는 결과를 초래한다(Mckernan, 1996). 다시 말해 Mckernan이 지적했듯이 연구 거점으로서의 실제 현장은 외부 전문가와 실천가가 구별되지 않는다. 따라서 이론의 탐구는 실천가들에 의해 규정되어야 하며, 실천가들은 동등한 위치에서 외부 연구자들을 대할 수 있어야 한다. 연구는 실천가의 수행에 기반을 두는 것이기 때문에 실천가에 의해 관리 및 수행되어야 한다는 것이다.

물론 실행연구의 첫 걸음으로서 실천가들은 현장과 이론에 대해 얼마나 잘 알지 못하고 있는지를 솔직히 인정해야 한다. 지식과 이해에 대한 실천가들의 미흡함을 인정함으로써 취약점보다는 장점의 토대 위에서 출발할 수 있게 된다. 사실 지금까지의 이론은 현상에 대해 명확한 이해와 해결책을 제시하기보다는 끊임없는 이슈들과 문제들, 딜레마들을 야기하고 있다. 우리는 실행연구를 통해 이들 문제를 경험하고 실행연구가 그것들을 해결하는 역할을 수행한다는 사실을 인정해야 한다. 이러한 의미에서 실천가로서의 경력을 시작한다는 것은 곧 당대적으로든 역사적으로든 뛰어난 사상가들조차도 당혹스럽게 만들어 왔던 문제들을 해결하면서 문제를 연구하는 연구자가 되어야 한다는 것을 의미한다(Mckernan, 1996). 그렇기 때문에 우리가 다루어야 할 이론은 다양한 현장 상황에 근거한 실천적 연구에 기반을 두어야 한다. 이론적 지식은 실천가의 수행에 근거한 것이 되어야 한다. 즉, 어떠한 이론은 단순히 연구되는 것만으로는 충분하지 않고, 실천가들에 의해 연구될 필요가 있다는 것이다. 실천가가 외부 연구자들에 의해 단지 연구 대상으로만 취급되는 경향은 지양해야 한다(Mckernan, 1998). 아울러 앞서 언급한 실천가 중심의 연구를 현장과 관련된 공공기관이나 지역 수준의 행정가의 기능과 능력을 배제한다는 의미로 받아들여서는 안 된다. 다만 그들은 단지 촉진자, 후원자, 상담자와 같은 역할을 한다고 생각해야 한다. 결국에는 연구의 장이 실제 사건이 일어나는 현장 수준으로 되돌아오는 것에 초점을 맞추어야 한다. 이것이 연구의 효과성을 제고하고 개선을 증진하게 될 것이다(Johnson, 2008).

참고문헌

김희연(2004). 실행연구자(action researcher)로서의 유아교사: 유아교사의 정체성 확립을 위한 일고. **유아교육연구, 24**(6), 235–256.

박창민(2015). **초등학교 다문화학생의 수업을 위한 교사들의 협력적 자기연구.** 진주교육대학교 석사학위 논문.

소경희(2009). 교사학습(teacher Learning) 이해를 위한 이론적 기초 탐색. **교육과정연구, 27**(3), 107–126.

Adler, S. (1991). The reflective practitioner and the curriculum of teacher education. *Journal of Education for Teaching*, 17, 139–150.

Cochran-Smith, M., & Lytle, S. L. (1999). Relationships of Knowledge and Practice: Teacher Learning in Communities. *Review of Research in Education*, 24, 249–305.

Corey, S. M. (1952). *Action research to improve school practices.* New York: Teacher College Press.

Cunningham, B. (1999). *How do I come to know my spirituality as I create my own living educational theory.* Ph.D Thesis, University of Bath.

Dewey, J. (1919). *How We Think.* D. C. Heath and company.

Elliott, J. (1991). *Action research for educational change.* Philadelphia: Open University Press.

Johnson, A. P. (2008). *A Short Guide to Action Research.* New York: Pearson.

Lewin, K. (1946). Action research and minority problems. *Journal of Social Issues*, 2, 34–46.

_____ (1952). *Field theory in social science: selected theoretical papers.* Cartwright, D. (ed). London: Tavistock.

Masters, J. (1995). The History of Action Research. In Hughes, I. (ed). Action Research Electronic Reader. The University of Sydney, on-line http://www.behs.cchs.usyd.edu.au/arow/Reader/rmasters.htm.

Mckernan, J. (1996). *Curriculum action research (2nd ed.).* London and New york: Routledge.

_____ (1998). Teacher as researcher: paradigm and pracis. *Contemporary Education, LIX(3)*, 154–158.

McTaggart, R. (1991). *Action Research: A short moden history.* Geelong, Victoria: Deakin University Press.

_____ (1997). *Participatory action research: International contexts and consequences.* Albany: State University of New York Press.

Mertler, C. A. (2009). *Action research: Teachers as researchers in the classroom*. Thousand Oaks: Sage.

_____ (2014). *Action Research: Improving Schools and Empowering Educators*. Thousand Oaks: Sage.

Noffke, S. E.(1990). *Action research: A multimensional analysis. Unpublished doctoral thesis*. Madison: University of Wisconsin.

Oja, S. N., & Smulyan, S. (1989). *Collaborative action research: A developmental approach*. London: Falmer Press.

Parsons, R. D., & Brown, K. S. (2002). *Teacher as reflective practitioner and action researcher*. Belmont: Wadsworth/Thomas Learning.

Pultorak, E. G. (1993). Facilitating reflective thought in novice teachers. *Journal of Teacher Education, 44*(4), 288–295.

Schmuck, R. A. (1997). *Practical Action Research for Change*. Thousand Oaks: Corwin press.

Tax, S. (1958). The Fox Project. *Human Organization, 17*, 17–19.

_____ (1975). Action anthropology. *Current Anthropology, 16*, 514.

Zeichner, K. M. (1986). Reflective teaching and field based experience. *Interchange, 12*(4), 1–22.

Ziniewicz, G. L. (1999). *John Dewey (4th ed.)*. Atrapos.

실행연구의 방법론적 접근

앞에서는 실행연구 이론이 어떻게 확립되어 왔고, 그 의미가 무엇이었는지를 탐구하는 것에 초점을 맞추어 살펴보았다. 이 장에서는 실행연구의 역사 속에서 파생된 실행연구만의 고유한 특징들을 요약하여 제시하고자 한다. 실행연구의 특징은 수많은 실천가들이 시행착오를 겪으며 확립된 것이다. 물론 그들의 연구 방법이 절대적인 것은 아니지만, 우리는 그들이 제시했던 실행연구의 특징을 이해함으로써 실행연구에 좀 더 쉽게 접근할 수 있게 될 것이다. 다시말하면, 실행연구의 특징을 이해하게 되면 명확하게 실천과 연구를 종합할 수 있게 된다는 점에서 의미가 있다(Gay, Mills, & Airasian, 2000).

한편으로는 실행연구를 실행하는 데 있어 일반적인 절차도 알아볼 것이다. 실행연구는 각 현상과 사례에 대해 특정한 접근을 강조하기 때문에 이러한 일반화된 모형이 의미 없을 수도 있다. 그러나 실행연구에 대해 막연한 생각만을 갖고 있는 연구자들과 더불어 실행연구는 실천만 잘 하면 된다고 생각하는 연구자들에게 이러한 절차적 예시를 제시하는 것이 도움이 될 것이다. 각 절차를 간략히 설명하고, 그에 맞는 실제 연구 예시를 제공하여 실행연구의 구체적인 실행 과정에 대한 이해를 돕고자 한다. 다음에 제시되는 내용들을 주의깊게 읽고 실행연구에 대한 윤곽을 잡아 보도록 하자.

1. 실행연구의 특징

앞부분에서 이야기했듯이, 오늘날 알려져 있는 실행연구의 여러 특징들은 갑자기 나타난 것이 아니다. 지금까지 현장에서 문제를 해결하기 위해 실행했던 과정들을 분석하고, 개선하려는 노력을 했던 여러 실천가들, 그리고 이론이 현실에 전혀 적용되지 못하는 점을 비판했던 현장 연구자들의 의견이 반영된 결과이다 (Kemmiss & McTaggart, 1988). 사실 실패가 없었다면, 실행연구는 태어나지 못했을 것이다. 실천과 반성에 관한 통찰력 있는 연구들은 다음과 같은 의견을 제시하고 있다.

실행연구의 특징을 규명하기 위한 의문들(Gay, Mills, & Airasian, 2000)

- 지금까지 이루어진 연구들이 현장에 잘 적용되고 있는가?
- 전문가들의 연구는 실천가들의 궁금증에 명쾌한 대답을 내놓고 있는가?
- 실천가들이 논문으로 표현되는 연구 결과에 쉽게 접근하고, 이해할 수 있는가?
- 실천의 결과, 현장이나 시스템이 실제적으로 개선되는가?

각 의문들은 우리가 연구를 실행하면서 한 번쯤은 느껴 봤을 만한 것들이다. 많은 연구자들은 야심차게 연구를 계획하지만, 그 결과에 의문을 품는다. 이것이 실행연구를 시작하게 만드는 계기가 된다. 이처럼 실행연구는 아주 실제적이고 작은 것에서부터 출발한다. 위와 같은 의문을 해결하기 위해 발전된 것이 실행연구이다. 즉, 실행연구는 연구와 실천이 분리되어 이해되고 있는 현실을 비판

하면서 등장했다는 것을 이해하는 것이 중요하다. 이러한 특징은 앞서 실행연구의 역사 부분에서 자세히 설명했으므로 이해하기 어렵지 않을 것이다. 실행연구의 특징도 이와 관련지어 이해하는 것이 중요하다.

먼저 실행연구에 대한 기존의 논의를 살펴보면 다음과 같다. Kemmis와 McTaggart(2000)는 실행연구에 다음과 같은 특징이 있음을 제시하고 있다. 이들은 실행연구를 '참여적 실행연구'라고 명하고 있다.

참여적 실행연구의 특징

- 실행연구는 참여를 강조한다.
- 실행연구는 사회적이다.
- 실행연구는 실제적, 협동적이다.
- 실행연구는 비판적이다
- 실행연구는 해방적이다.
- 실행연구는 순환적, 성찰적이다.
- 실행연구는 개선을 추구한다.

Kemmis와 McTaggart가 제안한 실행연구에서 가장 중요한 요소는 참여이다. 모든 연구는 참여에서 나오며, 참여를 통해 연구가 사회를 비판하고, 개인을 해방시키며 모든 연구자가 협동하고 결국에는 연구의 순환적인 측면을 보장할 수 있게 된다. 이러한 논의에 비추어 볼 때, 실행연구는 단순히 연구자가 현장을 바라보기만 해서는 안 되며, 직접 현장에 뛰어들어 문제를 해결하려는 과정 속에서 그 의미를 가질 수 있다고 생각할 수 있다.

한편, Reason과 Bradbury(2001)는 다음과 같이 실행연구의 특징에 대해 서술하고 있다.

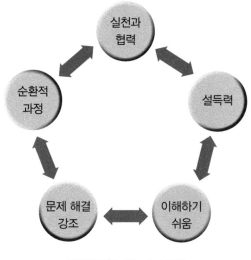

실행연구의 특징에 대한 Reason과 Bradbury(2001)의 견해

- 실행연구는 실행에 관한 지식을 만들어 내는 것을 목표로 한다.
- 실행연구는 결과를 다르게 만들어 내고, 현상에 대해 이해를 새롭게 하도록 해 준다.
- 실행연구는 참여적 연구이다. 모든 사람들과 함께 수행될 때 의미가 있다.
- 실행연구는 과정이 중요하다.
- 실행연구는 개선되어 가는 과정이다.

　실행연구에 관한 여러 정의를 바라보다 보면 실행연구에 대한 어떠한 이미지가 떠오를 것이다. 학자들은 실행연구가 단순히 현장에 뛰어들어 연구하는 것을 의미하는 것이 아니라고 주장하고 있다. 즉, 실행연구에는 반드시 실천적 성격과 참여적 성격, 협동적 성격이 있음을 알 수 있다. 위의 의문들과 통찰을 조합할 때, 실행연구의 특징은 다음의 다섯 가지로 정리할 수 있다.

실행연구의 다섯 가지 특징

　실행연구는 실천과 협력에 중점을 두고 있으며, 설득력이 높고, 연구 과정을 이해하는 데 용이하고, 문제 해결에 효과적이며, 모든 연구가 순환적으로 이루어진다는 특징을 가진다. 이 다섯 가지의 특징에 대해 자세히 알아보기로 한다.

1) 실행연구는 실천과 협력에 중점을 둔다

실행연구의 첫 번째 특징은 많은 실천가들이 제기하는 비판과 관련이 있다. 즉, 실천을 소홀히 생각한다는 점이다. 매년 학회지에는 수많은 현장 연구들이 게재된다. 특히 교육학이나 사회학에서의 여러 질적 논문들을 살펴보면 연구자의 눈으로 현장을 자세히 탐구한 결과들이 담겨 있는 경우가 많다. 그러나 이 내용이과연 정말로 실제 세계를 반영한 것인가에 대해서는 생각해 보아야 할 것이다. 즉, 논문을 비판할 때 가장 많이 하는 질문이 바로 연구자가 연구한 현장이 실제 존재하는지에 관한 것이다.

즉, 대학의 연구자에 의해 제기되는 문제는 실제 사회, 현장에서 갖고 있는 문제가 아닐 가능성이 높으며, 만일 그렇게 될 경우 연구는 구성원들이 일하는 현장과 동떨어진 채 이루어지기도 한다(Gay, Mills, & Airasian, 2000). 다음의 예시는 교실 수업에 관한 기존의 연구와 실행연구 주제의 차이점에 관해 제기된 비판이다.

기존의 연구와 실행연구의 차이점(Kennedy, 2005)

학교와 수업에서 20여 년간 이루어진 연구를 분석했을 때, 실행연구와 다른 연구들의 차이점은 다음과 같이 설명할 수 있었다. 우선 기존의 연구들은 여러 학자들이 주장한 특별한 교수법, 학습이론들을 자신의 교실에 가져와 실험을 해 보고 그 효과를 검증하거나 비판하는 주제들이 많았다. 이러한 연구들은 논리적이고 합당해 보였다. 그러나 스스로를 권위자의 목소리를 빌려 이야기를 하는 수동적인 존재로 인식하고 있었다. 그러나 실행연구의 주제는 상당히 다양했다. 가령 교실에서의 삶에 관한 의문에서 출발하여 학교의 삶을 정의하는 연구, 학교 내 권력 구조에 관한 연구 등 실천가들의 의견을 반영하는 측면이 있었다. 실행연구의 어조는 확신에 차 있으며, 오류에 대해 언제든지 개선하겠다는 의지가 반영되어 있었다.

앞의 글을 잘 살펴보면 실행연구가 다른 현장 연구들에 비해 좀 더 실제적이며 개선의 여지가 많은 연구 방법이라는 점을 잘 알 수 있을 것이다. 기존의 권위 있는 이론과 관련된 현장 연구에서는 그 이론을 검증하는 것이 주된 연구 과정이 되는데, 사실 우리가 권위 있는 연구 결과에 대해 근본적인 반론을 제기하거나 상반된 주장을 펼치는 것은 상당히 어렵다. 즉, 현장의 상황에 따라 연구 결과가 바뀔 수 있음에도 불구하고 우리는 이론이 효과가 있다고 판단해 버리는 경우가 많다. 그러나 실행연구의 주제는 바로 연구자인 자신의 실천과 생각에 관한 것이다. 따라서 실행연구의 결과는 얼마든지 바뀔 수 있다. 그리고 심지어는 부정적인 결과마저도 가치가 있다. 연구를 반복 수행하여 부정적인 상황에서 긍정적인 효과를 발생시킨다면 그것으로 상당히 가치 있는 연구 주제가 탄생하기 때문이다. 이처럼 실행연구의 목표 중 하나는 실천을 통해 교실에서의 예측 가능성과 발전 가능성을 만들어 내는 데 있다. 실행연구를 통해 현장에서 실천가의 행동에 따라 어떠한 결과가 나타날지에 관한 예측력이 높아지면 자신의 연구에 확신이 들고 자신감이 생긴다. 이처럼 실행연구의 결과는 모든 실천가들이 현장에서 일어나는 일들을 예측하고, 해결하고자 하는 열망과 관련되어 있다. 특히, 실행연구는 주어진 상황과 연구 도구를 활용하여 이루어지기 때문에, 현실적으로도 문제를 해결하고 상황을 개선하는 데 도움을 준다.

한편, 실행연구는 협력적인 경향이 있다. 우리는 실행연구의 결과를 연구자 개인의 작업으로만 치부하는 경향이 있다. 그러나 실행연구에서 그러한 제한 사항은 없다. 즉, 실천과 실행을 구별하지도 않고, 누가 실천을, 누가 연구를 해야 하는지에 관해서도 결정하지 않는다. 모든 사람들은 실행연구에 포함된다. 오히려 더 많은 참여를 요구한다. 실행연구에서는 연구 과정의 모든 단계에서 집단 혹은 지역사회에 참가하는 것을 강조한다. 그리고 각 과정에서 모든 연구 참여자들이 협력하고, 활발히 의사소통하는 것을 중요하게 생각한다. 다양한 의견이 연구에 포함될수록 연구는 더 타당성 있고 영향력이 커지게 된다.

2) 실행연구는 설득력 있다

실행연구의 두 번째 특징은 연구의 설득력과 관련이 있다. 이 점에 대해 논의하기 위해서는 실행연구의 어원적 정의를 다시 한 번 살펴볼 필요가 있다. 실행연구는 실행과 연구에 관한 문제이다. 그리고 실행이 연구보다 더 중요한 의미를 지닌다. 다만 실행연구는 단순히 실행에 관해 연구하는 것이 아니고, 실행 속에서 연구하는 것이다. 그렇기 때문에 실행연구는 다른 이론적 연구들보다 설득력이 강한 특징을 지닌다.

이러한 특징에 대해 알아보기 위해서는 실천가들이 연구를 위해 실시하는 과정을 잘 살펴보아야 한다. 대부분의 실행연구에서 실천가들은 직접 설득력 있는 자료를 수집하려고 노력한다. 왜냐하면 실행연구는 권위자의 의견이나 유명한 이론에서 결과가 나오는 것이 아니기 때문에, 실천가들이 직접 연구 타당도를 확보해야 하기 때문이다. 또한 적절한 자료를 수집했다는 사실도 인정받아야 하고, 심지어는 이 자료를 수집하게 된 계기에 대해서까지도 설득할 준비를 해야 한다. 그래야만 연구 결과에 대한 믿음을 줄 수 있게 된다. 이와 유사하게, 실행연구의 결과를 설명할 때에도 단순 연구자로서가 아니라, 실천가로서의 연구자가 설명할 때 더욱 권위와 신뢰를 가질 수 있다. 다른 사람이 했던 연구를 대신 이야기하는 것이 아니라, 자신의 실천을 자신의 목소리로 직접 이야기하는 것이 중요하다.

실행연구에서, 연구자들은 그들의 문제를 직접 인식하고, 해결책을 스스로 생각하여 직접 실천해 본다. 그들은 외부 전문가는 아니지만, 오히려 자기 자신의 문제에 대해 이야기하기 때문에 다른 누구보다도 더 권위자의 역할을 수행하게 된다. 이 과정에서 연구 참여자의 역할을 강조하는 것도 좋다. 연구 참여자들은 비록 전문 연구자들은 아니지만, 그 현장에서만큼은 어느 학자들보다도 전문가의 역할을 수행할 수 있는 사람들이다. 그들의 이야기가 생생할수록 연구의 설득력은 더 높아질 것이다.

3) 실행연구는 이해하기 쉽다

실행연구의 세 번째 특징은 연구가 이해하기 쉽다는 점에 있다. 실행연구는 연구 접근성에 대한 몇 가지 핵심 문제들을 언급하고 있다. 이것은 위에서 제시한 것과 거의 동일한 문제이다. 우선 기존의 연구는 현장에 영향을 끼치지 못하고 있다. 또한 실천가들이 유익한 연구들을 접할 기회가 거의 없다. 마지막으로는 실천가들이 자신의 문제를 해결하는 데 가치 있는 이론들을 접했다고 하더라도, 대부분은 그것을 적용하지 않는다. 이것은 실천가들이 연구자들의 연구 의도와 결과에 대해 제대로 이해하지 못했기 때문에 나타나는 현상들이다. 실행연구를 접하기 전 우리의 모습을 생각하면 쉽게 공감할 수 있을 것이다.

반면에 실행연구는 실천가 스스로 문제를 해결하기 위해 실시하는 과정이다. 실행연구자는 문제 상황을 끊임없이 정의하고 해결책을 찾아보면서 문제가 무엇이며, 어떠한 방법을 사용해야 할 것인지에 대해 이해한다. 그리고 이렇게 만들어지는 실행연구의 아름다움, 힘, 그리고 잠재력은 행동에 긍정적인 영향을 끼친다.

우선 실행연구는 실천가가 직접 제작한 매력적인 질문으로부터 시작한다. 연구자가 연구 문제를 직접 만들기 때문에 적어도 연구 문제를 제대로 이해하지 못하는 일은 없다. 실행연구가 실행, 연구 모두에서 유래되었기는 하지만, 실행이라는 단어에 좀 더 중요성이 강조된다. 초기 질문은 실천 뒤에 나오는 질문에서 시작된다. 이러한 특징은 실행연구가 다양한 관점과 기대를 갖고 있을 것이라는 기대를 가능하게 한다. 이러한 매력적인 초기 질문들은 모든 관점과 기대를 고려한 반성에서부터 나온다. 그렇기 때문에 실제로 실행연구는 상당히 재미있다. 사회 현상에 대해 자신이 생각한 해결 방법을 토대로 연구를 진행하기 때문에 흥미진진하고, 자기 효능감도 더 높다. 실행연구는 우리의 당연한 생각들에 도전하기 때문에, 연구 결과는 의미가 있다고 할 수 있다. 그리고 좀 더 이해하기 쉽다고 할 수 있다. 왜냐하면 우리는 실행연구를 통해 문제를 쉽게 이해하고, 관습에 도전했기 때문이다. 요약하면, 실행연구에서 실천가들은 단순 연구자로서 기능하는 것이 아니라, 자신의 생각을 반성하고, 변화하고자 하는 의지를 표출한다. 그것이 우리를 성공적이고 생산적인 전문가 집단의 일원이 되도록 만들어 준다.

4) 실행연구는 문제 해결을 강조한다

지금까지의 사회연구가 '공허한 메아리', 혹은 '외면받는 문서' 등의 용어로 비판받았던 이유는 연구와 실행 사이의 연결고리가 미약했기 때문이다. 이러한 비판은 특히 교육 분야에 영향을 주었다. 학교 현장에서 수많은 문제가 터져 나왔고, 이를 해결하려는 교사들의 노력이 계속되었음에도 불구하고, 대학에서 제시하는 많은 연구 결과는 교사들이 공감하기 힘든 처방적, 이론적 내용이 대부분이었다. 이를 해결하기 위해 실행연구는 문제 해결 방법을 강조하는 특징을 지닌다. 또한 문제 해결 후 그 방법을 공유하고 논의하는 데도 관심을 가진다. 성공적인 실행연구는 호기심을 혼자 해결하는 것이 아니라 공유하고 해결 방법을 논의하는 데 의의가 있기 때문이다. 실행연구에서는 그들의 아이디어를 검증하고 긍정적인 면만을 고려하게 되면 효용성이 떨어진다. 게다가, 사람들은 그들의 실천, 아이디어, 가정이 틀렸다는 가정을 하고 거기에 대한 증거를 수집하는 것에 더 익숙하다. 실행연구는 이처럼 비판적이고, 문제 해결에 초점을 맞춘 연구 방법을 권장한다.

즉, 시스템에 영향을 주는 것은 연구가 아니라, 연구와 실행 사이의 연결 문제라고 할 수 있다. 어떠한 시스템에 모두가 동의하는 목표와 중심 원리가 부족하고, 논쟁을 잠재울 만한 권위가 없으면 거기서 나온 연구나 의견은 존중받지 못하게 된다. 그리고 문제를 해결하는 데 도움을 줄 수 없게 된다. 따라서 실행연구를 사용하여 어떤 특정한 아이디어를 지지하거나 반박할 때 폭넓은 증거를 제시하고, 해결책을 제시할 때는 서로 다른 생각도 인정하고 존중해야 한다. 문제가 발생한 것을 인식하는 것은 어려운 일이 아니다. 문제를 단순히 해결하는 것도 어려운 일은 아니다. 그러나 그것을 올바르게 해결하는 것은 상당히 고통스럽고 지루한 과정이 될 것이다. 실천가들이 현장을 개선하기 위해 매일매일 과정을 다시 살펴보고, 하나씩 고쳐 나가는 것은 그것만으로도 육체와 정신을 피로하게 만든다. 그러나 실행연구를 통해 문제를 제대로 해결하게 되었을 때 열매는 달콤할 것이다. 이처럼 개혁은 이끌거나 통제하는 것만으로는 이루기 어려운 과제이다. 왜냐하면 이것은 상호소통적인 것이기 때문이다. 실행연구는 실천가와 연구자들에게 문제 해결 철학을 받아들일 기회를 제공하고, 그들의 현장과 전문적 재능을 통합하게 해 주며, 시스템 속에 실행연구를 포함함으로써 교육적 개혁에 도전할 기회를 준다.

5) 실행연구는 순환적 과정이다

실행연구는 명백하게 순환적 과정이다. 대부분의 실행연구 모형은 원형 혹은 나선형으로 설계되며, 연구가 한 번으로 끝나지 않는다. 실행연구가 단선형 연구가 아닌 이유는 단 하나이다. 유능한 실천가는 항상 사회 현상과 자신의 현장을 체계적으로 바라본다. 그리고 자신이 인식한 문제가 단 한 번에 효과적으로 개선될 것이라고 생각하지 않을 것이다. 혹시 누군가가 그러한 인식을 갖고 문제 해결 과정을 수행했다고 한다면, 아마 그 과정을 실행연구라고 부르지는 않을 것이다. 그리고 그들은 그러한 반성 과정이 연구라고 이름 붙일 만큼 대단한 것은 아니라고 생각할 것이다. 하지만 우리는 그 과정이 반복적으로 일어날 것이라고 확신할 수 있으며, 그것이 실행연구임을 안다.

이처럼 실행연구는 순환적이면서도 점점 더 진화해 나간다는 특징을 갖고 있다. 전통적인 실행연구의 순환 과정은 실행, 관찰, 반성, 계획 변화로 구성되어 있다. 각각의 과정은 간단하면서 시간적으로도 짧다. 심지어는 몇 시간 만에도 일어날 수 있다. 그리고 실행연구가 진행되면 진행될수록, 실행연구의 몇 부분이

처음과 달리 진화될 수도 있다.

주의할 점으로는, 실행연구가 순환적 특징을 갖고 있다고 해서 그저 연구를 반복하기만 해서는 안 된다는 것을 들 수 있다. 순환 과정의 각 단계는 엄격하다. 각 단계는 그냥 일어나는 것이 아니다. 실천, 관찰, 반성, 계획에 관한 적절한 방법을 이해하고 해당하는 단계에 필수적으로 적용해야 할 것이다.

2. 실행연구의 유형

실행연구의 유형은 국내외의 학자들에게 이미 많이 다루어지고 있는 내용이다. 이는 실행연구가 가진 다양한 특징으로부터 유형이 나뉜다는 것을 의미한다. Noffke(1997)는 실행연구를 그 목적에 따라 세 가지로 구분하고 있는데, '전문적' '개인적' '정치적' 특징이 이에 해당한다. 강지영과 소경희(2011: 207)는 이를 다시 전문성 발달, 교수자 개인의 내면적 변화와 성장, 사회 구조의 개선으로 구분했다. 먼저, 전문성 발달에 초점을 둔 실행연구의 경우에는 다시 세 가지 범주로 특징지어질 수 있다. 이론적 지식의 적용 방안을 위한 연구, 프로그램 개발 및 적용에 관련된 연구, 효과적인 교수·학습 방법 탐색을 중점적으로 다루는 연구가 전문성 발달의 특징을 지닌 실행연구의 '전문적' 유형과 관련된다. 다음으로 교수자 개인의 내면적 변화와 성장을 위한 실행연구는 교사의 내면에 주목함으로써 연구를 통해 교사가 자신을 성찰하는 데 중점을 둔다. 마지막으로 사회 구조의 개선에 초점을 둔 실행연구는 교실 내에서 발생하는 힘의 불균형과 관련된 문제를 해소하고 민주주의와 평등, 정의 등이 교실 내에 자리 잡힐 수 있도록 하는 데 목적을 둔다. 이러한 실행연구의 전문적, 개인적, 정치적 특징은 기술적 (technical), 실천적(practical), 비판적(critical) 실행연구와도 밀접한 관련성을 지닌다.

살펴볼 수 있는 것처럼 기술(공학)적 실행연구는 전문성 개발 및 효율·효과의 개선에 초점을 두고 연구자의 역할 역시 전문가임을 확인할 수 있다. 이는

실행연구의 특징에 따른 분류

유형	연구 목적	연구자 역할	연구 과정
기술(공학)적 실행연구	효율, 효과 개선 전문성 개발	전문가	계획 → 실행 → 성찰 → 계획 수정
실천적 실행연구	이해 의식 변화	반성자 참여자	문제 인식 → 문제 분석 → 계획 → 실행 → 효과 분석 → 평가 → 계획 조정
비판적 실행연구	자기로부터의 해방 관료 비판 체제 변화	공동 연대자	문제 파악 → 계획 → 실천 → 결과 관찰 → 성찰 → 계획 수정

Noffke(1997)가 언급한 실행연구의 전문적 특징과 일맥상통한다. 다음으로 실천적 실행연구는 반성가이자 참여자인 연구자 자신의 이해와 의식 변화를 목적으로 한다는 점에서 개인적 특징과 연계된다. 비판적 실행연구 유형 역시 공동 연대자로서 체제 변화를 목적으로 하는 비판과 해방을 중시한다는 점에서 정치적 유형으로 분류할 수 있다. 이에 이 장에서는 실행연구의 유형을 앞서 언급한 세 가지로 나누어 살펴보고자 한다.

1) 기술 · 공학적 실행연구

가장 먼저 제시할 수 있는 기술(공학적) 실행연구는 연구에서 효율적이고 전문적인 과정을 개발하는 데 초점을 맞춘다. 즉, 실행연구는 현장에서 드러나는 중요한 문제들을 직접 확인하고, 그 문제를 해결하는 데 초점을 두는 연구인 것이다. 이러한 기술(공학적) 실행연구는 1970년대 이전까지 영미권의 교육학 연구를 지배하는 중심적인 패러다임의 영향으로 두각되었다. 그러나 1970년대 이후로 Schwab과 Stenhouse, Schön 등의 학자들을 중심으로 그 한계가 지적되기 시작하면서, 기술적 관점을 대체하는 새로운 관점으로서 실제적 패러다임이 등장하게 되었다. 기술적 관점에서는 학자들이 도출한 이론적 처방이 곧바로 교사의 실천에 적용될 수 있다고 여김으로써 교사들이 다루어야 하는 문제들이 이미 외부에서 주어져 있다고 보는 반면에, 실제적 관점에서는 교육이라는 사태가 갖는 불확실성과 불안정성, 특수성, 가치 갈등의 상황에 주목한다는 특징을 가진다(서경혜, 2005).

그렇기 때문에 기술·공학적 실행연구에서는 문제를 해결하는 과정에서 과학적이고 논리적인 방법을 중요시한다는 특징이 숨어 있음을 알 수 있다(Mckernan, 1991). 실행연구를 실시하는 연구자는 문제 분석 이후에 일련의 연구 절차를 수립하고 나면, 그것이 그대로 잘 적용되는지를 확인해야 한다. 만일 연구 절차가 문제를 해결하는 데 적절하지 않다면 이를 개선하는 데 초점을 맞추게 된다. 다시 말해, 실행연구의 공학적 특징이란, 실행연구를 계획하고 실시할 때 특정 상황에서 가장 효율적인 방법을 사용하는 것에 관한 문제이다. 실생활 문제를 해결하는 데 중점을 둔 지식 생산의 방법으로 연구의 성격을 지닌다는 것이다(Warrican, 2006). 즉, 어떤 주어진 상황의 조건을 그대로 수용하기보다는 존재하는 문제의 상황을 실제로 해결해 보려는 실용적 양식의 연구가 바로 실행연구이다.

이러한 공학적 실행연구를 제안했던 대표적인 학자는 바로 Lewin이다. 그는 당시 미국의 사회적 문제였던 빈곤이나 인종 차별 등의 문제를 해결하기 위한 방법으로 실행연구를 제안했다. 왜냐하면 그 당시까지 사용되었던 사회과학 이론들이 사회 문제들을 해결하는 데 전혀 도움이 되지 못했기 때문이다. 즉, 사회과학 이론을 비판하면서 태어난 것이 실행연구이다. 그리고 이러한 실행연구의 특징은 자연스럽게 문제를 해결하는 데 효과적인가에 초점이 맞추어지게 되었다. 이에 따라 공학적 특징이 강조된 실행연구에서는 문제를 발견하고 나면 연구 참여자들과 문제 해결을 위한 계획을 세우고 실행한 뒤, 과정 및 결과를 성찰하는 것이 주된 연구 방법이 되었다. 즉, 연구 과정이 상당히 간단하지만 명확한 것이 특징이다. 더불어 순환적인 과정도 강조하여 연구의 끊임없는 개선을 추구했다. 이것은 현재의 실행연구에서 가장 기본적인 과정이 되었다.

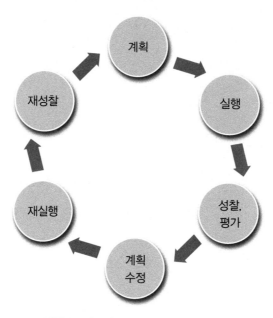

실행연구의 기술적 특징에 따른 연구 과정

앞서 설명했듯이, Lewin은 연구에서 해결해야 할 문제를 공학적으로 탐구해야 한다고 생각했다. 이에 따라 연구자들은 문제의 원인과 문제를 해결하는 방법을 상당히 논리적으로 제시해야 한다. 즉, 공학적인 특징을 강조한 실행연구에서 연구자들은 기계를 고치는 기술자와 비슷한 모습을 보여 준다고 할 수 있다. 끊임없이 문제를 확인하고, 이에 대한 해결방안을 탐구해야 한다.

2) 실천 · 숙의적 실행연구

두 번째로 제시할 수 있는 실행연구는 실천적(practical) 특성을 지닌 연구의 유형이다. 이것은 실행연구가 갖고 있는 강점이자, 앞서 소개한 공학적 특징의 단점을 보완하는 성질을 갖고 있다. 실천적 특징에 따라 연구자는 스스로 자주성과 의지를 연구에 투영해야 한다. 그리고 연구자는 연구에서 반성적 과정을 반드시 포함시켜야 한다. 즉, 규칙적인 숙의 혹은 반성은 교사들로 하여금 그들이 왜 그 일을 하는지, 무슨 일을 하는지에 대해 생각하게끔 하며 이는 곧 그들의 실제를 개선하는 데 효과적이다(김영천, 2013: 418). 이러한 사실은 자칫 실행연구에서 가치를 무시하거나 간과할 수 있다는 비판에 대한 훌륭한 반박이 된다. 또한 실천·숙의적 실행연구 유형에서는 측정이나 통제 대신 인간적 해석, 해석적 소통, 숙의, 타협 등 상세화된 기술 등을 선호한다. 이 유형의 실행연구의 목적은 실제를 이해하고 즉각적인 문제들을 해결하는 데 있다. 실천적 숙의는 도덕적 관점에서 문제라고 여겨지는 즉시적인 상황에 대응한다. 즉, 교육과정 행위는 일을 올바른 방향으로 처리하는 것이어야만 한다. 또한 실천적인 것은 탐구의 결과물이라기보다는 과정에 관련된다. 다시 말해 기술·공학적 실행연구 모형이 강조하는 성취물보다는 과정적 접근을 선호하는 것이다(Mckernan, 1996: 40).

실행연구에서 숙의적이며 실천적 특징을 강조했던 대표적 학자는 Elliott이다. 그는 지금까지 활용되었던 실행연구를 비판했다. 특히 교사들이 일하는 현장에서 무엇이 일어나는지에 대한 반성과 성찰이 있어야 한다고 주장했다(Elliott, 1991). 실행연구에서 반성을 강조함에 따라 연구자들은 왜 이러한 연구를 하고 있는지에 대해 생각하게 되었다. 즉, 자신의 연구를 다시 돌아보는 경험을 통해 더 나은 연구 과정을 추구할 수 있었던 것이다. 즉, 실행연구의 실천·숙의적 특징이란, 단순히 연구를 기계적으로 반복하는 것이 아닌, 자료를 분석하고 자신의 연구 과정을 다시 보면서 성찰하는 데 중점을 두는 것을 의미한다. 결과적으로 이 유형에서 추구하는 바람직한 교육의 변화는 지혜로운 교사를 만드는 윤리적이고 도덕적인 과정이다. 연구자는 교사의 행동이 다른 사람에게 미치는 윤리적, 도덕적 효과를 탐색한다. 그리고 교육적 변화는 교사가 자신의 특정한 상황에서 현명하게, 어떻게, 왜 행동하는지를 이해할 때 이루어진다고 보는 것이다(Naughton & Hughes, 2008: 75).

이러한 반성적 사고를 강조했던 Schön(1983)에 의하면, 교육 사태에서 '문제'

는 교사에게 객관적인 것으로 주어지지 않고, 불확실하고 불안정하며 특수하고 가치 갈등을 특성으로 하는 '문제 상황'으로부터 교사에 의해 구성된다고 했다. 즉, 교사가 '문제 상황(problematic situation)'으로부터 '문제(problem)'를 도출해 내는 것이다. 따라서 교사의 역할은 문제가 무엇인지 모르는 혼란스러운 문제 상황에서 문제가 무엇인지를 도출해 내는 '문제 제기(problem posing)'에 있으며, 이것은 과학적 이론과 기술을 적용해서 해결될 수 있는 것이 아니라, '행위 중 앎(knowing-in-action)'이라는 예술적이고 직관적인 과정에 의해 이루어진다는 특징을 갖는다(서경혜, 2005). 여기에서 Schön이 말하는 '행위 중 앎'은 우리가 무의식적이고 직관적으로 수행하는 일상적 행동 속에 존재하는 것으로, 일반적으로 '실제적 지식(practical knowledge)' 또는 '암묵적 지식(tacit knowledge)'이라고 부르는 것과 유사하다. 이에 따라, 실제적 관점에서는 연구자들이 교실 밖에서 이론을 구축하는 것이 아니라, 교실 내에서 벌어지는 일에 초점을 맞추어 교사들의 실천지를 규명하는 데 보다 중점을 둔다. 기술적 관점이 실제의 구체적인 맥락과는 무관한 일반적인 교육이론을 구축하고자 하는 것과 달리, 실제에 근거한 이론을 추구하는 것이다. 그러나 이러한 실제적 패러다임은 여전히 이론과 실제의 분리를 전제하고 있으며, 교사를 연구자로부터, 행위를 사고나 아이디어로부터 분리시킨다는 점에서 한계를 가진다(Cochran-Smith & Lytle, 1999, 소경희, 2009에서 재인용).

실행연구에서 실천적인 특징을 강조하게 되면 복잡한 문제를 접하더라도 구체적인 해결 방법을 제시할 수 있게 된다. 즉, 연구자가 직접 실천할 수 있는 방법, 구체적인 해결 과정을 이야기하기 위해서는 우선 문제가 무엇인지 명확하게 규명되고, 또 그 속에서 연구자가 어떠한 역할을 할 수 있을 것인지를 알아야 한다고 주장한다. 물론 이러한 배경으로 개발된 연구의 결과물은 다른 문제에 적용하기 힘들다는 비판이 있을 수도 있다. 그러나 이러한 연구 과정은 분명 우리가 이해하기 쉬우며, 그 과정이 상당히 합리적이고 타당하기 때문에 연구의 신뢰도를 높여 준다는 측면에서 장점을 가진다. 이러한 판단에 따라 Elliott(1991)은 실천적 실행연구를 문제 인식, 문제 분석, 계획, 실행, 효과 분석, 평가, 계획 수정이 계속 해서 일어나는 복합적인 과정으로 제시했다.

실행연구의 실천적 특징에 따른 연구 과정

실행연구의 실천적 특징을 잘 살펴보면 모든 과정마다 순환적인 과정을 통해 본래의 연구 목적에 대한 지속적인 검증은 물론이고, 발견한 문제를 정의하는 것을 강조한다. 즉, 실천·숙의적 실행연구는 현재의 문제에 대한 인간의 숙고와 밀접하게 연관되어 있다. 숙의하는 집단은 실행연구 과정의 각 사이클 속에서 스스로를 드러내는 나선형적 의미를 밝혀야 한다. 이것이 의미하는 바는 어떤 단일한 연구 사이클이나 회기는 오직 예비적 의미들을 밝히는 데만 기여하며, 숙의 과정을 전적으로 활용하기 위해서는 후속되는 평가와 실험을 필요로 한다. 그러므로 반성적 혹은 숙의적 탐구 과정은 다른 어떤 측면 못지않게 혹은 그 이상으로 중요한 것이다. 그것은 엄격하게 통제되어야 하는 것이 아니라 제약을 벗어나 자연스럽게 전개될 수 있어야 한다(Mckernan, 1996: 42). 때문에 연구를 실시할 때는 지속적인 문헌 검토와 분석을 통하여 계획을 수립한다. 그 이후에 자신이 설정한 해결 방법을 실행해 보고, 효과들을 점검한다. 그리고 연구 과정을 다시 훑어보고 반성할 점을 찾아 수정된 아이디어를 도출한다. 연구는 반복될수록 정교화되고 문제는 점점 명확해진다.

3) 참여·비판적 실행연구

실행연구의 마지막 유형은 바로 비판적(critical) 실행연구이다. 기술·공학적 실행연구와 실천·숙의적 실행연구 유형이 개인의 전문성 혹은 프로그램의 개선에 초점이 맞추어져 있다면, 참여·비판적 실행연구 유형은 개인의 차원을 넘어서 사회 재건과 인간 해방을 위한 보다 거시적인 차원에서의 행위 연구를 강조한다. 참여·비판적 유형에서 교육의 변화는 행동과 정치적인 비판의 과정으로 본다. 연구자는 힘의 역동성과 아이디어가 교사의 실제와 변화에서 어떻게 제한되고 부여되는지를 조사한다. 그리고 교육의 변화는 교사가 사회적 정의를 개선하기 위해서 새로운 방법으로 행동하고, 사고하고, 존재하는가를 배우면서 이루어진다(Naughton & Hughes, 2008: 75). 이에 영향을 미치는 관점은 1980년대 초 기술적 관점과 실제적 관점에 전제된 이론과 실천의 이원론적 분리를 비판하면서 등장한 비판적 관점이다. 이처럼 이원론적으로 생각하는 경향을 '해체'하기 위해서 각 시각의 위험성과 유용성에 대한 목록을 만들 수 있다. 우리가 가진 해석은 어떤 가치관과 믿음 체계, 그리고 문화적 작용에 의해 형성되는지를 검토해야 하는 것이다. 이러한 노력들은 예전에 인지하지 못했던 것들을 발견해 내게 된다. '해체'라는 용어는 Derrida(1983)와 연결되는 경우가 많다. 그는 이 용어를 읽기와 해석, 그리고 글쓰기에서 이용되는 '전략적 장치'를 가르치는 데 사용했다. 전략적 장치란 사고의 방법이라고 볼 수 있는데, 사고의 방법으로서의 해체는 무엇이 옳고 그른가보다는 강력하고 유용한 것의 위험성에 대해 질문을 던지는 것이다(Lather, 1992: 120에서 재인용). 해체한다는 것은 흔히 반대되거나 모순되어 보이는 개념들을 양자택일 식으로 생각하려는 경향을 거부하는 것을 의미한다. 예를 들어, 교사는 친근해야 하는가 혹은 권위적이어야 하는가와 같은 이원적 난제에 부딪칠 때, 어떤 한 편을 택해야 한다고 느끼기 쉽다. 즉, 이원론적으로 다루어지는 양쪽은 서로 고립되어 있고 이로 인해 성장이나 발전이 힘든, 정체되어 있고 단편적인 논쟁이 생겨나게 되는 것이다. 이러한 경향을 거부한다는 의미로서 해체를 이야기할 수 있다(Phillips & Carr, 2006: 19). 같은 맥락에서 Lather(1993: 38)는 특정 문제를 해결하기 위해서는 자세하고 더욱 꼼꼼하게 관련된 현상을 보는 것이 중요한 것이 아니라, 자신의 생각과 행동에 영향을 미치는 사고의 틀을 아는 것이 중요하다고 지적한다. 즉, 우리가 보는 행위에 영향을 미치는 맥락과 환경적 관계들을 고려하는 것이 해체를 시작하는 데 중요한 과정인 것이다.

참여·비판적 실행연구는 이처럼 이론화(theorizing)를 통한 실천의 이해와, 실천에 기반을 둔 이론화를 동시에 추구함으로써 연구를 통한 이론과 실천의 변증법적 발달에 목적을 둔다. 이러한 비판적 패러다임의 등장은 이전까지 미국과 영국의 일부 학자에게만 관심을 받던 실행연구가 여러 학자들의 주목을 끌게 된 결정적인 계기를 제공해 주었다. 왜냐하면 "연구자와 연구자의 상황 모두를 변화시키면서 체계적인 진화를 거듭하는 살아있는 과정"(McTaggart, 1991: 181)으로서의 실행연구 또한 이론과 실천의 변증법적 발달을 가능하게 할 수 있기 때문이다. 즉 실행연구에서는 자신의 실행에 대한 좀 더 깊은 이해를 추구하면서 동시에 이러한 이해가 후속적인 실천으로 이어지는 출발점이 됨으로써 "교육적 지식의 창조가 다시 교육적 실천으로 재창조되는 순환"(김희연, 2004: 224) 과정을 가능하게 한다. 실상 같은 항목으로 묶어 놓았지만 참여적 실행연구 유형과 비판적 실행연구 유형은 차이가 있다. 참여적 실행연구와 비판적 실행연구는 비판 이론에 근거해서 해방적인 성격을 가진다는 점에서 공통점이 있는데, 역사적 맥락에서 보면 참여적 실행연구에 영향을 받아 대두된 연구 유형이 바로 비판적 실행연구 유형이다. Whyte(1989)에 따르면 이러한 참여적 실행연구는 공동체가 포함된 사회연구, 산업과 기업, 교육 이외의 조직체에서 오랜 역사를 지니고 있다고 했다. 참여적 실행연구는 앞서 언급했듯이 개인적인 교실이나 학교의 문제보다는 사회적이거나 공동체적 방향성을 가지고 연구를 진행하는 데 중점을 둔다. 대표적인 학자로는 Stringer를 들 수 있는데, 참여적 실행연구에서는 연구자가 개인과 다른 사람들과의 관계를 탐구하는 데 기여하므로 사회적 과정으로 주로 언급된다. 쉽게 말해, 참여적 실행연구는 자기 발전이나 자주적인 결정을 제한하는 불합리하거나 불공정한 구조를 탐색하고 개선하고자 하는 데 활용된다. 이러한 해방적 성격이 바로 비판적 실행연구 유형과 맥락을 함께하기에 실행연구를 구분할 때 주로 같은 유형으로 분류되기도 한다.

　참여·비판적 유형의 실행연구에서는 비판적 탐구가 중시된다. 비판적 탐구를 통해 실천가들은 교육적 행위들이 갖는 해석적 의미를 찾을 수 있을 뿐 아니라, 여러 가지 제약을 극복할 수 있는 방향으로 행위를 조직할 수 있다고 주장한다. 즉, 문제 해결에 있어서의 지식의 도구적 역할에 대한 실증주의자들의 신념을 거부하고 있는 것이다(Mckernan, 1996: 46). 또한 비판적 실행연구는 사회와 연구와의 관계에 주목해야 한다. 즉, 사회에 관한 연구는 사회 재건과 인간 해방을 위한 통로가 되어야 하는 것이다. 이러한 논리에 따르면 연구는 연구자만의 소유물이 될 수 없고, 연구 결과는 주변 사람들과 연구실을 둘러싼 모든 곳에서 공유해야만 하는 것이 된다. 때문에 실행연구의 비판적 특징에 따라 연구는 협력적이어야 한다(Kemmiss & McTaggart, 1988). 이러한 특징은 바로 비판 이론과 포스트모더니즘 이론에서 유래를 찾을 수 있다. 실행연구는 우리가 아무런 의식 없이 취하는 개인적, 사회적 행동에 대해 다시 생각해 볼 것을 요구한다. 실행연구를 해 나가면서 연구자들은 계속적으로 연구를 재검토하고 특별한 경험을 글로 표현하게 된다.

| 문제 파악 | 계획 | 실천 | 결과 관찰 | 성찰(반성) | 계획 수정 | 재연구 |

실행연구의 비판적 특징에 따른 연구 과정

　실행연구의 비판적 특징은 다른 실행연구의 과정들과 크게 다르지 않다. 그러나 다른 연구 과정과 결정적으로 차이가 나는 부분은 바로 개혁, 사회의 재구조화, 인간화, 정의적 요소의 강조에 있다. 이러한 요소 때문에 비판적 실행연구에서는 비판적이고 자기 해방적인 문제를 강조하고, 이러한 문제를 해결하기 위해 실천하고자 한다. 비판적 특징은 실행연구를 더욱 적극적이고 참여적으로 만들어 주는 요소이다. 이러한 실행연구의 특징을 통해 문제점을 다시 바라보게 만들고, 더 나아가 자신의 연구를 개선하고 더욱 믿을 만한 것으로 만든다.

때문에 비판적 실행연구자들은 문제의 이슈를 좁히는 것 혹은 초점화하는 데 관심이 있다. 이것을 달성하기 위해서는 '지금 무슨 일이 벌어지고 있는가?', '어떤 면에서 그것이 문제가 되는가?', '그것에 관해서 무엇을 할 수 있을 것인가?'와 같은 질문들을 제기해야 한다(Mckernan, 1996: 48). 때문에 비판적 실행연구는 보다 합리적이고 공정하게 그리고 민주적인 교육의 형식을 위해 노력하는 과정이기도 하다. 그렇기 때문에 이 연구 유형에서의 이론의 창출은 외부로부터 교육을 연구하는 소수의 전문가들뿐만 아니라 모든 참여자들의 과업이 된다. 하나의 이론적 활동으로서 그것을 교사 및 다른 실천가들로 하여금 비단 교육과정과 기타의 교육 영역뿐만 아니라 그들이 일하고 살아가는 사회 체제 및 사회 구조와의 전반적인 관계까지도 고려하도록 한다. 그러므로 실천가들은 더 넓은 사회 속에서 교육의 사회적 개혁을 주도하는 사람으로 거듭나게 된다(Mckernan, 1996: 49).

3. 실행연구의 절차

여기서는 앞서 살펴본 실행연구의 특징을 종합하여 실행연구의 일반적인 과정을 정의해 보고자 한다. 연구 과정을 이해하는 가장 좋은 방법은 바로 생생한 예시와 함께하는 것이다. 따라서 각 단계마다 연구 예시와 경험에 관한 자료들을 제시하고자 한다. 실행연구의 일반적인 과정은 연구자마다 조금씩 다를 수는 있는데, 다만 여기에서는 실행연구의 선구자라고 할 수 있는 Altrichter(1993), Elliot(1978), Kemmis와 McTaggart(1988), Taba와 Noel(1957) 등이 제시한 실행연구의 절차에 대해 논의하고자 한다. 물론 이들이 제시한 단계 외에도 실행연구의 일반적인 절차나 모형에 관해 논의한 사례들은 상당히 많다는 것을 알아두어야 한다. 먼저 Kemmis와 McTaggart(1998)는 실행연구를 실행하는 데 활용되는 7단계에 해당하는 세부적인 절차를 제시하고 있다.

Kemmis와 McTaggart(1998)의 절차

❶ 연구자는 현장에서 문제 상황을 발견한다.
❷ 연구자 집단은 현상을 관찰하여 기본적인 자료를 모은다.
❸ 자료를 바탕으로 문제 상황의 원인에 대해 가설을 세운다.
❹ 연구자는 이 상황을 해결하기 위한 해결책을 고안하고, 직접 실천해 보면서 검증한다.
❺ 실행의 결과를 점검한다.
❻ 연구 결과를 공유한다.
❼ 더 나은 방법을 위해 다른 방법으로 연구를 시작한다.

한편, Cohen과 Manion(1985)은 더 자세한 절차를 보여 준다. 이들이 보여주는 실행연구의 과정은 9단계에 이른다.

Cohen과 Manion(1985)의 절차

❶ 문제를 발견한다.
❷ 잠정적인 방안을 생각한다.
❸ 선행 연구를 찾아본다.
❹ 가설을 만든다. 연구 문제를 진술한다.
❺ 자료 수집하는 방법을 결정한다.
❻ 자료 분석, 평가 방법을 결정한다.
❼ 자료 수집, 분석을 실시한다.
❽ 자료를 해석한다.
❾ 문제 해결책을 논의한다. 완전히 해결되지 않을 경우 처음으로 돌아간다.

이와 같이 학자들마다 실행연구의 과정에 대해 다르게 정의했고, 그 세부적인 절차도 다름을 알 수 있다. 그런데 우리가 접할 수 있는 실행연구의 여러 사례를 잘 살펴보면, 연구 과정에 중요한 뼈대가 존재함을 알 수 있다. 즉, 실행연구를 관통하는 중요한 요소들이 존재한다. 이러한 요소는 다음과 같이 정리할 수 있다.

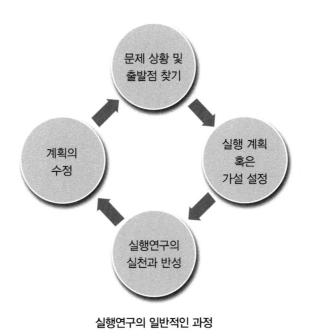

실행연구의 일반적인 과정

실행연구의 일반적인 과정은 네 단계로 설명할 수 있으며, 각 단계는 일회성으로 끝나지 않는다. 실행연구의 순환적 특징에 따라서 연구는 언제든지 반복될 수 있고 연구의 과정이 선형적이지 않기 때문에 어떠한 과정이 부족했다면 되돌아갈 수도 있다. 아래에 각 단계에 대한 세부적인 설명을 제시했다. 특히 각 단계에 해당하는 연구 예시를 첨가했다. 이를 통해 실행연구의 대략적인 흐름에 대해 알 수 있을 것이다.

1) 문제 상황 및 출발점 찾기

첫 번째 과정은 문제 상황 및 출발점 찾기로 정의할 수 있다. 이것은 실행연구 뿐만 아니라, 우리가 연구에서 가장 먼저 고려해야 할 요소가 바로 출발점으로 이야기되는 연구 문제에 있음을 말해 주고 있다(Altrichter, 1993). 특히 실행연구에서 문제 상황을 규명하는 것이 중요한 이유는 대부분의 실행연구는 연구 과정 자체가 원형적, 순환적이기 때문이다. 따라서 초기 문제를 확인하는 것은 앞으로 계속 반복될 연구의 방향을 결정짓는 중요한 작업이 된다. 실행연구의 초기에 연구자들은 해결하고자 하는 문제를 규명하고 관련된 요소를 분석한다. 이러한 과정에서는 보통 스스로에게 다음과 같은 질문들을 제기한다. 무조건 아래의 질문을 해야 한다는 것을 의미하지는 않는다. 다만 실행연구의 첫 단계에서는 문제에 대해 정확하고 깊이 있게 이해하는 것을 목표로 두고 조심스럽게 연구를 계획해야 한다.

문제 상황을 찾기 위한 질문들의 예시

- 최근 나에게 가장 문제가 되었던 상황은 무엇인가?
- 내 주변 사람들이 불만스럽게 생각하는 것은 무엇인가?
- 내가 개선하고 싶은 상황은 무엇인가?
- 정말로 궁금한 것은 무엇인가?
- 지금 불만스런 상황을 타개하기 위해 어떻게 해야 할까?
- 남들과는 다른 새로운 시도를 하고 싶은가?

다음에 제시한 연구 예시 이외에도 아주 다양한 상황이 실행연구의 문제 상황으로 선정될 수 있다. 여기서는 다른 연구자의 의견, 또는 이론에서 제시하는 문제를 선정하는 것보다는 연구자가 직접 개선의 필요성을 느꼈던 질문들을 구체화하는 것이 더 좋다. 연구 문제를 자신의 경험과 관련지어 서술한다면 연구의

목적과 필요성을 공감시키는 데 유리할 것이다.

문제 상황 및 출발점 찾기 연구의 예시

올해 경력 3년차에 접어드는 고등학교 교사 A는 새 학기를 앞두고 그동안 하지 않던 고민에 빠졌다. 왜냐하면 올해부터 학교마다 특색 있는 평가 계획을 세워서 운영한 뒤, 그 결과를 분석해야 하기 때문이다. 지금까지는 전국의 모든 학교가 수행평가, 중간고사, 기말고사를 봐야 했기 때문에 고민 없이 평가 계획을 수립하고 실시할 수 있었다. 그러나 이번에는 우리 학교에 더 적합한 시험 방식을 선택해야만 했다. A 교사에게 이 과정은 아주 복잡하고 어렵게 느껴졌다. 왜냐하면 이상과 현실은 엄연히 다르기 때문이다. 일단 지금의 객관식 중심의 시험 방법에 대해 학생, 교사, 학부모 모두가 불만을 제기하고, 개선해야 한다고 생각한다는 점에서 긍정적인 요소가 있었다. 하지만 부정적인 면도 고려해야만 했다. 새로운 평가 제도를 도입했을 때 그것이 어떻게 학생들을 제대로 평가할 것인지 논쟁에 휘말릴 것이 뻔했다. 특히 평가 결과, 시험 점수는 대학 입시의 당락을 결정할 만큼 아주 중요한 요소이다. 따라서 모든 학교 구성원들이 관심을 갖고 자신의 의견을 내세울 것이라 예상되었다. A 교사는 평가 제도에 대한 실행연구를 실시해 보기로 했다. 따라서 이 문제의 쟁점과 중요한 요소에 대해서 정확하게 진단하는 것이 필요했다.

2) 실행 계획 또는 가설 설정하기

실행연구의 두 번째 단계는 실행 계획(가설 설정) 단계이다. 이 단계에서는 계획 수립을 위해 초점이 되는 내용들을 구체적으로 검토하고 기술하게 된다. 이 단계에서 연구자들은 지금 이 현장에서 무슨 일이 일어나고 있는지, 내가 말하는 문제라는 상황은 어떤 의미에서 문제가 되는 것인지, 그리고 그 문제에 대해 무엇을 할 수 있는지를 심층적으로 검토하게 된다(Grundy, 1982). 물론 앞 단계에서 이러한 작업은 대강 완료된다. 다만 계획을 세우기 위해 내용을 검토하고 중요한 내용을 다시 확인하는 것이다. 이러한 분석 과정을 거친 후에 실행을 위한 구체적인 계획, 즉 가설을 제시한다. 가설을 설정하기 위해서는 연구 문제를 명료화하는 것이 무엇보다 중요하다. 즉, 아래에 제시된 질문들을 스스로 제기하여 관련된 연구 문제를 명확하게 설정한 뒤, 이에 따라 가설을 설정해야 한다.

가설 설정(연구 문제 명료화)을 위한 질문들의 예시(Lewin, 1946)

- 무엇을, 왜 하려고 하는가?
- 연구 문제의 연구 범위는 충분한가?(이론적으로 너무 좁거나 혹은 광범위하지는 않은가)
- 통찰이나 평소의 의문이 반영되어 있는가?
- 연구 문제가 너무 무리한 연구를 요구하지는 않는가?
- 주어진 시간이나, 업무 내에서 할 수 있을 만한 연구 주제인가?

실행연구에서 실행 계획 및 가설 설정 과정은 자칫 소홀해질 수 있는 부분이기 때문에 좀 더 세심하게 접근해야 한다. 왜냐하면 실행이라는 것은 굳이 연구 계획을 하지 않아도 평소에도 하고 있는 것이기 때문이다. 그러나 실행연구는 철저한 계획을 바탕으로 이루어져야 한다. 그리고 앞서 언급했듯이 연구의 가치와 목적을 분명히 하는 과정은 중요하기 때문에 일반적으로 계획 단계에서 가장 먼저 이루어져야 한다. 더불어, 문제 진술을 분명히 하는 것도 중요하다. 왜냐하면 문제 진술을 정확하게 하면 수집하고 분석할 자료를 쉽게 결정할 수 있기 때문이다. 이러한 논의를 바탕으로 연구자가 관찰을 통해 혹은 다양한 방법을 활용해 검증할 가설을 명확히 하는 것이 중요하다. 명확하게 가설을 설정하려면 우선 가설의 이론적 근거를 명료히 할 필요성이 있다. 여기서 말하는 이론은 개인적 가정이나 신념을 뜻할 수도 있고, 한편으론 설명과 예측을 가정하는 학문적 이론도 가능하다(Warrican, 2006). 이론적 근거가 확립되고 나면, 가설 설정을 수행한다.

가설을 명확하게 설정한 다음에는 연구 계획을 설정해야 한다. 물론 연구 계획을 너무 복잡하게 생각할 필요는 없다. 가장 쉬운 방법은 시간 순서대로 연구 예상 과정을 작성하는 것이다. 그렇지 않더라도 적어도 논리적으로는 연구 과정이 매끄럽게 이어져야 한다. 따라서 만약 두 개 이상의 연구 문제를 설정했다면 각 가설을 검증하기 위한 연구 계획을 별도로 설정해야 한다. 가설에는 수립된 연구 문제를 해결할 수 있는 새로운 접근이나 전략, 기존의 방식들 중 어떤 특정한 것을 시도하려는 노력, 그리고 의도하는 것을 성취하기 위한 구체적인 일정이나 시간 계획 등이 포함되면 좋을 것이다.

⊙ 실행 계획(가설 설정) 연구의 예시

A 교사는 먼저 우리 학교의 상황에 대해 생각해보았다. 학교는 인구 30만 명 정도 되는 도시에 있는 공립학교이고, 총 학생 수는 600명이다. 비록 큰 도시에 위치하기는 했지만, 학교의 위치는 도시 변두리이기 때문에 사람들이 크게 관심을 갖는 학교는 아니다. 학교가 주택가에서 상당히 떨어져있는 형태이기 때문에, 많은 학생들은 버스를 타거나 부모님 차를 타고 통학하고 있으며, 많은 학생들이 밤늦게까지 야간자율학습을 실시한다. 이처럼 학생들 대부분이 학교에서 많은 시간을 보내려고 한다. 따라서 학생들이 학교의 교육 계획에 지지를 많이 하고 행사에 참여하는 비율도 높다. 학생들의 이러한 성향은 성적에도 영향을 주고 있다. 학생들의 점수 분포를 살펴보았더니 학교 시험 점수가 높고, 수능 성적은 내신 점수에 비해 낮았다.

이러한 분석에 따라 A 교사는 다음과 같은 실행연구계획을 세웠다. 우선 여러 평가 이론들을 바탕으로 기존의 객관식 선다형 문제를 대신하기 위해 대학교 논술시험 유형과 비슷한 서술형 문제를 고안했다. 학생들에게 열린 형태로 질문을 할 때, 학생들의 열린 사고를 자극하는 시험 결과를 얻을 수 있으리라고 판단했기 때문이다. 그리고 가설은 다음과 같이 설정했다. '서술형 문제는 단순 선다형 문제보다 학생들의 시험 만족도가 더 높을 것이다.'

계획을 미리 설정했다고 하더라도 여러 가지 사정에 의해 연구 계획이 변경될 수는 있다. 그러나 계획을 설정하는 것과 설정하지 않는 것에는 상당한 차이가 있다. 연구 계획은 우리의 머릿속에 연구에 대한 큰 그림을 그리는 과정이며, 연구에 대한 이해를 글로 표현하고 기록하는 것이기 때문에 반드시 짚고 넘어가야 할 중요한 과업이다.

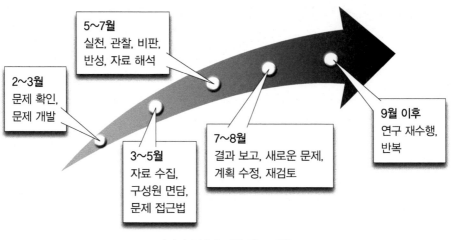

5~7월
실천, 관찰, 비판,
반성, 자료 해석

2~3월
문제 확인,
문제 개발

3~5월
자료 수집,
구성원 면담,
문제 접근법

7~8월
결과 보고, 새로운 문제,
계획 수정, 재검토

9월 이후
연구 재수행,
반복

시간의 흐름에 따른 연구 계획

3) 실행연구의 실천과 반성

구체적인 계획이 세워지고 난 뒤의 과정은 바로 실행연구의 수행이다. 실행연구
는 일반적으로 6개월 단위 혹은 1년 단위로 이루어지는 경우가 많다. 더불어 실
행연구의 실행 단계에서는 단순히 실천만이 이루어지는 것이 아니다. 바로 가설
을 검증하기 위한 다양한 관찰, 관찰한 것에 대한 분석과 비판적 반성, 수행에
따른 효과의 관리, 자료 해석 등이 지속적으로 수행된다. Schrmuck(1997)은
이러한 실행연구의 과정을 시도, 탐지, 판단으로 구분하고 있는데, 이러한 과정
역시 앞서 언급한 실천, 관찰, 분석 및 해석 등과 유사한 의미로 여겨진다. 아울
러, 이러한 실행연구의 실행은 '실천-관찰-해석-반성-계획 수정-재실천'이라
는 순환적인 과정을 반복한다. 즉, 실행연구의 주기가 단일한 것이 아니라 여러
주기로 이루어지고, 이러한 과정 속에서 계속적으로 현장의 개선을 추구하게 되
는 것이다.

실행연구의 수행에서 가장 우선적인 단계는 자료를 수집하는 것이다. 이 과정
에는 양적 연구가 활용될 수도 있고, 질적 연구가 활용될 수도 있다. 이러한 방

법들에 대해서는 자료 수집 과정 부분에서 더 자세히 설명하게 될 것이다. 다만 여기서는 질적 연구 방법들을 중심으로 자료 수집 과정을 간략하게 소개하고자 한다.

　구체적인 자료 수집 방법에는 참여 관찰, 면담, 설문지, 연구 참여자들이 직접 만든 자료, 기록 자료 등이 있다. 우선 관찰은 가설을 검증하는 가장 좋은 방법으로서 사례들을 직접 눈으로 확인하는 것이다. 시간과 공간의 제약이 있기는 하지만, 실행연구의 중요한 자료 수집 방법이다. 특히 참여 관찰은 실행의 과정을 가감 없이 녹화하고, 지금까지 우리가 무시했던 현상을 체크리스트를 갖고 해체해 보는 데 의미가 있다. 한편, 면담은 사건에 대한 내부자들의 생각과 의견을 수집할 수 있다는 장점이 있다. 면담의 대상은 정해져 있지 않다. 공동체의 구성원이거나, 연구 주제와 관련이 있다면 모두 연구 참여자로서 가치를 지닌다. 특히 사회 현상에 연구자의 해석을 포함함으로써 가치를 가질 수 있다. 설문지는 연구 참여자들의 태도, 의견, 기호, 정보들을 알아보는 데 유용하다. 이 외에도 연구 참여자들이 직접 작성한 일기, 일지, 작업 결과물, 메모, 사진 등이 중요한 자료 수집의 대상이 된다.

자료 수집 목록의 예시

실행연구 수행(자료 수집) 연구의 예시

A 교사는 평가에 관한 실행연구를 직접 수행했다. 연구에 참여하기를 원하는 학생들을 무작위로 선정하여 서술형 평가를 실시하고, 평가가 주는 경험이나 어려움 등에 대해서는 설문지와 일기를 통해 알아보았다. 연구자가 잘 이해되지 않는 부분은 직접 면담을 실시했다. 그리고 시험을 치르는 과정을 알아보기 위해서 시험 치르는 시간에 직접 교실에 들어가 참여 관찰을 해 보았다.

많은 자료 수집 이후에 반드시 필요한 과정이 자료의 분석 및 해석이다. 자료를 단순히 수집하는 것만으로는 연구 가설을 증명하거나 개선된 해결책을 제시할 수 없다. 수집한 자료를 비판적으로 반성하고, 반성을 통해 오류를 진단하고 개선하기 위한 계획을 다시 만들어 낼 수 있기 때문이다. 따라서 자료 수집이 이루어지고 나면, 모은 자료들을 바탕으로 실행 계획이 과연 효과가 있었는가에 대해 분석을 실시한다. 분석 및 반성 과정은 주로 아래와 같은 질문 및 절차에 따라 이루어진다.

자료 분석 및 반성을 위한 질문들의 예시

- 수집된 자료가 가설을 검증하는 데 어떻게 기여하는가?
- 자료들이 서로 모순적인 정보를 제공하고 있지는 않은가?
- 수집된 자료들을 어떻게 설명할 수 있는가?
- 자료들에서는 특정한 유형이 나타나지 않는가?
- 자료를 통해 새로운 가설이 도출되지는 않는가?

자료 분석 및 반성 과정

- 전체적으로 수집한 자료들을 훑어보기
- 주요한 이슈나 패턴 찾기
- 드러난 이슈들을 5개 내외로 범주화하기
- 아이디어를 조직하기 위하여 범주들을 중심으로 자료들을 재검토하기

(계속)

- 각각의 범주에 해당하는 하위 주제들을 설정하기
- 중요한 발견들, 새로 불거진 의문들, 실체화된 통찰들을 기록하기
- 가장 빈번히 드러나며 동시에 강력한 핵심 포인트가 무엇인지 확인하기
- 각각의 주제, 범주들을 뒷받침해 줄 수 있는 자료들을 보강하기
- 새로운 실행 전략 수립, 구체적 행동 지침을 발견하기

실행연구 수행(자료 분석 및 반성) 연구의 예시

자료 수집 과정을 통해 많은 자료가 수집되었다. 우선 설문조사 원 자료들은 통계 분석 프로그램을 사용해 처리했다. 이를 통해 학생들이 서술형 평가에 대해 가지고 있는 선입견이나 두려움, 기대감 등을 알아볼 수 있었다. 면담 자료는 질적 연구 절차와 유사하게 녹음된 자료들을 모두 문서 자료로 전사하여 보관했다. 그리고 학생들이 시험을 치르는 장면이 녹화된 참여 관찰 자료 역시 직접 보면서 그것을 텍스트로 바꾸는 작업을 진행했다.

이처럼 자료의 형태를 바꾸는 작업을 실시하고 난 다음에는 그 자료들을 다시 읽어 보며 중요한 부분에 표시하고, 가설과 비교하여 검증하는 과정이 계속되었다. 텍스트 자료에는 각 부분별로 의미를 부여하고, A 교사의 처음 생각과 맞지 않는 부분이 발생하면 그것을 어떻게 다음 연구에 개선 사항으로 반영할 것인지를 검토했다.

4) 계획의 수정

실행연구의 1차적인 마지막 단계는 반성과 계획의 수정이다. 이 단계에서는 앞서 설정했던 계획에 의한 수행의 효과를 분석하고 해석한 결과, 즉 반성을 토대로 계획의 수정이 이루어지는 단계이다. 앞서 실행연구는 여러 수행 주기를 거치게 되면서 개선을 추구한다고 언급했었다. 사실 실행연구에서는 연구자가 생각해 낸 해결 방안이 문제를 곧바로 해결할 것이라고 기대하지 않는다. 그렇기 때문에 실천에 대해 관찰한 내용 및 일련의 반성 과정을 통해 후속적인 실행 전략을 수립하게 되는 것이다. 이를 위해서는 앞선 연구 과정을 거쳐 실행의 효과와 부수적 효과가 이미 분석되어 있어야 한다. 이를 통해 구체적인 실행 전략이 개선될 수 있다.

해당 단계에서 연구자는 우선 1차 실행 과정에서 수집된 자료를 통해 반성해 본 결과 기존 계획을 수정해야겠다는 필요성을 느끼게 된다. 이러한 분석 과정은 설계 계획에 따라 차이를 보이게 되는데, 아래의 사례는 양적 연구 및 질적 연구와 병행된 통합적 연구의 형태이기에 1차 실행의 결과에 대한 반성을 양적, 질적의 두 측면에서 수행하고 있음을 알 수 있다.

자료 분석 및 반성의 예시

	양적 평가 내용	질적 평가 내용
간호 요구도	간호 요구도는 중재 적용 3일부터 꾸준히 감소했고, 콜 벨 사용과 간호사실 직접 방문 횟수는 각각 중재 적용 이후 3일째부터 집단 간에 유의한 차이를 나타냈음	병동이 차분해짐. 즉, 환자들이 일정한 간격의 순회에서 충분한 정보를 제공받고 원하는 요구를 충족받기 때문에 긴급하지 않은 상황에서는 콜 벨을 사용하지 않고 기다린다는 얘기가 있음. 같은 맥락에서 스테이션에서의 컴플레인 역시 하지 않게 되었다는 응답이 있었음
환자 만족도	약간 상승	의도적 순회가 좋았으나 서두르는 느낌이었다는 환자 인터뷰가 있었음 일부 순회를 건성으로 하는 간호사가 있었음
의사소통 능력	약간 상승	간호사들이 환자나 보호자 응대 시 해결할 수 없는 문제에 부담감을 느낌 환자와의 진정한 라포 형성이 부족함
환자 안전 역량	약간 상승	실제 적용이 부족함
간호 업무 역량	약간 상승	실제 적용이 부족함

※ 위의 표는 양상희(2016)의 박사학위 논문 준비자료(미발간) 중 일부를 재구성한 것임.

그 다음에는 이를 바탕으로 구체적인 실행 전략을 개발하게 된다. 예를 들어, 문제 진술을 새롭게 한다든지, 새롭게 생성해야 할 가설이 무엇인지, 실천 전략이 무엇이어야 할지를 탐색한다. 그리고 이를 바탕으로 새로운 연구 과정을 시작하게 된다.

반성을 통한 수정 계획 수립 예시

1차 순환 과정의 문제점		2차 순환 과정의 수정 계획 반영
일부 간호사의 간호 순회가 형식적인 형태로 진행되는 경향이 있었음		• 간호 순회 중재 프로토콜 및 도구 개선 및 교육 – 순회 중 간호사와 환자 간에 일어나는 치료적 관계, 환자와의 소통과 피드백이 필요함 – 환자군의 특성이나 실무 영역에 따른 차이, 순회를 통해 환자 간호를 극대화시킬 수 있는 간호 등에 대한 정보도 획득할 필요가 있음
간호사들이 의도적 간호 순회에 대한 거부감이나 업무 부담감을 가짐	반영	• 간호 인력 확보 • 의도적 간호 순회의 원활한 진행을 위해 간호사당 순회 환자 수를 조정함(환자군을 2개 군에서 4개 군으로 분할) – 업무 지원 간호사 한 명을 배정하여 참여 간호사의 적극적 순회 실행을 유도함
일부 참여 간호사의 의도적 간호 순회에 대한 동기가 부족함		• 퍼실리테이터를 활용하여 동기부여 – 관찰일지를 통해 평가와 피드백을 함으로써 격려 및 수행을 촉진하도록 함
의도적 간호 순회의 간호 전문성이 부족함		• 간호 과정 적용 및 업무 수행 능력, 환자 안전 역량 교육 강화 및 적용 – 순회 전에 환자 정보를 파악하여 화이트보드 기록을 강화하고 개별화된 맞춤형 순회를 수행하도록 함 – 간호 순회 역량 체크리스트와 관찰을 강화함
간호사가 서두른다는 환자의 반응		• 환자와 눈높이를 맞춘 간호 순회 – 침상 높이로 간호사의 몸을 낮추어 의도적 간호 순회를 수행함

※ 위의 표는 양상희(2016: 67)의 내용을 인용한 것임.

　이렇게 수정된 계획을 바탕으로 2차 실행에 수행되게 되고, 실행 과정에서의 자료 수집 및 분석, 성찰의 과정을 1차 실행에서와 동일하게 나선형적으로 진행하게 되고, 필요에 따라서는 후속된 실행의 순환 과정이 계속해서 이어질 수 있다.

참고문헌

강지영 · 소경희(2011). 국내 교육관련 실행연구 동향 분석. **아시아교육연구, 12**(3), 207.

김영천(2013). **질적 연구 방법론Ⅲ: Methods.** 파주: 아카데미프레스.

김희연(2004). 실행연구자로서의 유아교사: 유아교사의 정체성 확립을 위한 일고. **유아교육연구, 24**(6), 235–255.

서경혜(2005). 반성과 실천: 교사의 전문성 개발에 대한 소고. **교육과정연구, 23**(2), 285–310.

소경희(2003). '교사 전문성'의 재개념화 방향 탐색을 위한 기초연구. **교육과정연구, 21**(4), 77–96.

양상희(2016). 변화를 꿈꾸며: 임상간호사의 의도적 간호순회에 대한 실행연구. **전남대학교 대학원 박사학위 논문.**

Altrichter, H. (1993). *Teachers Investigate Their Work: An Introduction to Action Research across the Professions.* London and New York: Routledge.

Carr, W., & Kemmis, S. (1986). *Becoming critical: Education, knowledge and action research.* Geelong: Deakin University Press.

Derrida, J. (1983). The time of a thesis: punctuations. In Montefiore, A.(ed). *Philosophy in France Today.* Cambridge.: Cambridge University Press.

Elliott, J. (1978), What is action research in school? *Journal of Curriculum Studies.* −(10). 355–357.

_____ (1991). *Action research for educational change.* Philadelphia: Open University Press.

Gay, L. R., Mills, G. E., & Airasian, P. (2000). *Educational research: Competencies for Analysis and Applications.* New York: Pearson.

Grundy, S. (1982). Three models of action research. *Curriculum Perspectives,* −(2), 23–34.

Kemmis, S., & McTaggart, R. (1988). *The action research reader.* Geelong: Deakin University Press.

_____ (2000). Participatory action research. In N. Denzin & Y. Lincoln, *Handbook of qualitative research.* Thousand Oaks: Sage.

Kennedy, C. K. (2005). *Single-case design for educational research.* New York: Pearson.

Lather, P. (1992). Critical frames in educational research: Feminist and post-structural perspectives. *Theory into Practice, 31*(2), 87–99.

_____ (1993). Fertile obsession: Validity after poststructuralism. *Sociological Quarterly,* −(34), 673–693.

Lewin, K. (1946). Action research and minority problems. *Journal of Social Issues,* −(2), 34–46.

McKernan, J. (1991). *Curriculum action research: A handbook of methods and resources for the reflective practitioner.* London: Kogan Page.

_____ (1993). Varieties of curriculum action research: constraints and typologies in American, British, and Irish projects. *Journal of Curriculum Studies, 25*(5), 445–458.

_____ (1996). *Curriculum action research (2nd ed.).* Routledge.

McTaggart, R. (1991). Principles for participatory action research. *Adult Education Quarterly, 41*(3), 168–187.

Naughton, G. M., & Hughes, P. (2008). *Doing Action Research In Early Childhood Studies: A Step-By-Step Guide.* England: Open University Press.

Noffke. E. (1997). Professional, personal, and political dimensions of action research. *Review of Research in Education,* −(22), 305–343.

Phillips, D. K., & Carr, K. (2006). *Becoming teacher through action research: Process, Context, and Self-Study.* New York: Routledge.

Reason, P., & Bradbury, H. (2001). *Handbook of Action Research: Participative Inquiry and Practice.* Thousand Oaks: Sage.

Schmuck, R. A. (1997). *Practical Action Research for Change.* Thousand Oaks: Corwin Press.

Schön, D. (1983). *The reflective practitioner: How professionals think in action.* New York: Basic Books.

Taba, H., & Noel, E. (1957). *Action research: A case study.* Washington DC. Association for Curriculum and Supervision.

Warrican, S. J. (2006). Action research: a viable option for effecting change. *Journal of curriculum studies, 38*(1), 1–14.

Whyte, W. F. (1989). Introduction to action research for the twenty-first century: Participation, reflection, and practice. *American Behavioral Scientist, 32*(5), 502 – 12.

실행연구 설계하기

앞선 4장까지는 비교적 넓은 의미에서의 실행연구를 탐구했다. 즉, 우리는 실행연구가 대략적으로 어떠한 배경을 갖고 어떻게 흘러가는지에 대해 어렵지 않게 이해할 수 있었다. 그러나 한편으로는 실행연구가 이론적인 이해만 가지고는 접근하기 어렵다는 것도 느꼈을 것이다. 실행연구를 제대로 수행하기 위해서는 반드시 실제적인 연구 기술이 필요하다고 할 수 있다. 이에 따라 지금부터는 실행연구의 구체적인 과정 중에서 첫 번째 단계로 실행연구를 계획하고 준비하는 단계를 묘사해 보도록 하겠다.

실행연구를 설계하는 단계가 중요한 이유는 실행연구가 한 번 수행되고 나면 다시 되돌려서 처음부터 다시 수행하는 것이 어렵기 때문이다. 물론 앞서 실행연구의 특징 부분에서 실행연구의 주제나 연구 방법, 결과가 언제든지 바뀔 수 있으며 그것이 연구의 성패를 결정하지는 않는다고 설명했다. 이것은 성찰과 재연구라는 용어로 설명했다. 그럼에도 불구하고 실행연구의 과정을 되돌리기 어렵다고 하는 이유는, 실행연구는 현장을 직접적으로 변화시키는 작업이기 때문에 연구를 다시 수행할 때 즈음에는 현장이 어느 정도 바뀌어 있게 된다는 것에 있다. 즉, 연구자는 현장을 완전히 처음 상태로 돌릴 수 없다는 것을 깨닫고 상당히 당황하게 된다. 결국 실행연구를 반복적으로 실시할 때는 연구자가 원하든, 원하지 않든 간에 앞서 실시한 실행연구 과정을 반드시 포함해야만 한다는 것을 알 수 있을 것이다. 방법의 실패와 성공 여부와는 상관이 없다. 이것이 실행연구에서의 딜레마 중 하나가 된다. 따라서 실행연구의 가장 초기 부분에서 연구 주제에 맞는 연구 참여자, 연구 방법 등을 제대로 계획하는 것이 연구의 성패를 결정하는 가장 중요한 이슈가 될 것이다. 한편으로는 연구를 머릿속으로 구상하고 참고문헌을 공부하며 얻은 정보들을 연구 계획을 만드는 데 활용할 것이다.

이 장에서는 첫 번째로 연구 방식을 선택하는 과정에 대해 설명할 것이다. 그 다음으로는 참고문헌을 분석하면서 얻은 정보에 기초하여 구체적인 연구 계획을 구상해 볼 것이다. 현장에 개입할 계획을 세운 후에는 연구 참여자들을 선정해야 하고, 그들과 어떤 협동적인 작업을 수행할 것인지를 탐색한다. 무엇보다도 중요한 것은 연구를 위해서 개인적인 정보를 수집할 수밖에 없게 되는데, 연구의 보안과 윤리를 보장받기 위해서 참여자들에게 연구 허가를 받는 과정이 필수적으로 이루어져야 한다는 점이다. 이러한 과정들을 어느 초등학교 교사의 시선을 따라 가면서 배워 보도록 하자. 결론적으로 이 장을 공부하고 나면 연구를 계획하는 과정에서 필수적으로 완료해야 하는 여러 중요한 과업들을 수행하는 데 도움을 받을 수 있을 것이다.

실행연구 설계 과정

1. 연구 방식 선택하기

실행연구를 설계함에 있어 가장 먼저 해야 할 일은 바로 연구 방식을 선택하는 일이다. 실상 이러한 과정은 간과되기 쉬운데, 이는 여전히 국내 대다수의 실행 연구가 사례연구 형태만을 띠고 있는 현실이 이를 뒷받침한다. 물론 실행연구가 국내에 소개되고 학계의 관심을 조금씩 받기 시작한 것이 2000년대에 들어서기 때문에(강지영·소경희, 2011: 204), 그 역사가 그리 길지 않다고 할 수도 있지만, 실행연구가 다양한 연구 방식을 활용할 수 있음을 고려하는 것도 연구의 깊이와 폭을 한층 높일 수 있는 기회로 작용할 수 있을 것이다.

연구 방식의 선택은 먼저 해당 연구를 질적인 방식으로 접근할 것인지, 양적인 방식으로 접근할 것인지, 아니면 질적인 접근과 양적인 접근을 병행한 통합적 방식으로 접근할 것인지를 결정한 후 그에 적합한 연구 방식을 선택하는 것을 의미한다. 실행연구의 발전이 대부분 1970, 1980년대 미국과 영국에서의 교사 연구와 관련하여 이루어진 만큼 기본적인 실행연구의 연구 패러다임은 질적인 연구를 따르고 있다. 때문에 이 절에서도 질적인 접근법에 의거한 연구 방식들을 소개하고자 한다.

질적인 연구 방식들은 대부분 특정한 사례들에 대한 면담과 관찰, 문서 분석 등의 방식이 현장 중심적으로 이루어진다는 공통점이 있지만, 연구 방식에 따라서 조금씩 차이가 있다. 즉, 실행연구에서 어떠한 연구 방식을 활용할 수 있고 이들 형식의 주된 초점이 무엇이며 어떤 방법론적 특성을 가진다는 점을 이해하는 것이 중요하다는 것을 의미한다. 국내외에 소개된 다양한 질적 접근법의 연구 방식이 있지만, 이 절에서는 Leedy와 Omrod(2005)가 실행연구에서의 질적 연구 방식으로 소개한 사례연구, (자)문화기술지, 현상학적 연구를 중심으로 소개하고자 한다. 이는 국외에서 출간된 대다수의 실행연구 방식이 이들 범주를 크게 벗어나지 않기 때문이다.

1) 사례연구에 기반한 실행연구

먼저 사례연구는 하나 또는 소규모 사례의 역학관계 및 관계의 복잡성을 밝히는 데 초점을 두는 연구 방법을 말한다. 때문에 실행연구에서 사례연구 형식을 적용하기 위해서는 연구의 목적이 선택한 사례를 이해하는 데 있고, 연구의 규모는 세밀한 관찰 또는 정보를 통해서 사례를 심층적으로 조사할 수 있을 만큼 작아야 한다는 전제가 붙는다. 또한 사례연구는 특정한 대상이 당면하고 있는 상황과 유사한 사례를 찾아내어 철저하고 깊이 있게 총체적으로 분석하는 연구를 말하기도 하는데, 이 때의 대상은 개인이 될 수도 있고 공동체가 될 수도 있다. 더나아가서는 특정한 사건 혹은 프로그램이 그 대상이 될 수도 있다. 즉, 한 사례에 대한 깊이 있는 분석을 통해 같은 상황 속에 있는 다른 사례들을 이해하고 도움이 될 수 있는 방법을 찾을 때 활용할 수 있는 방식이다.

Yin(2011)은 사례연구가 유용한 경우는 어떻게 또는 왜에 대한 질문이 제기되었을 때나 연구자가 사건을 거의 통제할 수 없을 때, 그리고 실생활에서 동시대에 일어나는 현상을 주로 다룰 때 선호하는 연구 방법이라고 했다. 그렇기 때문에 연구 방법으로서의 사례연구는 특정 사회 현상을 광범위하고 깊이 있게 기술해야 하는 경우와 현실 세계 사건들을 의미 있게 담아내고자 할 때 효과적이라고 했다. 더불어, 사례연구에 대해서는 학문적인 엄격성과 정확성에 대한 논란이 일어나기 쉽기 때문에 연구자는 자신의 편견이 최대한 배제될 수 있도록 노력하면서 연구 결과를 도출할 수 있어야 한다고 주장했다.

때문에 사례연구 방식을 활용한 실행연구에서는 증거 자료에 의거하여 사례를 기술하고 해석하며 논의하는 과정을 강조한다. 이 때 해석이나 논의는 연역 추리에 의하지 않고 귀납 추리에 의존하게 된다. 선행 연구 결과나 기초 이론의 영향을 받지 않고 새로운 통찰을 얻기 위해 서론이나 연구 문제 설정에서 선행 연구 결과나 기초 이론을 취급하지 않는다. 일반적인 원리나 보편적인 사실을 이끌어 내지 않고, 특정 개체나 단체의 특성이나 문제를 구체적으로 기술, 분석한다. 이를 바탕으로 사례연구에서 강조하는 점은 연구 문제 분석, 자료 수집, 진단과 분석,

문제 해결 방안 검토로 이어지는 일련의 과정이 대상의 어떤 특성이나 문제를 어떻게 기술, 분석할 것인가에 초점이 맞추어져 이에 도움이 되는 모든 자료가 수집되어야 한다는 것이다. 그리고 이들 자료에 대한 심층적인 분석을 통해 숨겨져 있는 근본적인 특성이나 문제를 발견하게 되고, 이는 곧 문제를 해결 또는 개선하는 데 사용할 수 있는 방법의 모색으로 이어져야 한다는 것이다.

2) 자문화기술지에 기반한 실행연구

다음으로 다루어 볼 형식은 자문화기술지이다. Leedy와 Omrod(2005)의 경우에는 문화기술지를 언급했지만, 실행연구가 실천자이자 연구자인 본인의 참여를 전제로 하다는 점에서 연구자가 타인의 문화적 맥락을 기술하는 데 주로 활용하는 문화기술지보다는 본인의 맥락에 대해 탐구하는 자문화기술지를 다루고자 한다. 자문화기술지에 근거한 실행연구의 경우에는 Jones(2005)이 언급한 것처럼 개인의 주관적 체험에 대한 성찰을 통해 자아와 연계된 사회·문화·정치적 이해를 풀어내고자 할 때 주로 활용할 수 있다. 그렇기 때문에 자문화기술지의 방법적 특성은 연구자 스스로가 문화 속에 위치 지어진 자신의 경험에 대한 반성적인 이야기를 비판적으로 기술하여 개인적인 삶의 양상을 이론적으로 이해하는 데 있다(김영천·이동성, 2011: 5). Reed-Danahay(1997)는 이러한 자문화기술지의 유형을 세 가지로 구분하기도 했는데(김영천·이동성, 2011: 6에서 재인용), 첫째 유형은 특정 집단의 내부자가 문화적 자아를 이야기하는 방식으로서 소수집단의 정체성이나 소수자(minority)와 다수자(majority) 사이의 권력관계를 밝히는 데 유용하다. 둘째는 연구 과정에서 발생한 연구자의 자기반성적인 성찰을 강조하는 유형이다. 그리고 셋째 유형은 개인적인 삶의 경험을 거시적인 사회문화적 맥락과 연결시켜 그 의미를 분석하는 방식이다. 이 세 가지 유형들은 접근방식과 강조점에서 미세한 차이점을 나타내지만, 모든 유형이 개인과 타자 그리고 대상세계를 유기적으로 연결하는 공통점을 지닌다.

그렇기 때문에 자문화기술지에 초점을 맞춘 실행연구의 경우에는 기억 자료와 자기성찰 자료를 주된 연구 자료로 활용하게 된다. 일반적으로 연구자의 주관에 기초한 기억 자료는 객관적인 자료로 다루어지지 않지만, 자문화기술지에서 이를 활용하는 이유는 인간의 기억은 분열적이고 포착하기 어려우며 개인적 경험에 의해 변형될 수 있다는 제한점을 지니지만, 기억의 시간성과 지속성을 고려하면 연구 과정에서 강력한 영향력을 발휘할 수 있다는 것이다(Muncey, 2005). 또한 개인적 경험에 대한 인식과 기록 그리고 표현 방식이 궁극적으로는 이러한 기억 자료와 관련되어 있다는 점 역시 기억 자료를 주된 연구 자료로 활용할 수 있는 이유로 제시하고 있다. 때문에 연대기적 순서에 따라 삶의 경험과 사건을 나열하는 자서전적 시각표(time line)의 활용, 기억의 중요도에 따른 회상, 표 혹은 그림 등을 통한 시각적 표상과 조직화 등 기억 자료를 회상하는 방법 등이 활용된다(Chang, 2008: 71).

3) 자기연구에 기반한 실행연구

자기연구 역시 실행연구에 유용하게 활용할 수 있는 연구 방식이다. 자기연구란 개인의 자아, 행동, 아이디어에 대한 연구이며 개인의 삶을 바탕으로 한 자서전적이고, 역사적, 문화적, 정치적인 연구이다(Hamiliton and Pinnegar, 1998: 236). 황혜영(2013: 59)은 자기연구를 교수자가 자신의 교육 활동을 반성하고, 현장에서 부딪히는 문제와 교육자로서 갖는 내적 딜레마 혹은 갈등을 연구함으로써 실천적인 교육 지식을 생산하는 연구 방법이라고 정리했다. Loughran과 Northfield(1998: 7)는 자기연구란 연구자가 자신의 수업 전문성 개발의 필요성을 느끼고, 수업에 대한 개인 및 타인과의 개방적이면서도 광범위한 의사소통 및 아이디어 교류를 수행하는데, 이러한 과정 속에서 개선된 지식의 생성 및 새로운 관점의 이해, 반성적 실천의 확장을 도모하는 연구 방법이라고 정의했다. 학자에 따라서는 자기연구를 자문화기술지의 한 영역으로 다루는 경우도 있지만, 자문화기술지의 키워드가 연구자 자신을 둘러싼 맥락의 이해라면, 자기연구의 키워드는 연구자 내면의 재구조화라고 구분할 수 있다. 때문에 자기연구에 기반한 실행연구는 연구자의 신념과 실천 목표를 재구조화하는 데 연구의 목적을 둘 때 적극적으로 활용할 수 있는 방안이 된다. Samaras와 Freese(2006)에 따르면 실행연구는 연구자가 가르침에 대한 체계적인 탐구를 수행할 수 있는 방법을 제공한다는 점에서 '자기연구를 위한 유용한 도구'로 인식되고 있다고 지적한다. 물론 Feldman과 그의 동료들(2004: 953)처럼 실행연구와 자기연구를 구분하는 경우도 있지만, 연구자가 순환적인 연구의 과정을 거치면서 자신의 실천을 향상시키기 위해 자신의 가르침과 관련된 연구 문제를 발견해 간다는 점에서 실행연구의 방법적 접근으로 자기연구를 다루어도 무방하다고 여겨진다. 조금 더 나아가서는 자기연구가 연구자의 내면에 초점이 맞추어진 연구라는 점에서 실행연구의 유형 중 숙의(도덕적) 유형과 밀접한 관련성을 가진다고 할 수 있다. 그렇기 때문에 자기연구에 기반한 실행연구는 실천가 자신이 누구인지에 대해 더 많은 초점을 두는 연구가 된다. 자신을 연구의 자원으로 삼아, 자신의 연구 경험을 연구 도구로 활용한다는 것이다. 그렇기 때문에 자기연구에서는 연구자이자 실천가의 내면이 재구조화되어야 하고 실질적인 실천의 개선을 지향해야 함과 동시에 이에 대한 증거를 요구해야 한다. 그리고 이러한 과정 속에서 동료 및 지도 학생과의 협력 및 상호작용이 필요하다(유정애·오수학, 2012: 80~81).

그렇기 때문에 자기연구에서는 자기성찰 자료가 주된 자료로 활용될 수 있다. 자기성찰 자료란 저자의 자연스러운 삶의 맥락에서 발생한 사색, 회상, 의식, 통찰 등을 기록한 반성적인 저널을 지칭하는 데, 내성(introspection)과 자기분석(self-analysis, 자기평가(self-evaluation)의 요소를 강조한다(Chang, 2008; Maydell, 2010). 이러한 자료에서는 개인적 가치와 선호, 문화적 정체성과 문화적 소속감을 분석할 수 있다. 또한 연구자 자신과 연구 참여자들 그리고 연구의 상황과 배경 사이의 교호적인 영향력을 자각하고, 타자들과의 대화와 상호작용을 분석함으로써 자아와 타자를 깊이 있게 이해하기 위한 방법이 된다.

4) 현상학적 연구에 기반한 실행연구

현상학적 연구는 인간의 체험을 탐구하는 연구 방식을 의미한다. 그런데 여기에서의 체험에 대한 탐구란 개인의 경험 속에서 드러나는 보편적 본질을 기술하는 것을 의미한다(정상원, 2015: 102). 즉, 경험에 대한 성찰을 통해 경험 속에 내재되어 있는 경험의 본질적 요소에 대한 탐구를 연구의 목적으로 할 때 현상학에 근거한 실행연구를 수행할 수 있다.

van Manen(1990)의 경우 인간의 경험은 의식에 의해 범주화되고 반성한 대로의 경험인 반면에 현상학적 체험은 반성 이전의 경험, 즉 인간이 겪은 그대로의 경험을 의미한다고 했다. 그렇기 때문에 의식에 나타나는 대로의 현상을 드러내야 한다고 했다. 비슷한 맥락에서 현상학은 대상의 본질을 탐구할 수 있어야 한다. 예를 들어, 안경에는 다양한 재질과 형태 등의 요소가 있을 수 있지만, 시력을 보정한다는 요소야말로 안경의 본질적 요소가 되는 것이다.

그렇기 때문에 실행연구에서 현상학을 활용하기 위해서는 현상학적 환원이라는 방법적 특징을 잘 이해해야 한다. 이는 연구자가 대상의 체험, 즉 본질적 요소에 다가서기 위해 이러한 과정에 방해되는 일체의 지식들에 거리를 두는 것을 의미한다(Moustakas, 1994). 현상학적 환원은 환원(reduction), 에포케(epoche), 괄호치기(bracketing) 등의 방식을 포함하는데, 먼저 환원은 우리가 선개념이나 선이해 등을 통해 변형된 형태로 이해하고 있는 대상을 본래의 형태로 되돌려 놓는 것을 의미한다. 에포케는 대상에 대해 부정 혹은 긍정의 판단을 포함한 일체의 판단을 유보하는 것을 의미한다. 마지막으로 괄호치기는 우리가 가진 모든 믿음을 괄호 속으로 집어넣는 것을 의미한다(van Manen, 2011). 이러한 방법들이 주는 시사점은 현상학에 근거한 실행연구에서는 대상에 대해 우선적으로 가지고 있는 믿음이 무엇인지 밝히고, 그러한 믿음이 현상의 본질을 제대로 파악하는 데 방해가 되지 않도록 하는 데 중점을 두면서 경험의 본질에 대해 탐색해야 한다는 것이다.

5) 통합적 연구에 기반한 실행연구

앞서 다루었던 질적인 연구 방식에 양적인 연구 방식을 병행하는 통합적 연구 방식의 실행연구 역시 많은 관심을 받고 있다. Mertler(2014) 역시 실행연구에는 혼합 연구 설계가 더 잘 맞는다고 언급하고 있는데, 이는 많은 실천가들이 자신의 전문적 실행에 대해 연구할 때 질적인 자료와 양적인 자료를 모두 사용하는 것이 유용하다는 것을 안다는 것이다. 예를 들어, 양적 연구의 경우에는 대집단에 대해서 기술하고 싶을 때 통계 분석할 수 있는 정보를 제공하기에 유용하고, 질적 자료의 경우에는 관심 주제에 대한 개인의 의견과 관점을 살펴보기에 유용하다는 것이다.

Cresswell과 Plano Clark(2011)은 이와 관련하여 통합적 연구에 적합한 연구 설계 모형을 다음과 같은 네 가지로 제시하고 있다.

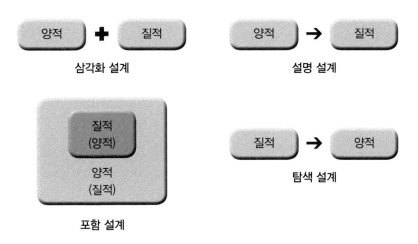

통합적 연구 설계 방식

※ 위의 표는 이현철 · 김영천 · 김경식(2013: 69)의 내용을 활용한 것임.

그림에서 제시된 삼각화 설계는 질적 연구와 양적 연구의 비중을 동일하게 설계함으로써 특정한 분석을 위한 자료를 동시에 수집하고 분석하기 위한 목적에서 주로 활용한다. 두 번째로 포함 설계 모형을 소개할 수 있다. 이 모형의 경우는 최초 질문에 대한 양적인 혹은 질적인 연구를 수행하고, 이 연구가 다른 유형의 연구 방식의 전체 설계에 포함되어 있는 경우를 말한다. 다음으로 설명 설계의 형태는 설명 설계 모형으로, 연구를 2단계로 구분하여 1단계에서는 양적 자료를 수집하고 2단계에서는 1단계 수집 자료를 설명해 줄 수 있는 질적 자료를 활용하는 방식을 뜻한다(김영천·김경식·이현철, 2013: 69). 마지막의 탐색 설계의 경우, 앞선 모형과 동일하게 연구를 2단계로 구분하되 연구 방식의 적용 순서를 바꿔 1단계에서는 질적인 연구를 먼저 수행하고 2단계에서 양적인 연구를 하도록 설계한다. 이는 제목 그대로 수량화하기 위한 자료를 탐색하기 위해 질적 연구를 기초적 연구로 활용하고자 할 때 적합하다.

2. 실행 계획 세우기

주요 연구 문제를 진술한 다음에 해야 할 일은 구체적으로 현장에 개입할 계획을 세우는 것이다. 이것은 실행연구의 목적과 관련이 있는데, 실행연구는 구체적인 방법을 통하여 현장을 개선하는 데 초점이 맞추어지므로, 현장을 어떠한 방법으로 개선시킬지 명확하게 제시하는 것이 필요하다는 것이다. 또한 자신이 활용한 방법이 어떤 이론에서 나온 것임도 자세하게 설명해야 한다. 가져온 이론을 설명하는 수준은 동료들이나 관리자, 그리고 이 주제를 탐구하는 다른 연구자들이 논문에 나온 대로 따라할 수 있을 정도로 자세하게 해야 하는 것이다. 이러한 세부적인 활동들과 그것을 언제, 어떻게 실행할 것인지를 알려 주어야 한다. 특히 연구의 총 기간과 그 사이에 각각의 활동들을 얼마나 지속할지를 생각해야 한다. 여기서도 예시를 들어 설명하는 편이 좋을 것이다. 성찰과 선행 연구 분석 이후에 앞으로 무슨 활동을 할 것인지를 자세하세 묘사하는 과정은 다음과 같다.

주제중심 통합교육과정을 통해 딱딱하고 어렵게만 느껴지는 국어와 수학 공부가 재미있는 것임을 느낀다면, 학생들은 학교에 좀 더 흥미를 갖고 다닐 수 있게 되며 그들의 생활과 나머지 부분들이 좀 더 긍정적으로 바뀔 것임을 확신하게 되었다. 이러한 각오를 갖고 우선은 4월부터 자체 제작한 통합교육과정을 실시하기 위한 작업을 시작할 것이다.

교육과정을 처음 시작하는 날에는 학생들에게 주제중심 통합교육과정에 관한 설명을 해 줄 것이다. 물론 초등학교 1학년 학생들이기 때문에 아마 교육과정에 대한 개념을 이해시키는 것이 어려울 것으로 예상된다. 따라서 최대한 연구의 목적과 그로 인해 얻을 수 있는 장점 등을 중심으로 학생들을 설득시키는 작업을 실시할 것이다. 이를 위해서는 우리가 구체적으로 어떠한 활동을 하는지를 예시로 많이 보여 주는 것이 필요하다. 작업을 좀 더 수월하게 만들기 위해서 학생들에게 개인별로 학습한 내용을 보관할 수 있는 포트폴리오를 나눠 줄 것이다. 여기에 우리가 학습한 내용들을 모두 보관하여 통합교육과정의 활용에서 나타날 수 있는 여러 산출물들을 보관하고 나중에 그 결과를 분석해 볼 것이다.

그 다음으로 일주일간 통합교육과정 제작을 위해 학생들의 관심 있는 생활세계를 분석할 것이다. 이 과정에는 학생들의 참여가 절실하게 필요한데, 그 이유는 학생들의 생활세계는 학생들 그 자신들이 제일 잘 알기 때문이다. 따라서 매일 수업이 끝난 뒤에 학생들이 주로 어디서 어떠한 행동을 하며 무슨 생각을 하는지 사전 조사한 뒤 이를 바탕으로 주제중심 통합교육과정을 제작할 것이다.

교육과정 구안이 끝난 후에는 약 한 학기의 시간 동안 천천히 교육과정을 학생들에게 적용해 볼 것이다. 학생들은 단순히 교육과정에 참여만 하는 것이 아니고, 자신의 생생한 삶의 이야기를 통해 교육 내용을 학습하게 될 것이다. 그리고 한번 정해진 교육과정이 변경되는 것이 아니고, 얼마나 쉽고 어려운지, 그리고 교육과정을 진행하면서 느낀 점이 무엇인지를 계속적으로 이야기하는 시간을 가질 것이다.

이러한 방식으로 6개월간 학습을 지속하고 나면 그 동안 모아둔 포트폴리오 실적과 그 전의 학생들의 수업 과제물들을 서로 비교하여 얼마나 교육과정에 잘 적응하는지, 그들의 학업 성취는 어떠한지를 점검하게 될 것이다. 주제중심 교육과정을 활용한 교육은 학년이 끝날 때까지 지속될 것이며 언제든 수정될 수도 있다.

위의 계획은 서술 방식으로 구성되었지만 여러분의 실행연구에서는 굳이 형식이 정해져 있을 필요가 없다. 얼마든지 연구자가 원하는 방식으로 설명할 수 있다. 특히 장기간의 프로젝트일 경우에는 표나 도식으로 나타내는 것도 연구의 흐름을 이해하는 데 도움이 된다.

이처럼 자세히 실행 계획을 세우면 그 계획은 연구자가 자신의 계획에 집중할 수 있도록 도와줄 것이다. 명심해야 할 점은 계획이 단순히 매일 해야 할 단순한 행동들에 집중되어서는 안 된다는 것이다. 대신에 이것은 실행되는 과정을 그림으로 그리듯이 자세히 묘사한다는 느낌을 가져야 한다. 또한 연구자는 연구를 실행하면서 매일매일 방해되는 상황에 직면하게 될 것이다. 따라서 언제든지 계획을 융통성 있게 변경하고 시간 관리를 적절하게 할 준비를 하고 있어야 한다. 어쨌든 위의 계획은 실행연구자가 아무런 방해를 받지 않고 완벽하게 연구 과정을 수행했을 때의 이야기이다. 따라서 실제로 실천 활동을 할 때에는 며칠이 더 걸릴 수 있다는 것을 염두에 두어야 한다. 만일 실행 계획을 세우면서 연구 자체에 수행이나 참신한 요소들이 부족하다는 것을 느낀다면, 다시 처음으로 되돌아가야 한다. 선행 연구를 분석하여 유용한 방법들을 더 탐색하고 성찰 과정을 강화해야 한다. 특히 연구 문제가 이해나 묘사에 너무 초점이 맞춰져 있지는 않은지 다시 한 번 점검해야 한다. 실행연구는 실행에 초점이 맞추어져야 한다.

3. 연구 참여자 선택하기

누구를 여러분의 연구에 포함시킬지에 관한 문제는 쉬운 것이 아니다. 연구 참여자는 연구의 성패를 결정하는 가장 중요한 문제이다. 여기서는 우리의 실행연구를 같이 도와줄 사람이 누구인지 명확히 설명해 주어야 한다. 먼저 실행연구에서 누구를 참여시킬지를 고려할 때 다음의 것들을 기억하도록 하자. 첫째, 연구 참여자들은 그 누구든지 간에 우리의 연구에 기여할 수 있는 사람이어야 한다. 이것이 가장 기본적인 원칙이다. 필요 없는 사람들을 프로젝트에 참가시키는 것은 실행연구에 의미가 없다. 둘째, 프로젝트를 주도하는 연구자 본인도 연구 참여자의 한 사람이다. 결국 실행연구를 통해서 가장 많이 발전하고 변화할 사람은 연구자 본인이 된다. 따라서 끊임없는 성찰과 반성 과정으로 바뀔 각오를 해야 한다. 실행연구의 가장 핵심적인 부분은 바로 자신에게서 배우는 것이다. 셋째,

연구 참여자를 선정하고 나면 그들이 여러분의 연구에 지속적으로 참여할 수 있을지 판단해야 한다. 아무리 열성적이고 능력이 뛰어난 연구 참여자라고 할지라도 연구 전체에 거의 참여할 수 없다면 실행연구의 중요한 의미가 퇴색될 수밖에 없다. 따라서 연구자가 지속적이고 반복적으로 참여할 수 있게끔 연구를 주도해 나가야 한다. 넷째, 실행연구를 시작할 때에는 연구의 초점을 명확하게 하도록 한다. 만일 하나의 큰 집단이 몇 개의 작은 집단으로 나누어져 있다면, 처음 실행연구를 실시할 때에는 작은 집단 하나로부터 연구를 시작해야 한다. 이것은 연구를 통제하기 쉽도록 도와주고 한편으로는 연구를 좀 더 효율적으로 진행할 수 있도록 만들어 줄 것이다. 실행연구자들은 종종 실행연구를 시작할 때 너무 욕심이 앞서 처음부터 많은 수의 연구 참여자들을 한꺼번에 포함시키는 경우가 있는데, 이것은 연구 계획을 너무 복잡하게 만들어 버린다는 점에서 주의를 요한다. 왜냐하면 연구 참여자가 많다는 것은 결국에는 수집하고 분석해야 할 자료가 기하급수적으로 많아진다는 것을 뜻하고, 이것은 한정된 연구 인력으로 감당하기 힘들 수가 있다. 따라서 현장에서 실행연구를 처음 실시하는 연구자들이라면 연구의 초기 단계에서는 소수의 연구 참여자들을 대상으로 연구를 진행하는 것이 좋다.

연구 참여자를 선택하고 그들을 관리하는 계획을 수립하는 다음 예시를 보고, 자신의 연구를 생각해 보도록 하자.

연구 참여자 선택하기

나의 연구에서 연구 참여자를 선택하는 것은 아주 중요한 문제가 아닐 수 없었다. 일단 본 연구에서 주된 연구 참여자들은 초등학교 1학년 학생들 중 나의 반에 속한 학생 전체가 될 것이다. 한편으로 다른 연구 참여자들에는 누가 있을지를 생각해 보았다. 왜냐하면 초등학교 1학년 학생들은 연구에 직접적으로 참여하여 영향력을 행사하기에는 일반적으로 좀 어린 것으로 판단되었기 때문이다. 따라서 학생들의 부모님들도 연구에 포함시킬 수 있을 것으로 예상을 해 보았다. 왜냐하면 이 시기의 부모님들은 일반적으로 학생들의 학교 적응과

(계속)

학업 문제에 대단히 민감하여 나의 이러한 시도에 적극적으로 호응해 줄 것으로 판단했기 때문이다.

따라서 학기 초에 연구를 계획할 때부터 부모님들에게 가정통신문을 발송하여 연구를 개략적으로 설명하고, 각 수업이 끝날 때마다 학생들의 정의적 반응이나 학업 성취도에 대해 그들이 새로이 느낀 점이나 알게 된 점, 궁금한 점 등을 알아보는 자료 수집 과정을 실시할 것을 계획해 보았다. 이 때 부모님들은 연구자인 내가 미처 알지 못하는 중요한 정보까지 제공하는 연구 참여자 기능을 수행하게 된다. 심지어는 단순히 자료를 제공하는 것 이상의 역할을 수행할 수도 있을 것이라고 생각한다. 연구의 일부분이 되기도 하고 교실 활동을 돕기도 하며, 나를 비롯한 교사들과 함께 연구를 계획해 주기를 바란다. 그리고 실행연구에 유익한 조언을 아낌없이 해 주었으면 좋겠다.

물론 실행연구에 관해 부모님들에게 부담을 주어서는 안 될 것이다. 따라서 가정통신문을 먼저 보내 보고 연구에 협조적인 부모님을 연구에 참여하도록 요청하기로 했다. 이미 몇몇 부모님들은 교실 활동에 적극적으로 참여하기를 원하고 있다. 따라서 그들을 중심으로 연구를 진행한다면 상당히 즐겁고 유익한 경험이 될 것이다. 학부모들과 실행연구를 통해 소중한 관계를 쌓기를 바라고 있다.

한편, 나의 연구 장소가 학교이기 때문에 직장 동료이자 연구 참여자로서 같은 학년 교사 혹은 친한 교사들도 빼놓을 수 없다. 특히 그들은 나와 같은 고민을 나누고 직접적인 도움을 줄 수 있다는 점에서 유익할 것으로 보인다. 그들에게 정식으로 연구를 설명하고 정식 연구 참여자로서 참여할 것을 정중히 권할 생각이다. 동료 교사들이 연구에 조언해 줄 때 내가 얻을 수 있는 것이 많다. 교육학적 지식과 실전 경험으로 무장한 교사들은 많은 어려운 과정을 잘 헤쳐나갈 수 있는 지혜로운 방법들을 제시해 줄 것이다.

위의 예시에서는 연구 참여자로 학생, 학부모, 동료 교사를 선택했다. 각각의 연구 참여자들이 기여할 수 있는 부분이 뚜렷하기 때문에 실행연구의 결과를 기대할 수 있을 것이다. 다만 연구자를 어떻게 관리할 것인지가 중요하다. 앞서 말했듯이 연구 참여자가 연구에 지속적으로 참여하도록 만들어야만 한다.

4. 연구 협조 계획하기

연구 협조란 연구에 도움을 줄 다른 연구자들과 어떻게 협업할 것인지를 계획하는 절차를 뜻한다. 앞서 이야기한 연구 참여자 선정과는 그 맥락이 조금 다르다고 할 수 있다. 물론 실행연구는 연구자와 연구 참여자의 구분이 뚜렷하지 않기 때문에 너무 구분해서 사용하지 않아도 된다. 명심할 것은 좋은 연구 내용이 연구자 본인뿐만 아니라 연구에 참여하는 모두에 의해 나타날 수 있다는 것이다. 다만 여기서 연구 협조란 연구를 도와줄 수 있는 또 다른 사람들에게 연구의 개요를 잘 설명해 주고 연구가 활발하게 진행될 수 있도록 도움을 요청하는 것을 의미한다고 할 것이다. 연구 협조는 실행연구가 보여 줄 수 있는 다양한 연구 형태를 잘 나타내 준다. 즉, 연구자는 연구의 개방성을 자유롭게 조절할 수 있다. 연구자 스스로의 성찰과 반성 행위에만 집중한다면 연구 협조 계획은 그리 많지 않고, 연구도 폐쇄적일 것이다. 반면에 다양한 의견을 수용하고 연구를 복합적으로 이끌어 나가고 싶다면 자연스럽게 연구에서 연구자 주변 사람들의 역할이 많아지고 연구 협조 계획도 방대해질 것이다.

연구 협조 계획은 아주 구체적이고 세부적으로 수립해야 한다. 가령 성찰을 실시할 때 주변 연구자들과 함께 토론을 하거나 그들에게 서면으로 연구 내용에 대해 비평을 하도록 요청할 수 있을 것이다. 한편으로는 선행 연구를 분석할 때에도 협동에 의한 작업을 수행할 수 있다. 사전에 연구된 내용에 영역별로 다른 역할을 부여하여 내용을 조사하도록 부탁하고, 그것을 취합하여 내용을 풍부하게 만드는 것이다. 연구의 마지막 과정에서도 협동적인 연구를 수행할 수 있다. 타당성이나 신뢰도를 검증할 때 주변의 다른 연구자에게 의견을 듣고 수정하는 것도 가능하다. 이처럼 연구의 거의 전 과정에서 연구 협조가 가능함을 알아 두고 계획을 세우는 것이 좋다.

연구 협조의 범위는 상당히 다양하다. 가장 기본적이고 쉬운 방식은 연구 참여자를 연구 동료로 만드는 것이다. 이것은 실행연구만이 가질 수 있는 장점이기도 하다. 연구자가 교사라면 학생이나 학부모를 연구 동료로 만들 수 있다. 의사 혹은 간호사라면 환자나 병원을 방문한 고객이 동료가 될 것이다. 이러한 방식의 연구는 우리가 그들을 들여다보는 것이 아니라 그들이 자기 스스로를 연

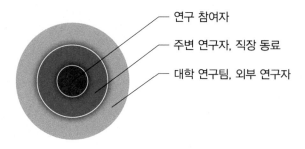

연구 참여자
주변 연구자, 직장 동료
대학 연구팀, 외부 연구자

협동적 연구의 범위

구하는 것이라는 점에서 독특하다고 할 수 있다. 그리고 연구 참여자들이 연구의 대상이 아니라 주체라는 생각을 갖게 해 주고 지속적으로 참여하게 해 줄 수 있도록 만들어 준다는 점에서 의미 있다고 하겠다.

연구 참여자가 연구에 접근하는 구체적인 방법은 다음과 같다. 첫째, 연구 참여자는 연구 분야와 그 개념들을 정의할 때 기여할 수 있다. 둘째, 그들은 연구자를 옆에서 지켜보면서 연구의 방향이 잘 흘러가고 있는지 조언해 줄 수 있는 가장 빠르고 확실한 역할을 수행할 수 있다. 셋째, 그들은 실제 자료 수집 과정에 기여할 수 있다. 가령 면담을 실시할 때 미리 글을 써 온다든지, 주변 사람들과 나눈 이야기 중에서 연구 주제와 일치한다고 생각하는 부분을 메모해서 연구자에게 제공할 수 있다. 이것은 연구자에게 아주 큰 도움이 될 것이다. 넷째, 연구 결과를 해석하거나 평가할 때 내용이 진실한 것인지를 판단해 줄 수 있다. 이를 통해 향후 연구 진행 방향에 대해서도 조언해 줄 수 있다.

그 다음 수준의 연구 협조는 주변의 눈에 띄는 연구자들과 협조하는 것이다. 연구자라고 해서 반드시 연구를 직접적으로 수행하는 사람을 의미하는 것은 아니다. 옆 자리에 앉아서 같이 일하는 동료들은 훌륭한 연구자의 역할을 수행할 수 있다. 이외에도 다른 부서의 관계자들도 연구에 도움을 줄 수 있으므로 적극적으로 고려하도록 하자. 이들과 협동적인 연구를 수행할 수 있는 좋은 형태는 연구팀을 구성하는 것이다. Singer(2007)는 연구팀에 대해 연구자들이 비판적이고, 전문적인 의사소통을 할 수 있게 만들어 주는 장치라고 설명했다. 특히 연구를 함께 수행하면서 내부에서 우러나오는 질문을 하고, 다른 연구자들에게 끊임없이 자극을 제공할 수 있다는 점에서 연구를 팀으로 이루어 할 것을 권장하고 있다. 연구팀은 동일한 목표를 향하며, 각각 서로 다른 장점, 지식, 경험을 활용하여 문제를 해결하기 때문에 상당히 효과적이고 창의적인 방식을 채택할 수 있다. 또한 혼자서 연구할 때보다 학술적인 활동이 훨씬 많이 일어나며 연구가 오래 지속되도록 만드는 것도 더 쉽다. 가장 광범위하고 총체적인 수준의 연구 협조 방법으로 연구 현장을 벗어나 다른 현장의 연구자들, 심지어는 대학에 존재하는 다른 연구팀들과 함께 작업하는 것도 생각해 볼 수 있다. Cole과 Knowles(2009)는 이와 관련하여 외부 연구자들과 일하는 것이 몇 가지 장점이 있음을 이야기하고 있다. 우선 대학의 전문적인 연구자들이 연구 파트너가 될 경우 연구 경험이나 숙달 수준이 크게 향상될 수 있으며 대학 연구팀은 우리의 연구를 위해 시간이나 재정적 협조를 해 줄 수도 있다. 한편으로 그들은 방대한 자료베이스를 구축하고 자유롭게 활용하고 있다. 따라서 연구 주제와 관련된 다양한 내용들을 검색하여 연구를 개선하는 데 유용한 정보들을 전달해 줄 수도 있을 것이다.

실행연구를 계획하고 실행할 때, 동료들과의 협동해서 연구하면 얻을 수 있는 몇 가지 장점이 존재한다. 첫째, 협동연구는 교육자들의 작업을 덜 외롭고 힘들게 해 준다. Hobson(2001)과 Burns(2010)가 지적한 대로 연구 작업에서 연구자의 고립감과 정신적 괴로움을 극복하는 것은 상당히 중요한 부분이다. 그러한 면에서 실행연구의 협동 과정은 함께 문제를 탐색하고 해결 방안을 모색한다는 점에서 연구자들이 상당히 의지가 되는 부분이 많다고 할 수 있다. 실행연구를 수행하다 보면 연구가 딜레마에 빠지거나 연구 환경을 조성해 주는 연구 참여자 혹은 관리자들과의 관계가 부정적으로 바뀌는 경우가 있는데, 그럴 경우 연구자의 힘만으로는 해결되지 않는 경우가 많다. 이와 관련하여 연구 동료들이 연구 참여자들을 적극적으로 중재해 주는 역할을 수행해 줌으로써 연구를 활성화시키고 올바른 방향으로 나아갈 수 있도록 해 준다. 둘째, 동료들과의 협동은 연구자들이 좀 더 학술적이고 전문가적으로 발전할 수 있도록 도와준다. 협동 연구의 효과에 관한 여러 논문들을 살펴보면 알 수 있듯이, 연구의 목적을 갖고 적극적으로 협동할 때 자연스러운 발전이 일어날 수 있음을 명심해야 한다. 우리는 지금까지 어떤 분야에 관심이 있었다면 개별적으로 연수에 참가하거나 혼자 도서관에서 연구 방법을 검색하는 등의 활동을 해 왔을 것이다. 협동적인 연구는 여기에 한 가지를 더 추가하는 것이다. 즉, 관심 있는 주제에 관해 주변의 연구자들은 어떻게 생각하는지를 알아보는 것이다. 이러한 과정을 통해 자신의 연구 문제를 해결할 수 있는 또 다른 단서들을 찾게 된다. 이러한 특징에 따르면 연구를 시작할 때 최대한 적극적으로 연구에 협조할 사람들을 찾아야 한다는 사실을 알 수 있을 것이다. 연구 현장 주변뿐만 아니라 대학 혹은 지역사회에서도 연구에 도움을 줄 협조자들을 찾아야 한다. 셋째, 협동적 연구에서는 연구자들이 하나의 주제에 대해 다양한 관점을 갖게 만들어 준다. 주변의 연구자들은 같은 내용을 공부하지만 살아온 환경도 다르고 학문적 배경이나 사회 현상을 바라보는 태도도 완전히 다르다. 따라서 그들과 협동 작업을 수행하면 훨씬 다양한 연구 결과를 도출해 낼 수 있다는 점을 알 수 있을 것이다. 우리는 수업이나 다른 연구 과제를 수행하면서 종종 자신과 다른 생각을 가진 사람들이 제기하는 통찰이나 경험, 그리고 새로운 이야기들에 대해 상당히 놀라는 경우가 있다. 지금도 동료들은 실행연구 과정에서 중요한 자원으로서 기능하고 있다. 물론 그들과 우호적이고 상호 존중하는 관계를 유지할 수 있도록 노력해야 할 것이다.

5. 윤리적 지침 고려하기

실행연구를 설계할 때 고려해야 할 마지막 대상은 연구의 윤리성이다. 연구에서 인권을 보호하려는 움직임은 항상 활발했고, 그것은 점점 강화되고 있는 추세이다. 이러한 연구 윤리의 기본적인 지침은 대부분의 연구자가 숙지하고 있을 정도에 이르렀다. 기본적인 것에는 연구 참여자를 속이거나 해치지 않기, 역할을 충실히 설명하기, 의사에 반하여 연구에 참여시키거나 책임을 부여하지 않기, 개인 정보 파기 권리 등이 있다. 결국 중요한 것은 실행연구에 있어 연구자와 동료 연구자들이 책임감을 가지고 연구 참여자들의 인권을 보호하기 위해 노력하는 것이라고 하겠다. 다만 아직 실행연구의 윤리적 지침에 관해서 공식적으로 규정하는 문서나 합의가 없는 상태이기 때문에 여기서는 기존의 질적, 양적 연구에서 주로 활용되는 연구 윤리 지침을 살펴보는 것으로 하자. 먼저 알아 두어야 할 점은 실행연구가 기본적으로 인간을 대상으로 이루어지는 연구이기 때문에, 연구의 허락을 받는 과정이 필수적으로 선행되어야 한다는 점이다. 여기에는 예외가 없다. 연구 참여자의 범위가 어떻게 되든지 간에 반드시 개별적으로 완전히 동의를 받아야만 한다. 연구자의 범위도 상관없다. 대규모로 이루어지는 공식적인 실행연구는 물론이거니와 개인적 차원에서 간단히 수행되는 실행연구일지라도 사전에 연구 참여자에게 의사를 물어보고 연구 동의를 받는 절차는 반드시 필요하다.

연구 윤리와 관련하여 가장 널리 알려져 있고 쉽게 접할 수 있는 예시는 바로 IRB(Institutional Review Board) 기준이다. 지금까지는 자연과학이나 의학 분야에서만 활용되었으나 최근에는 인간을 대상으로 하는 모든 연구에 적용되고 있다. 이것은 학술적인 연구와 관련하여 대학에서 최소한의 윤리 기준으로 제시하고 있는 내용으로서, 이를 위반하면 연구를 시작할 수 없다. IRB를 통과하기 위해 모든 연구 참여자들에게 허락을 구하는 과정이 물론 부담스럽기는 할 것이다. 그리고 이 과정이 연구에 영향을 끼칠 수도 있다. 왜냐하면 연구 참여자들도 공식적으로 연구 요청을 받을 경우 긴장하기 때문이다. 하지만, 이것은 실행연구를 비롯한 모든 현장에서 이루어지는 연구에서 꼭 필요하면서도 중요한 과정이다. 이 과정을 완전히 수행해 놓기만 한다면 이것은 일종의 보험과도 같이 작동한다. 나중에 연구 참여자나 다른 연구자들이 문제를 제기하더라도 연구자 본인을 보호하는 장치가 되는 것이다. 우리 누구도 스스로가 동의하지 않았는데 연구가 수행된다면 불쾌감을 느낄 것이다. 특히 최근에는 개인정보의 보호가 아주 중요해지고 있어, 서면 합의 없이 자신이 한 말이나 심지어는 자신의 개인적인 비밀들이 연구 결과로 공개되는 것을 극도로 꺼릴 것이다. 대상이 어린이든, 어른이든 상관없이 연구 승낙을 구하기 위한 형식이 중요함을 명심해야 할 것이다.

연구 윤리를 위한 동의 절차에서 모든 연구 참여자들은 연구의 일부분이 될 것을 승낙하는 서약서를 작성해야 한다. 만일 연구가 18세 이하의 어린이를 포함한다면, 그들의 부모의 허락을 구하는 절차가 추가로 요구될 것이다. 동의서에는 정보 제공 동의 양식을 첨부하도록 하자. 정보 제공 동의 양식은 연구의 목적을 설명해야 하고, 연구에 참여하게 됨으로써 기여할 수 있는 점들을 나열하고, 비밀로 유지되어야 하는 것이 무엇인지를 언급하고, 연구에 참여하는 것이 강제가 아니라 자발적인 것이라는 내용이 들어가면 된다. 또한 동의서에는 연구에 참여하지 않거나 중도에 포기하더라도 어떠한 불이익이 없을 것을 명시해야 한다. 이것은 특히 어린 연구 참여자들에게 중요한 내용이다. 그들은 성인보다 연구에 대한 압박감을 좀 더 많이 느끼기 때문이다. 모든 경우에 적용할 수 있는 완전한 형식은 없다. 따라서 세부적인 내용은 지역별, 대학별 기준을 먼저 확인해야 한다. 연구 참여자들은 주로 두 개의 복사본에 서명을 한다. 하나는 연구 참여자들이 보관하고 다른 하나는 연구자 자신이 안전한 장소에 보관한다. 만일 대학이나 연구기관 IRB에서 동의서를 요구할 때에는 원본이 아니라 복사본을 제출하여 항상 원본은 본인이 소지하고 있도록 한다.

간혹 연구 참여자들이 연구에 동의하지 않아 난감한 경우가 발생할 수 있다. 학교의 경우 주로 학부모들이 거부를 하는데, 자신의 아이들이 연구의 일부분이 되어 정보를 제공하는 것을 원하지 않기 때문에 발생한다. 물론 혼란스럽겠지만 처음부터 관계를 끊어 버리거나 강압적으로 연구를 시작하는 것은 권하지 않는다. 연구 참여자들에게 여러 번 생각할 기회를 제공하는 것은 연구자의 의무이다. 그리고 대부분의 연구 참여자는 현장에서 함께 일하고 생활하기 때문에 평소에 조금씩 모든 연구 참여자들의 동의를 받을 수 있도록 가능성을 찾아보는 과정이 필요하다.

실행연구 참여에 관한 동의서(학부모님용)

　　연구자는 '누리과정과 연계한 초등 저학년 통합 교육과정 운영'이라는 주제에 관한 실행연구를 준비하고 있는 대학원생입니다.

　　연구하고자 하는 초등 저학년 통합 교육과정은 학생들의 학교생활 및 학업에 큰 도움이 될 것으로 예상됩니다. 다만 이러한 연구 과정을 수행하기 위해서 학생들의 생활 모습 및 수업 성취도에 관한 정보를 수집하고자 합니다.

　　연구를 위해 학생들을 관찰한 내용을 손으로 적거나, 이야기하는 내용을 녹음할 수도 있으며, 사진으로 촬영할 수도 있습니다. 추가로 학생들의 시험 점수나 포트폴리오 결과를 수집할 수도 있습니다.

　　수집한 자료는 안전하게 보관할 것이며, 개인정보나 개인의 사생활, 비밀에 관한 것은 절대 노출되지 않도록 조치할 것입니다. 익명처리, 그리고 사진에는 모자이크 처리를 합니다. 그리고 연구가 종료되고 나면, 위의 원 자료들은 모두 즉각 폐기할 것입니다. 또한 연구 동의를 한 뒤라도 언제든지 어떠한 자료를 수집했는지 연구자에게 요구할 수 있으며 연구자는 그것을 보여 줄 의무가 있습니다.

　　위 내용을 잘 확인했고, 연구에 참여하는 것에 동의하신다면, 아래의 빈칸에 이름과 서명을 날인하여 주시기 바랍니다.

- 연구자와의 면담 내용이 녹음되는 것을 알고 있고, 이를 허락합니다.
- 수업 내용이 녹음되거나 기록되고 있다는 사실을 알고, 이를 허락합니다.
- 의문이 드는 사실이나 어떤 자료가 수집되고 있는지에 대해 질문할 수 있습니다.

연구 참여자 : (　　　　　　)(인)

학부모 : (　　　　　　)(인)

연구 참여 동의서 양식

참고문헌

강지영 · 소경희(2011). 국내 교육관련 실행연구 동향 분석. **아시아교육연구, 12**(3), 207.

김영천 · 이동성(2011). 자문화기술지의 이론적 관점과 방법론적 특성에 대한 고찰. **열린교육연구, 19**(4), 1-27.

김영천 · 김경식 · 이현철(2013). 교육연구에서의 통합연구 방법(Mixed Research Methods): 개념과 시사점. **초등교육연구, 24**(1), 305-328.

정상원(2015). 현상학적 질적 연구과 박물관 교육. **박물관 교육과 질적 연구**. 김영희(편). 파주: 아카데미프레스.

황혜영(2013). 한국 교사교육자의 전문성 개발을 위한 셀프 연구(Self-study)의 도입. **한국교원교육연구, 30**(1), 59-80.

Anderson, G. L., Herr, K., & Nihlen, A. S. (1994). *Studying your own school: An educator's guide to qualitative practitioner research*. Thousand Oaks: Corwin Press.

_____ (2007). *Studying your own school: An educator's guide to qualitative practitioner research (2nd ed.)*. Thousand Oaks: Corwin Press.

Burns, A. (2010). *Doing action research in English language teaching: A guide for practitioners*. New York: Routledge.

Chang, H. (2008). *Autoethnography as method*. Walnut Creek: Left Coast Press.

Cole, A. L., & Knowles, J. G. (2009). *Researching teaching: Explorong teacher development through reflexive inquiry*. Nova Scotia: Backalong Books.

Creswell, J. W., & Plano Clark, V. L. (2011). *Designing and conducting mixed methods research (2nd ed.)*. Thousand Oaks: Sage.

Feldman, A., Paugh, P. & Mills, G. (2004). Self-study through action research. In Loughran, J. J., et al. (Eds). *International Handbook of Self-study of Teaching and Teacher Education Practices*. Boston: Kluwer Academic Publishers.

Hamilton, M. L. & Pinnegar, S. (1998). Conclusion: The value and the promise of self-study. In Hamilton, M. L., et al. (Eds). *Reconceptualizing teaching practice: Self-study in teacher education*. London: Falmer Press.

Hobson, D. (2001). Action and reflection: Narrative and journaling in teacher research. In Burnaford, G. E., Fischer, J., & Hobson, D. (Eds.), *Teachers doing research: The power of action through inquiry*. Mahwah: Lawrence Erlbaum Associates.

Jones, A. (2005). Assessing international youth service programmes in two low income countries. *Volunteering Research, 7*(2), 87–100.

Leedy, P. D., & Ormrod, J. E. (2005). *Practical Research Planning and Design (5th ed.)*. New Jersey: Pearson Merrill Prentice Hall.

Loughran, J. J.& Northfield, J. (1998). A framework for the development of self-study practice. In Hamilton, M. L., et al. (Eds). *Reconceptualizing teaching practice: Self-study in teacher education*. London: Falmer Press.

Mertler, C. A. (2014). *Action Research: Improving Schools and Empowering Educators*. Thousand Oaks: Sage.

Moustakas, C. (1994). *Phenomenological Research Methods*. Thousand Oaks: Sage.

Muncey, T. (2005). Doing Autoethnography. *International Journal of Qualitative Methods, 4*(3), 1–12.

Reed-Danahay, D. E. (1997). *Auto/Ethnography: Rewriting the self and the social*. Oxford and New York: Berg.

Samaras, A. P., & Freese, A. R. (2006). Self-study of Teaching Practices. New York: PeterLang. 유정애 · 오수학 역(2012). **교육과 셀프 연구**. 서울: 대한미디어.

Singer, N. R. (2007). Taking time for inquiry: Revisiting collaborative teacher inquiry to improve student achievement. *English Leadership Quarterly, 29*(3), 7–10.

van Manen, M. (1990). Researching lived experience. Ontario: the University of Western. 신경림 · 안규남 역(1994). **체험연구**. 파주: 동녘.

_____ (2011). *Phenomenolgyonline*. http://www.phenomenolgyonline.com

Yin, R. K. (2011). *Qualitative research from start to finish*. New York: Guilford Press.

실행연구 계획서 쓰기

1. **서론 글쓰기**
   1) 문제 발견하기 ｜ 2) 연구 주제의 초점 좁히기 ｜ 3) 연구의 기여점과 제한점 고려하기
2. **이론적 배경 글쓰기**
   1) 이론적 배경 글쓰기의 의의 파악하기 ｜ 2) 이론적 배경 글쓰기의 실제
3. **연구 방법 글쓰기**
   1) 연구 맥락 소개하기 ｜ 2) 연구 방법 제시하기 ｜ 3) 연구 타당도 확보하기 ｜ 4) 연구 윤리 고려하기

　　　　　실행연구 계획서 쓰기 과정은 연구자가 어떻게 연구를 수행할 것인지에 대한 청사진을 그리는 것과 같은 과정이다. 또한 대부분의 실행연구가 질적 연구를 기반해서 이루어진다는 측면에서 질적 연구의 계획서를 적는 단계와도 거의 유사하다. 이러한 관점에 따라 실행연구의 계획서를 쓰기 위해서는 먼저 계획서에 어떤 내용을 써야 할 것인지에 대한 논의가 이루어져야 한다. Flick(2007)은 연구 계획서에는 연구의 목표, 이론적 틀, 연구의 구체적인 질문, 일반화 목표, 실증적 자료의 선택, 방법론적 절차, 표준화(standardization) 및 관여(control)의 정도, 사용할 수 있는 시간, 개인 및 물적 자원과 관련된 내용을 제시할 것을 소개하고 있다. 이러한 내용 요소들이 결국 서론, 이론적 배경, 연구 방법이라는 큰 범주에 포함될 수 있는 만큼 이 장에서는 이들 세 범주를 중심으로 실행연구 계획서를 쓰는 방법을 살펴보고자 한다.

1. 서론 글쓰기

연구 계획서를 쓸 때 서론에서는 연구의 필요성과 목적, 그리고 중요성과 집중적으로 탐구하고자 하는 연구 문제(질문)를 독자들에게 소개하게 된다. 더불어 왜 본 연구를 하고자 하는지를 명확하게 드러냄으로써 독자에게 연구의 타당성 및 참신성을 설득시키는 것 역시 중요하다. 이 연구가 왜 필요하다고 생각하는지, 왜 이 연구에 관심을 가지게 되었는지, 어떤 연구들이 있어 왔고 어떤 문제들이 해결되지 않았는지, 그렇기 때문에 어떤 연구 문제들이 탐구되어야 하는지 등에 대한 생각들이 논리적이고 명확하게 드러나야 하는 것이다. 일련의 과정은 관련된 주제에 대한 기존의 연구를 탐색하여 본 연구가 어떠한 의의를 지니고 기존의 연구와 차별성을 가질 수 있는지를 드러내게 된다. 같은 맥락에서 서론 글쓰기에서 저자가 가장 고민해야 하는 문제 중의 하나는 연구에 대한 독자의 흥미를 높일 수 있도록 써야 한다는 것이다. 이는 독자들에게 이 연구를 통해 얻고자 하는 것이 무엇인지를 알려 주는 것과 더불어 독자들이 연구를 매력적이게 느끼게끔 하고, 몰입시킬 수 있는 글쓰기의 기술도 중요하다고 지적했다. 그리고 이런 매력적인 글쓰기는 명확하고 논리적인 표현 방식을 통해 이룰 수 있을 것이다. 명확성과 논리성을 갖추면서 동시에 독자가 쉽게 읽을 수 있도록 쓰는 것, 그리고 독자의 수준에서 궁금해할 만한 내용을 예상하고 고려하여 글을 쓰는 것이 필요할 것이다.

1) 문제 발견하기

본격적으로 서론 글쓰기를 시작하면서 가장 먼저 해야 할 것은 연구를 위한 문제를 어떻게 발견했는지를 기술하는 것이다. 앞서 우리는 실행연구의 가장 큰 특징이 문제를 발견하고 이를 어떻게 변화시키고 개선시켜 나갈 수 있는지를 선순환적으로 탐색하는 과정이라는 것을 살펴보았다. 때문에 일반적인 연구 계획서와는 달리 실행연구 계획서에는 문제의 발견이 어떻게 이루어졌는지를 자세하게 기술하는 것이 실행연구만의 차별성을 드러내는 좋은 전략이 될 수 있다. 연구에 대한 고민은 단순히 기존의 이론에서 출발하기보다는 사회적 현안이나 쟁점, 연구자의 개인적인 경험 또는 연구자가 처해 있는 실제적인 상황으로부터 시작할 수 있는데, 다음 예시는 이들 중 연구자가 처한 실제적인 상황으로부터 문제를 발견하고 있다.

문제 발견 진술의 예시

연구자는 2009년 박사 과정 중에 개인적으로 4학년 화학교육과 예비교사의 졸업 논문을 지도하게 되었다. 지도했던 예비교사들은 3학년 2학기에 첫 번째 교육 실습을 경험했고, 4학년 1학기에 실시되는 두 번째 교육실습을 앞두고 있는 상황이었다. 논의를 통해 예비교사들의 졸업 논문 주제를 '교육 실습 수업 개선에 관한 실행연구'로 결정했다. 그런데 예비교사 중 1명이 교육 실습 중 수업 지도를 해 볼 기회를 갖지 못하는 상황이 발생했다. 현장지도 교사가 4학년은 임용고시 준비에 바쁠 테니 시험공부에 집중하라며 수업을 해 볼 기회를 주지 않았다는 것이다. 이러한 상황에 대해 예비교사들은 다른 학교들에서도 일반적으로 이루어지는 관행이라고 얘기했다. 교육 실습에서 현직 교사의 수업 지도를 받는 것은 고사하고 수업을 해 볼 기회조차 갖지 못한 채 교육 실습이 형식적으로 진행되고 있었다.

※ 위의 내용은 장효순(2014: 1)의 서론 중 일부를 제시한 것임.

교육학자인 Johnson(2008)은 실행연구의 주요한 세 가지 주제 영역을 새로운 교수법의 시도, 문제 확인, 관심 영역의 조사로 제시하고 있고, Mertler와 Charles(2011)의 경우에는 교실 환경, 교수 자료, 학급 관리, 교수 방법, 학생들의 성장 패턴과 교육과의 관련성, 성적과 평가, 학부모와의 관계 등으로 제시하고 있음을 확인할 수 있다.

문제를 어떻게 발견했는지에 대한 서론 서두의 진술은 향후 어떻게 연구를 진행해 나갈 것인지에 대한 많은 정보를 제공한다. 하지만 이를 조금 더 학술적인 차원에서 다듬는 작업이 필요한데, 이것이 바로 일반적인 연구에서 맨 앞에 위치하는 연구의 필요성 및 주제(목적)를 밝히는 과정이다. 즉, 해당 연구를 고민하게 된 배경과 연계하여 연구의 필요성을 제시하면서 관련된 연구의 주제를 전문적이고도 학술적으로 명확히 나타내는 것이 중요하다. 연구의 작은 씨앗에 해당하는 여러 연구 주제들 중에서 연구자는 자신만의 싹을 틔울 주제를 선택할 수 있다. 그리고 이러한 과정은 다음과 같은 일련의 질문들을 통해 더욱 구체화될 수 있다.

- 최근 만족스럽지 못했던 상황이 떠오르는가?
- 관련하여 어떤 문제나 딜레마, 이슈가 있는가?
- 실천의 영역에서 자신이 성취하고자 하는 것은 무엇인가?
- 그러한 전문가가 되려면 어떤 지식, 기술, 감성 등을 지녀야 하는가?
- 전문적 실천 과정에서 가지게 된 새로운 관심이나 도전거리가 있는가?
- 자신이 개선시키고자 하는 혹은 변화하고자 하는 내용이 있는가?
- 그렇다면 그건 프로그램과 관련된 문제인가? 아니면 내면적 성찰을 필요로 하는 문제인가?
- 관련하여 문제의식을 가지게 된 사회·경제적 이슈는 무엇인가?

위와 같은 일련의 질문들을 통해 연구자는 자신의 실천에 문제가 있고 이는 내면적인 성찰의 과정을 통해 변화를 도모해야 한다는 점을 인식했다고 가정한다. Arhar와 동료 연구자들(2001)은 이를 바탕으로 더욱 구체화된 관련 주제를 도출하기 위해 다음과 같은 종류의 질문들을 추가로 제시할 수 있음을 안내하고 있다.

- 그렇게 행동한 동기는 무엇인가?
- 나는 어떤 선입견을 가지고 있었나?
- 무엇이 문제로 여겨지나?

- 문제는 어디서부터 출발한다고 생각되나?
- 이러한 질문에 대한 답을 하는 데 영향을 미치는 선입견이나 편견 등은 없는가?
- 나의 행동은 어떤 점에서 효과적이고 혹은 위험했나?

즉, 자신의 실천에 영향을 미치는 요인이 프로그램상에 있는지, 아니면 자신이 내면과 관련되어 있는지 혹은 부조리한 사회적 구조와 관련되어 있는지를 파악한 후, 이를 심화시키기 위한 질문들을 추가로 던짐으로써 주제를 선명화하는 작업을 수행하는 것이다.

> 정보화 사회에서 학생들은 단순히 정보를 기억하고 소유하기보다는 다양한 종류의 정보 원천으로부터 올바른 정보를 찾고 문제 해결을 위해 정보를 분석 및 적용할 수 있는 사고력이 요구된다. 최근 사회과 교육에서 이러한 흐름과 함께 관심을 모으고 있는 것이 고등 사고력이다. 이러한 고등 사고와 관련하여 그 텍스트로서 우리가 고려해야 하는 것 중 하나가 '논쟁 문제'이다. (이하 중략) 학생들의 흥미를 끌면서도 사고력을 자극할 수 있는 수업 방법을 고민하다가 수업 내용으로는 사회과 논쟁 문제를, 방법으로서는 대립 토론 모형을 적용하고자 했다. (구정화·김두한, 2004: 3~4)

위의 예시에서 연구자는 사회적 현안으로서 정보화 사회에서 요구되는 고등 사고력을 소개하면서, 동시에 개인적 경험에 비추어 고등 사고력을 키우기 위한 방안들에 대한 고민 끝에 사회과 수업에서 논쟁 문제를 대립 토론 모형을 적용해 보고자 하는 연구의 목적으로 연계하고 있다. 즉, 연구자들은 일련의 질문들을 통해 실천의 문제, 즉 고등 사고력을 키우기 위한 방안으로서 논쟁 문제와 관련한 대립 토론 모형이라는 새로운 프로그램 개발 및 적용 그리고 시사점 도출 후 재적용이라는 일련의 과정을 추구했던 것이다.

우리는 다양한 연구에 따라 연구의 주제 및 목적이 얼마나 다양하게 설정될 수 있음을 예측할 수 있는데, 이와 관련하여 Maxwell(2005: 16)은 서로 다른 수준의 목적들이 연구의 차별성을 만들어 낸다고 했다. 예를 들어, 특정한 프로그램 또는 상품의 기능을 발견하는 실제적인 목적에서부터, 특정한 주제에 대한 일반적인 지식의 발전과 관계된 연구 목적, 그리고 졸업 논문이나 학위와 관련된 개인적인 목적 등이 이에 해당하는 것이다. 실행연구에서도 프로그램의 개선, 자기성찰, 사회적 변화 등 각각의 패러다임에 입각한 다양한 주제 설정이 필요한 만큼 왜 해당 연구를 하고 싶어하는지에 대한 배경과 목적이 이러한 틀 속에서 충분히 고민되어 제시되어야 한다.

2) 연구 주제의 초점 좁히기

앞서 큰 맥락에서 연구의 배경 및 목적 등을 살펴보았다면, 이번에 써야 할 것은 바로 연구의 초점을 어떻게 좁혀 가는지를 드러내는 것과 관련되어 있다. 이러한 과정이 필요한 이유는 연구의 주제가 너무 넓은 경우에는 제한된 시간과 인력, 그리고 노력으로 생각했던 주제를 충분히 다루지 못할 가능성이 높으며 자연스레 무엇을 말하고자 하는지가 모호하게 될 위험성이 있기 때문이다. 반대로 연구의 주제가 너무 좁을 경우에는 충분한 자료의 수집 및 분석이 어려워서 의미 있는 논의를 생성하기가 힘들 수 있다.

연구의 초점을 흐리는 넓은 주제의 예시	초점화된 연구의 예시
• 학교 밖에서의 교사의 삶은 어떠한가?	• 초등학교 교사의 여가 활동과 여가 활동 시간에 대한 탐색
• 문화적으로 다양한 학생들의 학습에 영향을 미치는 요인	• 학업적 성공을 더 어렵게 만드는 요인에 대한 다문화가정 학생들의 인식
• 읽기 기능을 발달시키는 데 있어서 읽기 연습의 중요성	• 5학년과 '짝'을 이루어 수행하는 읽기 연습이 1학년 학생들의 읽기 기능 발달에 미치는 효과

앞선 예시를 통해 알 수 있듯이 초점화된 연구의 예시는 넓은 범주의 주제에 비해 무엇을 연구하고자 하는지에 대한 손쉬운 이해를 돕는다. 그렇기 때문에 앞선 단계에서 크게 생각해 본 연구의 주제를 적절하게 초점화시키는 과정이 꼭 필요한 것이다. 이를 위해서는 현상의 이면을 심층적으로 분석해 보는 단계와 선행 연구물을 분석하는 과정이 함께 필요하다. 이 두 단계는 엄격하게 구분되기보다는 서로 상보적인 관계 속에서 되풀이되는 경우가 많다. 문헌 고찰에서 초점을 좁히는 과정은 흔히 '깔대기 효과'라고 한다. 일련의 과정은 연구 주제와 대략적으로 관련되는 문헌 탐색에서 연구 주제와 유사한 주제의 문헌 연구 혹은 주제와 동일한 주제의 문헌 탐색으로 이어진다. 예를 들어, 낙오학생방지법(NCLB, 2001)이 교실 평가가 실제에 미친 영향에 대한 교사들의 인식 연구를 위해서, 낙오학생방지법의 영향에 대한 문헌 고찰에서부터 시작해서 낙오학생방지법에 대한 교사들의 인식에 대한 선행 연구 탐색, 그리고 마지막으로는 낙오학생방지법과 교실 평가라는 초점화된 문헌 탐색이 이루어진다는 것이다.

연구 주제와 관련된 요소들의 인과관계를 밝히는 것 역시 연구의 초점을 좁히는 하나의 방법이 된다. 예를 들어 학생들이 맞춤법 시험에서 좋은 성적을 얻지 못하는 원인에 대한 탐색을 연구 주제로 삼는다면 관련된 내용에 대한 다음의 질문들을 통해서 연구의 초점을 좁힐 수 있다.

- 단계 1: 학생들은 시험에 대비한 공부를 하지 않는다.
- 단계 2: 학생들은 시험이 쉬울 것이고 따라서 공부할 필요가 없다고 생각한다.
- 단계 3: 학생들은 맞춤법을 학습하지 않고 단순히 단어를 기억하는 데 의존한다.
- 단계 4: 학생들은 맞춤법을 이해하지 못한다.
- 단계 5: 나는 다양한 맞춤법을 이해시키는 방식으로 가르치지 않았다.

이러한 과정들을 거쳐 연구하고자 하는 내용이 비교적 선명해질 수 있을 것이다. 결국, 연구자는 연구의 목적을 최종적으로 설정하는 것이 연구의 초점을 좁히는 주요한 이유가 되는데, 좁혀진 초점을 통해 다음과 같은 질문들을 던지는 것도 효과적일 것이다. 왜냐하면 아래 질문들은 앞서 고민한 연구 목적을 정련하고 다듬는 데 도움이 되기 때문이다.

- 다양한 맞춤법을 이해시킨다는 것은 무엇을 의미하는가?
- 다양한 맞춤법을 이해시킨 결과는 무엇일까?
- 다양한 맞춤법을 이해시키고자 하는 기존의 노력들은 어떠했나?
- 나는 어떤 방식으로 개선할 수 있을까?
- 만약 내가 생각하는 방식으로 바꾼다면 학생들의 반응은 어떠할 것으로 예상되는가?
- 그렇게 생각한 이유는 무엇인가?

연구의 목적과 필요성을 구체화시킨 연구 문제는 연구자가 구체적으로 무엇을 연구할 것인가를 진술한 문장으로서 연구에서 차지하는 위치는 상당히 크다 (김영천, 2012: 198). 그리고 종종 연구 질문은 연구의 목적과 동일한 의미로 쓰이기도 하지만, 최근 논문들의 경우에는 연구 질문을 따로 제기함으로써 연구 목적을 달성하기 위해 어디에 초점을 두고 연구를 수행할 것인지를 표현하는 경우가 많다.

연구 질문 진술의 예시

본 연구의 목적을 바탕으로 설정한 연구 문제와 연구 문제를 설정하게 된 배경은 다음과 같다.

첫째, 가정과 교사들을 교사 학습 공동체 활동에 지속적으로 참여하게 한 힘은 무엇인가?

교사 학습 공동체 활동은 연구자가 계획 단계에서 최소한으로 개발한 프로토콜과 일정으

(계속)

로 운영되었지만 연구자는 교사 학습 공동체 모임이 어떻게 지속적으로 이루어졌으며 또 참여 교사들이 모임이 지속되기를 바라게 되었는지에 대해 관심을 갖게 되었다. 어떤 힘이 교사 학습 공동체 구성원들로 하여금 자발적으로 참여하게 했으며, 또 지속적으로 참여하게 했는지를 살펴본다면 가정과 교사들의 전문성에 대한 욕구와 기대, 참여 동기를 파악할 수 있을 것으로 보았다. 이 연구 문제를 다룸으로써 교사 학습 공동체 활동의 어떤 특성이 모임의 지속성에 기여하는지 파악할 수 있을 것이다.

※ 위의 내용은 이경숙(2015: 74)의 연구 방법 중 일부를 제시한 것임.

그리고 연구 질문들 역시 보통 결론에서 제시할 큰 범주와 동일하게 2~3개의 큰 질문을 던지는 것이 일반적이다. 위의 사례와 연계해서 조금 더 살펴보자면, 이경숙(2015)의 연구 주제는 교사 학습 공동체 활동을 통한 가정과 교사의 성찰적 실천에 대한 실행연구이다. 이에 연구 문제를 앞선 첫 번째 질문을 포함해 세 가지로 제시했고, 각 연구 문제에 대한 부연 설명을 덧붙이는 형태로 연구 질문을 진술하고 있다. 계획서에 따른 최종적인 연구의 결과물 역시 이 세 가지 연구 질문에 근거해서 논의될 것임을 쉽게 예측할 수 있다. 그렇기 때문에 연구자는 연구 질문들을 설정하고 진술할 때 연구의 초점이 좁혀진 주제를 고려하여 이를 구체적으로 논의할 수 있는 요소 혹은 내용을 중심으로 연구 질문을 기술해야 함을 생각해 볼 수 있다.

3) 연구의 기여점과 제한점 고려하기

여타 연구에서 연구의 기여점과 제한점은 생략되는 경우도 많다. 먼저 연구의 기여점은 앞서 연구의 필요성을 피력하는 부분에서 연구의 중요성을 다루는 경우가 많기에 생략하는 경우가 대부분이다. 하지만 연구자는 연구 문제에 대한 학술적 탐구의 필요성뿐 아니라 연구 문제에 대한 탐색이 학문 분야와 교육 현장에서 그 어떤 실제적인 기여를 할 수 있는지에 대해 안내할 수 있어야 한다. 이는 연구/탐구 자체에 대한 가치를 지나치게 강조하면서 그 결과가 갖는 실제적, 현장적, 기관적 시사점과 기여점에 대하여 심도 있게 생각하지 않는 경우를 지양하기 위해서이다(김영천, 2012: 207). Marshall과 Rossman(2006) 역시 연구의 기여점에 대한 기술에 있어서 연구자가 고려해야 하는 내용을 다음과 같은 네 가지로 제시하고 있다. 첫째, 누가 해당 탐구 주제에 관심을 가지고 있는가이다. 둘째는 해당 주제에 대하여 이미 밝혀진 내용은 무엇인지, 셋째는 기존의 연구에서 적절하게 답해지지 않은 내용은 무엇인지를 기술해야 한다고 했다. 마지막으로 해당 연구 주제가 관련 학문 영역의 지식, 실제, 정책에 어떤 기여를 할 것인지를 나타내면 된다고 안내하고 있다.

다음 사례는 박영은(2015: 9)이 '초등학교 교사의 자기연구를 통한 수학 수업 전문성 신장에 관한 연구'라는 주제로 서론에 밝힌 연구의 기여점 중 일부 내용이다.

연구의 기여점 진술의 예시

첫째, 자기연구 실천 매뉴얼은 수학 수업 개선을 시도하는 교사에게 보다 체계적인 과정과 절차를 제공하여, 컨설팅이나 장학과 같은 외부적, 제도적 지원에 의존하지 않고 교사 스스로 자발적인 노력을 통한 수업 전문성 신장 방안의 하나로 활용될 수 있다. 특히 수업 전문성 신장과 관련하여 상대적으로 그 지원이 미흡한 경력 교사들에게 유용하게 활용될 수 있다.

- 중 략 -

넷째, 본 연구를 통해 교사들에게 자기연구를 소개하고 연구에의 참여를 독려함으로써, 자기연구를 실천하는 교사가 많아지고 이를 통해 얻은 실천적 지식을 공유하고 함께 성장하는 교사 문화가 만들어지기를 기대한다.

앞서 연구의 기여점을 명확히 밝히는 과정의 중요성에 대해 살펴보았지만, 한편으론 연구의 제한점을 밝히는 것 역시 독자들에게 해당 연구의 진실성 및 신뢰도를 높이는 데 효과적인 방법이 될 수 있다. Patton(1990)은 완전한 연구는 존재할 수 없다고 언급했다. 질적 연구에 기반한 실행연구의 경우, 특정 이론의 일반화 혹은 이론의 검증을 목적으로 하지 않는 만큼 이 연구가 어떠한 점에서 제한점으로 의미가 있을 수 있는지에 대한 제시는 꼭 필요하다. 이는 연구의 수준을 떨어뜨리는 것이 아니라 독자들에게 무엇을 연구할 것인지에 대해, 즉 어떻게 연구의 결론이 현상의 이해에 도움을 줄 수 있을지 혹은 없을지에 대한 연구의 범위에 대해 알게 해 주는 효과가 있다.

연구의 제한점 진술의 예시

그렇지만 이 연구에서 최종적으로 산출된 결과는 신뢰성과 타당성으로 평가하면 그리 만족스러운 것이 되지 않을 수 있다. 실행연구뿐 아니라 대부분의 질적 연구의 결론은 양적 연구와 같은 수준의 신뢰성과 타당성을 확보하기 힘들다. 이로 인해 질적 연구를 행하는 학자들은 고정관념처럼 되어 버린 타당성과 신뢰도라는 평가 잣대에 대한 두려움을 용감하게 버려야 한다는 지적이 있기도 하다(이용숙 외, 2006: 39). 그렇지만 아무리 용감한 질적 연구자라도 자신의 연구 작업이 잘된 것인지 자신이 도출한 결론이 타당한 것인지 평가해 보아야 할 것이다. 이를 위해 본 연구자는 스티븐슨(1996)이 제안한 실행연구의 타당성 기준을 수용하여 연구의 타당도를 높이려 할 것이다.

※ 위의 내용은 황혜진(2007: 360)의 서론 중 일부를 제시한 것임.

2. 이론적 배경 글쓰기

이론적 배경을 드러내는 작업은 말 그대로 연구를 뒷받침하기 위한 혹은 해당 연구를 이해하기 위해서 살펴봐야 할 논의들을 중심으로 이루어진다. 이론적 배경은 학술지 논문보다는 학위 논문에서 그 비중에 조금 더 강조되는 현실이다. 왜냐하면 학술지 논문의 경우에는 주로 관련 전문가들이 일반적으로 20~30페이지로 지면이 제한되는 요건 속에서 결론까지 제시해야 하기 때문에 이론적 배경을 자세하게 제시하기에는 어려움이 있기 때문이다. 그럼에도 생략되는 경우는 거의 없다는 점에서 그 중요성을 생각해 볼 수 있다.

이론적 배경을 밝히는 부분에서는 서론에서 연구자가 왜 연구를 하고 싶어하고 이 연구가 기존의 연구와 달리 어떠한 점에 중점을 두는지를 대략적으로 언급했다면, 여기에서는 독자들에게 주제와 관련된 심층적이고 학술적인 배경을 제시함으로써 연구의 전문성을 높이고 동시에 독자들의 이해를 한층 향상시키는 데 목적을 둔다. 때문에 이론적 배경을 드러내는 장에서는 연구의 기초가 되는 이론적 관점을 제시하고, 연구 주제와 관련된 연구 동향을 소개할 수도 있다. 그리고 만약 해당 연구에서 수행하고자 하는 연구 방법이 기존의 독자들 혹은 학계에 잘 알려지지 않은 경우에는 해당 연구 방법의 이론적인 근거를 제시함으로써 연구 방식의 적합성을 제고할 수도 있다.

1) 이론적 배경 글쓰기의 의의 파악하기

본격적인 이론적 배경의 글쓰기를 위해서는 먼저 이론적 배경 글쓰기가 해당 연구에서 어떠한 의의를 가지는지를 살펴야 한다. 엄밀한 의미에서 이론적 배경이 연구 계획서 쓰기에서 가지는 의의를 아는 것은 실질적인 글쓰기의 과정에는 포함되지 않지만, 앞선 고민들이 연계되어 결국 설득력 있고 매력적인 이론적 글쓰기가 가능하다는 점에서 꼭 생각해 봐야 한다.

김영천(2012)에 따르면 이론적 배경의 활용은 양적 연구와 질적 연구에 있어서 다른 역할을 한다. 이론의 완성과 법칙의 발견을 목적으로 하는 양적 연구에서 이론적 배경이 차지하는 비중은 매우 크다. 왜냐하면 양적 연구자들은 기존 이론의 정당성을 끊임없이 검증하여 그 이론의 타당성을 확보하고 일반화하는 데 초점을 두기 때문에 연구할 문제와 관련된 배경 지식과 기존 이론에 대하여 통달해 있어야 하며 그러한 이론에 대한 배경 지식에 박식하다는 증거를 이론적 배경에 대한 완벽한 서술을 통하여 드러내야 한다. 그 결과로서 양적 연구에서 이론적 배경에 대한 서술은 길며, 세부적이며, 체계적이고, 안내적이어야 한다(김영천, 2012: 210).

그러나 질적 연구에서 이론적 배경의 활용은 양적 연구에 비해 상대적으로 그

만큼 강조되지 않는 것이 일반적이다. 왜냐하면 질적 연구의 전제 자체가 절대적인 이론은 존재하지 않는다는 것이기에 이론에 대한 지나친 신봉은 질적 연구의 궁극적인 목적에 부합되지 않는다고 보는 것이다(김영천, 2012: 211). 또한 질적 연구에서는 익숙하지 않은, 일반적이지 않은, 주류적이지 않은 현상을 연구하는 경우도 많은데, 이때 일종의 연구를 어떻게 수행하겠다고 서술하는 계획서에 주제와 관련된 이론적 배경을 풍부하고 명료하게 밝히는 것은 매우 어려운 일이 될 것이다.

Marshall과 Rossman(2006)은 질적 연구에서 이론적 배경 글쓰기가 가지는 의의를 소개하고 있는데 첫째, 연구 주제 뒤에 감추어져 있는 가정이 무엇인지를 드러내 준다는 것이다. 즉, 그 연구자는 어떤 연구 패러다임에 입각해 연구하고 있으며 연구라는 작업에 대하여 연구자가 부여하는 가정들이 무엇인지를 드러내야 한다는 것이다. 둘째, 연구자가 연구 주제와 관련하여 상당히 해박한 지식을 소유하고 있으며 그 연구를 지지할 수 있는 지적 전통들에 대하여도 깊은 지식을 갖고 있다는 것을 표현해 준다. 이는 양적 연구에서와 마찬가지로 학술적인 글쓰기를 할 때, 연구자들이 자신의 전문성을 드러내는 일이 중요함을 암시한다. 셋째, 선행 연구물에서 해결하지 못한 이유들이 있고, 본 연구가 그러한 이슈들에 기여할 것이라는 점을 강조하는 역할을 한다.

2) 이론적 배경 글쓰기의 실제

본격적인 이론적 배경 글쓰기를 위해서는 먼저 주제와 관련된 이론들을 제시하는 것이 일반적이다. 주로 제목 등을 통해 드러나는 주제어들에 이론적 배경을 밝히는 경우가 많은데, 이는 관련 주제어에 대한 심층적인 이해를 도모하는 것이다.

┌───┐
│ ◉ 이론적 배경 목차의 예시 1   │
├───┤
│ 1. **수학 수업 전문성**   │
│   가. 수업 전문성   │
│   나. 수학 수업 전문성   │
│ 2. **자기연구**   │
│   가. 자기연구의 개념   │
│   나. 자기연구의 특성   │
│   다. 자기연구의 방법   │
│   라. 자기연구의 과정   │
│   마. 선행 연구 고찰   │
└───┘

※ 위의 내용은 박영은(2015)의 박사학위 논문 중 이론적 배경의 목차를 제시한 것임.

위의 논문 제목은 '초등학교 교사의 자기연구를 통한 수학 수업 전문성 신장에 관한 연구'이다. 이론적 배경에서는 연구와 관련하여 연구자가 갖추고 있는 전문성이 어떠한지, 그리고 해당 연구를 어떠한 맥락에서 수행하는지에 대한 학술적인 맥락이 충분히 설명될 수 있어야 한다.

┌───┐
│ ◉ 이론적 배경 목차의 예시 2   │
├───┤
│ 1. **다문화교육의 목적과 의미**   ▶ • 좌측 내용의 해당 장은 2장임 │
│ 2. **초등학교 다문화교육의 실태**   • '다문화학습 활동' 관련 이론적 배경 │
│ 3. **다문화학습 활동의 구성**   │
│ ‑‑ │
│ 1. **반성적 실천 연구**   ▶ • 좌측 내용의 해당 장은 3장임 │
│   가. 반성적 실천 연구의 관점   • '반성적 실천 연구' 관련 이론적 배경 │
│   나. 반성적 실천 연구의 과정   │
└───┘

※ 위의 내용은 박정문(2008)의 학술지 논문 목차 중 일부를 제시한 것임.

일반화시킬 수 없지만 위의 두 예시를 살펴보면 이론적 배경 글쓰기를 할 때 포함시켜야 할 내용들을 잘 탐색할 수 있다. 이론적 배경 글쓰기를 위해서는 제목을 신중하게 설정하는 것도 중요한데, 제목 속의 주제어들 중 해당 분야를 잘 알지 못하는 독자의 경우 이 용어가 무엇을 의미하는지를 궁금해할 것 같은 내용을 중심으로 이론적 배경 글쓰기를 수행하는 경우가 대부분이기 때문이다. 앞서의 경우에서도 살펴보면 첫 번째 논문의 제목은 '초등학교 교사의 자기연구를 통한 수학 수업 전문성 신장에 관한 연구'임을 알 수 있고 조금 낯설게 다가올 수 있는 용어는 '자기연구'와 '수학 수업 전문성'임을 생각해볼 수 있다. 자연스레 해당 연구자는 이론적 배경에서 이 두 용어를 가지고 이론적 배경 글쓰기를 수행했다. 그리고 이 때 한 가지 더 생각해 볼 점은 일상생활에서 쉽게 사용되는 용어이지만 재개념화 또는 정확한 의미를 다시 한 번 짚어 줄 필요성이 있을 때는 이에 대한 정리를 이론적 배경 부분에서 할 수 있다는 것이다. 예를 들어, '수학 수업 전문성'의 경우는 학술적인 의미가 아닌 일상생활에서도 흔히 쓰이는 광범위한 뜻의 용어이다. 그렇기 때문에, 연구자가 말하고자 하는, 그리고 연구를 통해 신장시키고자 하는 수학 수업의 전문성이란 과연 무엇인지를 독자에게 알려 주는 과정이 필요한 것이다.

⊙ **이론적 배경 글쓰기의 예시(주제어 관련)**

본 장에서는 수학 수업 전문성 신장을 위한 교사의 자기연구를 지원하는 방안을 찾고자 다음과 같은 이론적 검토를 실시했다. 첫째, 수업 전문성의 의미와 수학 수업 전문성 기준에 대해 살펴보고 수학 수업 전문성의 개념을 정의했다. 둘째, 자기연구의 개념과 특징, 자기연구를 실행하는 방법과 그 과정에 대해서 살펴보았다. 또한 교사의 자기연구에 대한 선행연구를 고찰하여 본 연구에 반영할 시사점을 도출했다.

1. 수학 수업 전문성

가. 수업 전문성

수업은 교사가 수행해야 하는 가장 기본적인 업무로, 교사에게 요구되는 핵심 능력 중 하나가 수업을 성공적으로 구현하는 능력, 수업 전문성이다. 수업 전문성이란 가르쳐야 할 내용과 학생에 대한 이해를 바탕으로 적절한 교수 방법을 사용하여 수업 목표에 성공적으로 도달하도록 이끄는 교수 능력을 말한다.

※ 위의 내용은 박영은(2015: 10)의 이론적 배경 중 일부를 제시한 것임.

아래 논문 목차를 살펴보면 이론적 배경 글쓰기 요소에 포함되는 주제어 관련 내용이라든지 연구 방법론 관련 내용 외에도 '선행 연구물 고찰'이 이론적 배경에 포함되어 있음을 확인할 수 있다. 앞서 우리는 이론적 배경 글쓰기의 목적이 기존의 연구와 달리, 해당 연구가 얼마나 참신성이 있는지 혹은 기존의 문제들이 해결하지 못한 어떠한 이슈와 관련되어 있는지를 밝히는 것이 중요하다는 점을 살펴보았다.

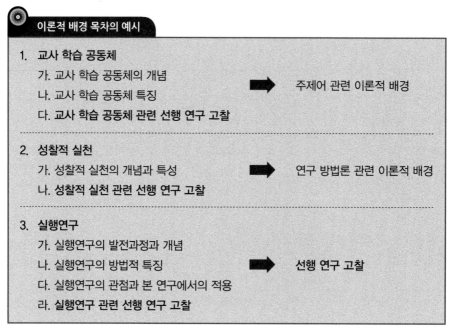

이론적 배경 목차의 예시

1. **교사 학습 공동체**
   가. 교사 학습 공동체의 개념
   나. 교사 학습 공동체 특징   ➡ 주제어 관련 이론적 배경
   다. 교사 학습 공동체 관련 선행 연구 고찰

2. **성찰적 실천**
   가. 성찰적 실천의 개념과 특성   ➡ 연구 방법론 관련 이론적 배경
   나. 성찰적 실천 관련 선행 연구 고찰

3. **실행연구**
   가. 실행연구의 발전과정과 개념
   나. 실행연구의 방법적 특징   ➡ 선행 연구 고찰
   다. 실행연구의 관점과 본 연구에서의 적용
   라. 실행연구 관련 선행 연구 고찰

※ 위의 내용은 이경숙(2015)의 박사학위 논문 목차 중 일부를 제시한 것임.

때문에 이론적 배경에서 각 주제어 혹은 연구 방법론과 관련한 선행 연구 고찰은 이러한 이론적 배경 글쓰기의 필요를 충분히 만족시킬 수 있는 과정이 된다.

유난숙(2009)은 가정과 교사들이 수업에서 가정 교과 교육학 지식을 어떻게 형성하고, 반성적으로 성찰하면서 발달시켜 나가는지를 살펴봄으로써 가정 교과 교육학 지식을 이해하는 데 있으며, 이를 위해 중고등학교 가정과 교사 10명을 대상으로 심층 면담을 통해 수집된 자료를 분석하여, 가정과 교사들이 가정 교과 교육학 지식을 반성적으로 성찰하여 가정교과관 지식, 가정과 교육과정 지식, 실천적 문제 중심 수업 전략에 관한 지식, 상황 지식으로 재구성하여 발달시킨다고 했다.

위와 같은 선행 연구들을 살펴보면서 교사의 성찰적 수업 실천에 대한 이론적 탐색과 Schön의 '성찰'에 대한 개념을 탐구하는 등의 이론적 접근 방법과 '성찰'과 관련한 수업 사례, 티칭 포트폴리오 개발 사례, 반성적 실행을 통한 사회과 교사 자질 개선, 성찰적 실천과정을 적용한 웹 기반 프로젝트 중심 학습 연구 사례 등이 다양하게 연구되었으나, 유난숙(2009)을 제외하고는 깊이 있게 가정과 교사들을 위한 성찰적 실천에 대한 국내 연구가 미흡한 상태이다. 교사 학습 공동체를 통한 성찰적 실천에 대한 연구는 전문적 실천가로서의 가정과 교사로 성장하는 데 기여할 것이기에 활발한 연구가 절실하다.

※ 위의 내용은 이경숙(2015: 32~33)의 이론적 배경 중 일부를 제시한 것임.

제목 등과 같은 주제어를 바탕으로 한 이론적 배경 글쓰기와 더불어 관련 주제에 대한 연구 동향을 제시하는 것 역시 이론적 배경 글쓰기에서 중요한 부분을 차지한다. 이는 대부분의 사회과학 연구가 한 연구자가 선택한 이론에 기초하여 이루어진다는 점에서 연구자가 연구 계획서에서 자신이 현상/실재를 분석하기 위하여 의존하게 될 이론이 무엇인가를 기술하는 것은 당연하다는 관점에 의거한다. 특정한 이론 체계 없이 현상과 경험을 기술한다는 것은 불가능하기 때문에 사회과학 연구자들은 자신이 선택한 이론에 기초하여 현상을 기술하고 해석하고자 한다. 그리고 이러한 과정에서 연구의 설득력을 높이기 위해서는 관련 주제에 대한 연구가 얼마나 진행되어 왔고 때문에 본 연구가 어느 정도의 학문적 위치성을 가지는지를 제시하는 과정이 필요한 것이다. 그리고 이러한 위치성을 언급하기 위해서는 관련 연구 및 주제에 대한 연구 동향을 제기하게 된다.

자기연구는 교사의 실천과 관련한 문제를 해결하기 위해 다양한 연구 방법을 사용한다. 자기연구의 특성을 고려하여 볼 때 양적 연구 방법보다는 질적 연구 방법이 주로 사용되며, 그중에서도 실행연구나 내러티브 탐구가 자기연구에 많이 사용되어 왔다.

- 중략 -

따라서 처음 자기연구를 실천하는 교사들에게 수업을 실행하는 과정 그 자체를 연구 방법으로 삼으면서 비판적 동료의 반성적 질문으로 연구를 진행해 나가는 방법을 추천하여 볼 수 있다. 그러기 위해서는 연구 과정을 이끌어 줄 비판적 동료나 혹은 그 역할을 대신할 수 있도록 자기연구를 진행하는 절차와 각 단계별 활동, 그 단계에서 고민해야 하는 반성적 질문들이 담겨 있는 자기연구 실천 매뉴얼이 요구된다. 다음 절에서 이와 관련하여 자기연구 과정에 대해 살펴보고, 그 과정에 따라 교사가 고민해야 하는 반성적 질문에는 어떤 것들이 구성되어야 하는지 살펴보았다.

※ 위의 내용은 박영은(2005: 28~30)의 이론적 배경 중 일부를 제시한 것임.

3. 연구 방법 글쓰기

연구 계획서의 서론과 이론적 배경을 통해 연구의 필요성 및 주제를 전문적으로 구체화시켰다면 연구 방법 글쓰기에서는 해당 연구를 이끌기 위해서 실제로 하고자 하는 것이 무엇인지를 기술해야 한다. 즉, 어떠한 연구 맥락에서 어떤 방법적 접근을 통해 어떤 자료를 모으고 어떻게 분석할 것인지에 대한 내용이 구체화되어야 한다. 또한 연구 자료에 대한 접근과 분석이 어떻게 서로 연계되는지, 연구의 타당도를 높이기 위해서 어떠한 노력을 기울일 것인지, 그리고 연구 과정에서 고려해야 할 연구 윤리가 무엇인지에 대한 체계적이고 논리적인 설명이 필요하다.

1) 연구 맥락 소개하기

연구 방법의 시작은 연구 맥락 소개부터 이루어진다. 이 부분에서는 연구의 전체적인 맥락뿐 아니라 연구자, 연구 참여자들에 대한 정보가 상세하게 제공된다.

특히 실행연구에서는 주로 특정한 대상 또는 소수의 사례를 대상으로 연구를 진행하는 경우가 많기 때문에 연구자, 연구 참여자에 대한 구체적인 안내가 필수적이다. 그리고 연구 참여자들 및 연구가 이루어지는 장소를 어떻게 표집했는지에 대해 소개하는 과정이 있어야 한다.

> ### 연구 방법 글쓰기의 예시(연구 맥락 관련)
>
> 연구자는 중학교 과학 교사로 12년을 재직하다가 육아휴직을 하고 있던 2007년에 대학원에 진학했다. 연구자가 대학원에 진학한 이유는 학부 과정에서 과학 교육에 대해 제대로 배울 수 있는 기회를 갖지 못했기 때문에 더 잘 가르칠 수 있는 과학 교사가 되기 위해 과학 교육에 관한 공부를 더 해 보고 싶었기 때문이다.
>
> - 중략 -
>
> 연구자가 과학 수업을 진행하면서 보람을 느낄 때는 학생들에게 던진 탐침 질문을 통해 학생들이 스스로 과학 지식이나 원리를 발견하고 앎의 기쁨을 누리는 것을 보는 순간이었다. 연구자가 이런 과학 수업을 지향하는 데 가장 큰 영향을 준 것은 교육 실습 지도 교사의 수업이었다.
>
> - 중략 -
>
> 석사 과정에서 PCK 관련 선행 연구를 고찰하면서 예비교사 교육에 대해 많이 접하게 되었을 뿐만 아니라 박사 과정 중 예비교사를 대상으로 '과학교재론'과 '과학교육론'을 강의하게 되면서 연구 관심은 교사 교육에서 예비교사 교육으로 확장되었다. 특히, 예비교사의 졸업 논문을 지도하면서 느꼈던 형식적인 교육 실습에 대한 문제의식은 교육 실습 내실화 방안에 대한 연구 필요성을 느끼게 했으며 그로 인해 이 연구를 수행하게 되었다.

※ 위의 내용은 장효순(2014: 64~65)의 연구 방법 중 일부를 제시한 것임.

앞선 예시에서 살펴볼 수 있듯이, 연구자가 어떠한 상황에서 어떤 생각을 가지고 연구를 진행하고자 하는지를 제시하는 것은 연구 자료를 수집하고 분석하여 결론을 이끌어 내는 과정에서 연구자의 관점이 어떻게 작용하고 있는지를 살펴보는 데 큰 도움이 된다.

또한 실행연구에서는 연구 참여자라는 표현이 '연구 대상' 또는 '피험자'라는 용어 대신 사용되는 경우가 많다. 이는 대부분의 실행연구가 질적 연구의 맥락 혹은 질적 연구와 양적 연구의 혼합 연구 형태로 이루어지는 경우가 많기 때문이다. 이는 질적 연구에서는 새로운 지식 생산을 위하여 기꺼이 연구 작업에 참여한 사람들의 자유의지와 능동성, 존중감을 드러내기 위하여 '연구 참여자'라는 용어를 사용하는 경우가 많기 때문이다(김영천, 2012: 216). 연구 맥락을 기술할 때는 연구 참여자들에 대한 소개 역시 필요한데, 이는 실행연구에서 추구하는 대로 연구자와 연구 참여자가 영향을 주고받으면서 실제를 어떻게 변화시켜 나가는지를 살펴보기 위해서는 연구 참여자들에 대한 이해 역시 필수적이기에 이에 대한 상세한 기술이 필수적인 것이다.

연구 방법 글쓰기의 예시(연구 참여자 맥락 관련)

연구 참여자 1과 2는 현재 초등학교에서 근무 중인 교원이다. 연구 참여자 1은 올해 교육경력 9년차의 남교사이며, 연구 참여자 2 역시 교육경력 6년차의 남교사이다. 이들은 모두 A교육대학교 대학원의 '교육과정과 수업' 학과를 졸업했으며, 현재 연구 참여자 1은 B대학교 초등교육과 박사과정에 있으며, 연구 참여자 2는 C대학교 교육학과 박사과정 중이다. 교육과정과 관련된 다양한 세미나에 참여하면서 인연을 맺게 되었고, 본 연구의 교신 저자인 A교육대학의 교육학과 교수이자 질적 연구와 교육과정 전문가인 연구 참여자 3이 중심이 되는 연구 세미나에 약 5년 전부터 정기적으로 참여하게 되면서 연구자들은 다양한 연구를 함께 수행 중에 있다.

※ 위의 내용은 박창민 · 조재성 · 김영천(2016: 192)의 연구 방법 중 일부를 제시한 것임.

실행연구에서의 표집 방법은 주로 목적 표집 방식을 활용한다. 즉, 임의의 연구 참여자를 선정하는 것이 아닌 연구자가 연구 참여자 및 연구 장소를 직접 선택하는 것을 의미한다. 양적 연구에서 추구하는 일반화나 이론 검증이 연구의 목적이 아니기 때문에 무선 표집을 하지 않으며 연구자가 연구의 목적에 맞는 대상을 직접 찾아서 선택하여 연구한다. 때문에 어떤 의도를 가지고 어떠한 과정을 통해 연구 참여자와 장소를 선정(표집)했는지에 대한 상세한 기술이 요구된다.

연구자들은 다문화교육과 관련된 연구를 오랜 기간 진행하면서 관계를 맺게 된 여러 초등학교 현직 교사들과의 개인적인 인맥을 주로 활용했다. 연구자들이 기존에 알고 있던 교사들 중에서 다문화가정 학생을 직접 담당하는 혹은 담당해 본 경험이 있는 담임교사들, 다문화교육 업무를 2년 이상 담당했던 교사들, 그리고 다문화교육 지역 중점학교 및 다문화교육 관련 시범학교 근무 교사들로 연구 참여자 후보군을 구분했다. 그리고 이들 후보군과 직접 만나거나 또는 전화나 이메일 등을 활용한 개인적인 연락을 취해 연구의 취지를 설명한 후 참여 승낙을 받는 과정을 거쳤다. 혹 연락을 취했던 연구 참여자 후보군 중 개인적인 사정으로 참여가 어려운 경우에는 다른 교사의 소개를 부탁했고, 이들에게 다시 연락을 취해 연구의 승낙을 얻는 과정을 거쳤다. 이러한 결과, 최종적으로 6명의 연구 참여자를 선정할 수 있었다.

※ 위의 내용은 박창민 · 조재성 · 김영천(2016: 192)의 연구 방법 중 일부를 제시한 것임.

김영천(2012: 226)은 현장에 들어가는 것을 허락받는 것이 연구의 절반의 성공을 의미하는 질적 연구에서는 연구자가 현장에 어떻게 들어가 어떤 역할과 관계를 형성하면서 연구 작업을 하게 되었는지를 설명하는 것은 당연하다고 제시하고 있다. 또한 연구자가 현장에 들어가기 위하여 어떤 노력을 했는지를, 할 것인지를 기술하는 것 역시 필요하다고 했다. 현장에 들어가기 위하여 어떤 절차를 거쳤으며 어떤 사람들, 예를 들어 연구 장소의 기관장이나 연구 참여자가 어린 경우라면 보호자 등을 만나서 최종적인 연구 허락을 받아냈는지, 그리고 이러한 과정을 거쳐 함께하게 된 연구 참여자나 연구 장소에 대한 첫인상이나 느낌 등을 포함시키면 된다고 제시했다.

현장에서 실제로 교육이 이루어지는 모습을 관찰하는 과정이 필요했기 때문에, 해당 학교 혹은 교사의 허락을 구하는 과정이 선행되어야 했다. 이 과정에서 면담 대상자인 연구 참여자의 협조를 많이 구했는데, 연구 참여자가 담임교사인 경우에는 자신이 담당하는 학급의 수업 모습을 공개하면 되기 때문에, 연구자들이 살펴보고자 하는 수업이 있는 날을 연

(계속)

구자들에게 미리 안내해 주고 시간을 조율했다. 그 후 해당 수업이 있는 날 연구자가 연구자의 학급을 직접 방문해서 참여 관찰을 수행할 수 있었다. 하지만, 전담 교사라서 담당하는 학급이 없었던 연구 참여자 3, 4의 경우에는 연구 참여자들이 학교 관리자의 허락을 따로 구해야 했다. 이 경우에는 연구 참여자의 협조를 적극적으로 구했는데, 연구 참여자들이 자신들이 근무하고 있는 학교의 관리자 혹은 교사에게 관련된 내용을 설명하고 허락을 받은 뒤 해당 학교의 프로그램 및 수업 진행에 대한 참여 관찰을 실시할 수 있었다.

※ 위의 내용은 박창민 · 조재성 · 김영천(2016: 192)의 연구 방법 중 일부를 제시한 것임.

1) 연구 방법 제시하기

연구 맥락의 소개 다음에는 연구 절차에 대한 글쓰기가 먼저 이루어져야 한다. 해당 부분은 연구 자료 수집 및 분석의 과정을 먼저 소개한 다음에 기술하

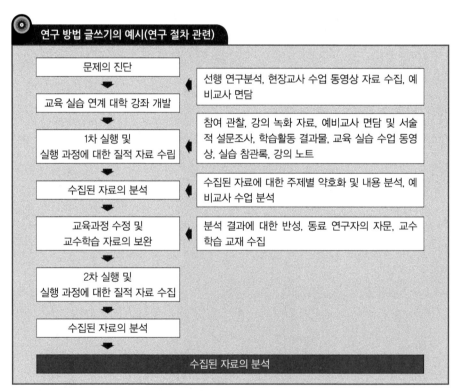

연구 방법 글쓰기의 예시(연구 절차 관련)

문제의 진단	선행 연구분석, 현장교사 수업 동영상 자료 수집, 예비교사 면담
교육 실습 연계 대학 강좌 개발	
1차 실행 및 실행 과정에 대한 질적 자료 수집	참여 관찰, 강의 녹화 자료, 예비교사 면담 및 서술적 설문조사, 학습활동 결과물, 교육 실습 수업 동영상, 실습 참관록, 강의 노트
수집된 자료의 분석	수집된 자료에 대한 주제별 약호화 및 내용 분석, 예비교사 수업 분석
교육과정 수정 및 교수학습 자료의 보완	분석 결과에 대한 반성, 동료 연구자의 자문, 교수학습 교재 수집
2차 실행 및 실행 과정에 대한 질적 자료 수집	
수집된 자료의 분석	

수집된 자료의 분석

※ 위의 내용은 장효순(2014: 62)의 연구 방법 중 일부를 제시한 것임.

기도 하지만, 주로 연구의 맥락을 안내한 다음에 기술하는 경우가 많다.

연구의 절차를 제시하는 부분은 일목요연하게 어떻게 연구 과정을 수행할 것인지를 명확하게 제시해야 한다. 실행연구의 경우에는 변화와 개선을 목적으로 하는 연구이기에 어떤 문제를 진단하여 어떠한 연구 주제를 설정했는지, 그리고 순환 과정의 1차 실행과 2차 실행을 어떻게 수행할 것이고, 마지막으로 이러한 실행연구를 통해 도모하고자 하는 개선된 실제에 대한 내용을 기술해야 한다.

연구 절차에 대한 소개가 연구를 어떻게 본격적으로 수행해 나갈 것인지에 대한 개요 역할을 했다면, 자료 수집과 분석은 어떠한 종류의 연구 자료를 어떤 방법과 과정으로 수집할 것이며, 이렇게 모아진 자료들을 어떤 기준 혹은 방식으로 어떻게 분석할 것인지를 소개하는 과정이 된다.

연구 방법 글쓰기의 예시(연구 자료 수집 관련 1)

심층 면담은 현재 학교 현장에서 실천되고 있는 다문화교육에 대한 일선 교사들의 생각 및 의견을 더욱 깊이 있게 수집하기 위해 실시했다. 심층 면담은 2014년 3월부터 12월까지 약 10개월에 걸쳐 이루어졌으며, 한 달에 1회 이상 꾸준한 면담이 실시될 수 있도록 했다. 다문화가정 학생의 담임교사(연구 참여자 1과 2), 다문화교육 업무 담당자(연구 참여자 3과 4), 다문화교육 지역중점학교 근무교사(연구 참여자 5), 다문화교육 관련 연구학교 근무교사(연구 참여자 6) 군으로 면담집단을 구분한 후, 이들과의 일대일 면담을 실시했다.

아울러, 개별적으로 진행되는 심층 면담 과정에서는 각 연구자들이 꼭 살펴봐야 할 중요한 내용을 잊어 버린 채 면담을 진행하는 경우를 지양하기 위해, 다음과 같은 공통된 면담 가이드를 제작하여 활용하여 반구조화된 면담을 진행했다. 아래와 같은 면담 가이드를 설정한 이유는 현재 학교에서 이루어지고 있는 다문화교육 프로그램이 어떤 목적에서 어떻게 실시되고 있는지, 이러한 프로그램에 학생들이 실제로 만족하는지, 만약 만족하지 못했다면 그 이유가 무엇인지, 그리고 어떤 방향으로 다문화교육이 이루어져야 하는지를 내부자적인 관점에서 면담하는 과정을 통해 학교 현장에서의 다문화교육 현실을 비판적으로 고찰하기 위한 시사점을 얻기 위함이었다.

※ 위의 내용은 박창민 · 조재성 · 김영천(2016: 193~194)의 연구 방법 중 일부를 제시한 것임.

질문 영역	면담 가이드의 주요 질문 내용
다문화 교육정책 및 프로그램	• 현재 학교에서 추진하는 다문화교육 프로그램은 무엇이 있습니까? • 이들 프로그램이 어떠한 목적으로 수행되고 있습니까? • 다문화 프로그램이 누구를 대상으로 언제 실시되는지 인지하고 있나요?
진행되고 있는 다문화교육 프로그램에 대한 생각	• 현재 학교에서 실시되는 다문화교육 프로그램에 만족하십니까? • 만족하지 못한다면, 그 이유는 무엇입니까? • 현재 수행되고 있는 다문화 프로그램 중 계속 추진했으면 하는 활동은 무엇입니까?
학교 다문화교육 현실 개선을 위한 제안	• 일선 학교에서 실천되는 다문화교육의 지향점이 무엇이라고 생각하나요? • 성공적인 학교 다문화교육을 위해서는 어떤 기준을 따라야 할까요? • 더욱 강화되어야 하는 프로그램 혹은 지양되어야 할 교육활동은 무엇일까요?

※ 위의 내용은 박창민 · 조재성 · 김영천(2016: 194)의 연구 방법 중 일부를 제시한 것임.

현장에서 이루어지는 다문화교육을 비판적으로 분석하기 위해서는 무엇보다도 분석의 기준을 설정하는 것이 중요하다. 이러한 기준의 설정을 위해 우선 선행 연구들을 통해 다문화교육을 위한 교육과정 및 수업에 대한 논의들을 살펴보았다. 먼저, Banks(2008)는 효과적인 다문화 학교를 위한 기준들을 제시하고 있었는데,

– 중략 –

이는 주재홍 · 김영천(2014: 8)이 〈그림 2〉와 같이 제시한 다문화교육과정과 수업을 위한 개념적 모형에서 더욱 구체화되고 있었다.

(계속)

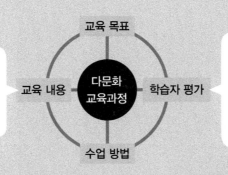

- 자신과 타인의 문화적 정체성을 긍정하고 존중하기
- 문화적 다양성을 이해하고 존중하기
- 차별과 편견의 의미와 원인을 이해하고 이에 대응하기
- 보편적 인권과 평등의 개념을 이해하고 사회의 평등과 정의 실현을 위해 행동하기
- 사회의 모든 구성원들과 상호 공존하기 위해 노력하는 태도 갖기

교육 목표

- 정체성
- 문화다양성
- 차별과 편견 감소
- 인권과 평등
- 공존

교육 내용

다문화
교육과정

학습자 평가

- 다문화 학생의 한국어 능력 평가
- 지필평가를 포함한 대안적 평가방법의 활용
- 자기평가
- 다문화 학생의 모국어로 평가

수업 방법

- 학생의 문화적 전통 연계
- 비판적 탐구
- 경험학습
- 협동학습
- 프로젝트 학습
- 다중지능과 학습 스타일

〈그림 2〉 다문화교육 모형(주재홍 · 김영천, 2014)

- 중략 -

다문화교육을 포함한 일선 학교 현장에서 이루어지는 대부분의 교육 역시 이러한 개념적 모형의 영역 및 논리적 근거에 입각해서 이루어진다는 점에서, 본 연구의 분석의 틀로 설정하기에 무리가 없다는 판단이 들었다. 아울러, Banks나 Sleeter와 Greant의 논의들 역시 이 영역들에서 크게 벗어나지 않는다는 점에 비추어 한국 초등학교 현장에서의 다문화교육 실태가 어떠한지를 평가하는 분석의 기준으로 모형을 적용했다.

※ 위의 내용은 박창민 · 조재성 · 김영천(2016: 196~197)의 연구 방법 중 일부를 제시한 것임.

그런데 자료 수집 및 분석 그리고 재자료 수집 및 분석이라는 일련의 과정이 선순환적으로 이루어지는 실행연구의 특성상 연구 계획서에 자세하게 설명하는 것이 어려운 경우도 있다. 이런 경우에는 어떤 자료를 어떻게 수집하고 어떻게 분석할 것인지를 포괄적으로 제시하는 것이 계획서를 쓰는 과정에서는 하나의 방안이 된다.

3) 연구 타당도 확보하기

연구의 타당도에 대한 기술 역시 연구 계획서에서 중요한 부분을 차지한다. 하지만 많은 계획서에서 혹은 논문 등과 같은 결과물에서도 관련 내용이 빠지는 경우가 종종 있는데, 양적 연구자들에 의해 연구의 타당도에 많은 도전을 받는 질적 연구 기반의 실행연구의 경우 이에 대한 고민을 어떻게 해소하고자 노력했는지를 나타내는 과정이 요구된다.

학술적인 의미에서의 타당도란 연구자가 도출한 결론이 과연 실제로 연구하려고 한 내용과 얼마나 부합하는지를 의미한다. 양적 연구의 경우에는 내적 타당도와 외적 타당도에 따른 타당도 작업이 대부분 수행되지만, 질적 연구의 경우에는 양적 연구에서 활용하는 타당도 작업이 적합하지 않은 경우가 대부분이기 때문에 관련된 작업에 대한 많은 도전이 있는 것은 사실이다. 그러므로 질적 연구 기반의 실행연구가 타당도를 확보하기 위해서는 질적 연구에 적합한 방식이 필요하고, 이에 삼각검증(triangulation), Member Check, 장기적인 관찰, 동료들과의 비평작업, 참고 자료의 활용, 부정적 사례(negetive case)의 제시 등이 활용된다. 그리고 한 가지 더 기억해야 할 것은 질적 연구에서의 타당도는 신뢰도와 혼용되어 사용되는 경우도 많은데 이는 질적 연구에서의 타당도 작업의 대가라고 할 수 있는 Lincoln과 Guba가 '신뢰도'라는 개념을 새롭게 도입했기 때문이다. 이는 질적 연구의 성격 자체가 가설을 검증하고 이론의 일반화를 추구하는 것보다 새로운 현상에 대한 심층적인 탐색과 이해를 도모하는 경우가 많다는 점에서 타당도보다는 신뢰도가 더 적합하다는 관점이 작용했다고 추측할 수 있다. 아래의 사례는 이러한 질적 연구 타당도 작업의 일반적인 사례로, 질적 연구의 신뢰도를 높이기 위한 방법 중 삼각검증과 동료들과의 비평 작업을 활용해서 어떻게 신뢰도를 확보할 것인지에 대해 기술한 내용이다.

> **연구 방법 글쓰기의 예시(타당도 관련)**
>
> 본 연구에서는 Denzin과 Lincoln(2011)이 말하는 삼각검증으로 연구의 신뢰성을 확보했다. 첫째로, 자료의 통합이다. 여러 가지 자료를 통합하여 현상을 이해하면 해석의 오류를 줄여 신뢰성이 높아진다. 본 연구에서는 교실 현장의 주체인 교사와 학생, 활동의 결과인 수업과 학생활동에 관한 자료를 수집했는데 즉, 교사들의 교사 학습 공동체 활동 동영상과 집단 인터뷰, 개별 인터뷰, 성찰일지, 사전 설문지, 서면 인터뷰, Exitcard 자료와 연구자의 연구 일지, 학생의 배움일지와 학생활동지 자료들이다. 또 다른 방법은 연구자의 통합으로 수집된 자료를 연구자 1인이 분석하기보다는 2명의 동료 연구자가 참여하여 수집한 자료를 분석하고 검토하는 과정에 함께하여 신뢰성 있는 자료의 해석이 되도록 했다.

※ 위의 내용은 이경숙(2015: 75)의 연구 방법 중 일부를 제시한 것임.

4) 연구 윤리 고려하기

질적 연구 기반의 실행연구에서는 연구 참여자와 밀접한 관련성 속에서 연구를 수행하는 경우가 많기 때문에 고려해야 할 연구 윤리들이 있다. 따라서 연구자는 연구를 하면서 연구 참여자의 복지와 안녕을 위하여 어떻게 노력했는지에 대하여 자세하게 묘사하는 것이 중요하다(김영천, 2012: 231). 또한 김영천은 연구 윤리를 연구자가 속한 해당 기관에서 요구하는 연구 윤리와 연구자가 연구 참여자에게 직접 실천해야 하는 윤리로 구분하여 제시하고 있다. 연구자가 속한 연구 윤리의 경우, 기관마다 제시한 연구 윤리 규정을 참고해야 한다는 것이다. 또한 연구 참여자와 관련한 연구 윤리의 경우에는 최종 연구 결과물에 연구 참여자의 신상을 그대로 공개하지 않는다거나 연구 참여자 면담을 하면서 알게 된 개인적인 내용들은 공식적인 결과물로 남기지 않는 것 등이 이에 해당한다. 또한 연구 참여자가 미성년자인 경우에는 부모에게 관련 연구의 취지를 설명하고 관련된 내용이 어디까지 연구 자료에 쓰일 것인지 등에 대한 안내 후 동의 절차를 거치는 것 등이 이에 해당한다.

연구 방법 글쓰기의 예시(연구 윤리 관련)

본 연구는 연구 수행 과정에서 나타날 수 있는 연구 윤리 문제를 최소화하기 위해 연구 참여자들로부터 사전 동의를 받아 연구 윤리를 준수했다. 사전 연구 참여자의 동의서의 내용은 Hatch(2002)의 교실 상황에서의 윤리적 갈등을 위한 질문들과 Spradley(1980)가 제시한 윤리적 원칙과 미국 인류학회 전문가가 지켜야 하는 책임윤리(김영천, 2012)의 내용을 참조하여 보완했으며, 그 내용은 공통적인 조건인 연구 참여자의 자발적 동의, 연구 참여자의 신상명세 내용의 기밀유지, 연구 참여자의 상호 호혜성을 근거로 하여 〈연구 참여 동의서〉([부록 3] 참조)를 작성했다.

※ 위의 내용은 이경숙(2015: 74)의 연구 방법 중 일부를 제시한 것임.

참고문헌

구정화 · 김두한(2004). 초등 사회과 논쟁문제 수업을 위한 대립토론 적용에 대한 실행연구. **초등사회과교육, 16**(1), 3-27.

김영천(2012). **질적연구방법론 I: Bricoleur.** 파주: 아카데미프레스.

박영은(2015). **초등학교 교사의 자기연구를 통한 수학 수업 전문성 신장에 관한 연구.** 한국교원대학교 대학원 박사학위 논문.

박정문(2008). 초등학생의 다문화학습활동에 관한 반성적 실천 연구. **청소년문화포럼,** -(18), 176-207.

박창민 · 조재성 · 김영천(2016). 더 나은 미래를 위하여: 우리나라 초등학교 현장에서의 다문화교육과정의 딜레마들에 관한 질적 사례연구. **다문화교육연구, 9**(1), 1-29.

이경숙(2015). **교사 학습 공동체 활동을 통한 가정과 교사의 성찰적 실천에 대한 실행연구.** 경상대학교 대학원 박사학위 논문.

장효순(2014). **예비과학교사의 수업 전문성 신장을 위한 교육실습과 연계된 대학 강좌 개발에 관한 실행연구.** 한국교원대학교 대학원 박사학위 논문.

황혜진(2007). 설화를 통한 자기성찰 방법의 실행연구. **독서연구, 17**(-), 359-393.

Arhar, J. M., Holly, M. L., & Kasten, W. C. (2001). *Action research for teachers: Traveling the yellow brick road.* Upper Saddle River: Merrill/Prentice Hall.

Flick, U. (2007). *Designing Qualitative Research.* Thousand Oaks: Sage.

Johnson, A. P. (2008). *A Short Guide to Action Research.* New York: Pearson.

Marshall, C. & Rossman, G. (2006). *Designing qualitative research,* (4th Ed.). Thousand Oaks: Sage.

McMillan, J. H., & Schumacher, S.(1984). *Research in education: a conceptual introduction.* Little, Brown and Company.

Mertler, C. A., & Charles, C. M.(2011). *Introduction to educational research.* Boston: Pearson.

Patton, M. (1990). Patton, M. (1990). *Qualitative evaluation and research methods.* Beverly Hills: Sage.

실행연구에서의 자료 수집

앞부분에서는 실천가가 연구자로서의 역할을 수행하기 위한 여러 가지 이론적이고 실제적인 방법들을 제시했다. 지금까지 책을 잘 읽었다면, 실행연구 계획서를 통해 자신의 연구 목적과 구체적인 방법에 대해 이해할 수 있었을 것이다. 우리는 철학과 이론이 없는 실천은 그 자체로 공허한 몸짓이 될 수 있다는 사실을 깨달았다. 따라서 실행연구를 계획할 때에는 실천의 목표가 무엇인지, 그리고 실천의 결과를 어디에 활용할 것인지 명확하게 파악해야 한다는 사실도 알 수 있었다. 즉, 실행연구의 궁극적 목적은 연구자들이 이전보다 더 적극적인 실천가가 되도록 요구하는 데 있다는 것이다.

분명 실행연구는 이해하기 쉽고 명확한 특징을 가진다. 그렇다고 해서 쉽게 시도할 수 있는 연구 방법은 아니다. 왜냐하면 실행연구에는 반드시 현장에 참여하여 실천하는 과정이 있어야 하기 때문이다. 물론 실행연구자들은 현장에서 생긴 문제를 해결하려는 목표를 갖고 현장에 다시 뛰어들 것이다. 그들은 자료 수집 과정부터 곧 혼란을 겪게 된다. 무작정 자료를 모으는 것으로는 연구의 목적을 달성하기 어렵기 때문이다. 즉, 실행연구의 목표는 자료를 수집하여 연구 현장을 구성하는 요소를 이해하는 데 있기 때문에, 실행연구에서 자료 수집은 반드시 정교하게 이루어져야 할 필수 요건이라고 정의할 수 있다.

실행연구에서 자료 수집 과정이 중요한 또 다른 이유는 자료 수집 과정이 연구 결과를 설명해 주는 가장 중요한 단서가 되기 때문이다. 실행연구는 다른 연구들보다 자료를 더 중요하게 생각한다. 왜냐하면 실행연구의 결론은 어떠한 권위자의 학설이나 유명한 이론에서 가져오는 것이 아니라, 연구자 또는 실천가가 스스로 판단하는 것이기 때문이다. 따라서 자료가 얼마나 진실한지에 따라 실행연구의 성패가 달려 있다고 해도 과언이 아니다. 그렇기 때문에 실행연구는 우리가 진실이라고 생각하는 것을 단순히 제시하는 것이라고 생각한다면 곤란하다. 우리는 주목할 현상에 대해 자료를 수집하고, 그 자료에 의하여 결론을 내리는 작업을 강조해야 한다.

자료를 수집하는 방법은 어렵지 않게 상상할 수 있다. 대신 어떠한 자료를 수집해야 하는지에 대해 논의가 요구될 수 있다. 실행연구에서 활용되는 자료의 범위는 질적, 양적 범위를 뛰어넘어 존재할 수 있다. 단순하게 바라본다면 판매 실적에 관한 자료, 시험점수 그래프 등이 있을 수 있다. 좀 더 나아가게 되면 자료의 범위는 녹음자료, 사진, 비디오, 음악, 일지까지도 이어지게 된다. 자료는 주로 현장에 관한 정보, 구성원들을 관찰한 결과, 그리고 실제 일어났던 사실의 형태로 이루어져 있으며, 그 내용은 녹음되거나 기록된 것이 많다. 이러한 많은 자료들을 다루는 것이 실행연구이다.

1. 실행연구의 자료 수집 과정에서 드러나는 특징

먼저 실행연구의 자료 수집 과정에서 드러나는 일련의 특징을 제시하고자 한다. 대부분의 연구자들은 실행연구에서의 자료 수집에 대해 생각할 때, 질적 연구에서의 자료 수집 과정과 비교하는 경우가 많다. 물론 두 연구는 서로 비슷한 점이 많지만, 그래도 실행연구에서 두드러지게 나타나는 특징이 존재한다. 그 내용은 다음과 같다.

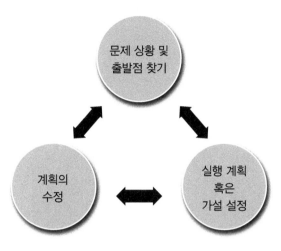

실행연구 자료 수집에서 드러나는 특징

1) 체계적 자료 수집

실행연구는 굉장히 조직적이며 체계적이다. 우리의 실천은 쉽게 연구될 수 없다. 우리는 연구를 시작하기 전 무엇을 준비해야 할지에 대해 논의한 바 있다. 연구를 시작하기 전, 연구 계획서에서 자료 수집 과정을 포함한 세부적인 연구 과정들이 논의되어야 한다. 그리고 본격적인 연구를 시작하기 전에도 자료를 수집하기 위한 계획을 분명히 명시하고 연구를 시작해야 한다. 그 수준은 언제, 어떻게, 얼마나 자주 자료를 수집할 것인지까지 아주 세부적으로 이루어져야 한다. 내용을 이해하기 어렵다면 다음의 예시를 확인하기 바란다.

예시는 자료 수집을 위해 작성한 문서에 관한 것이다. 이처럼 자료 수집을 위한 기초적인 방법 한 가지는 달력이나 자료 목록을 사용하는 것이다. 여기서 확

체계적 자료 수집의 예시

형태	수집된 날짜						
관찰일지	1/5	1/27	2/11	2/17	3/6		
글쓰기	2/7	2/9	2/15	2/17			
면담1	1/10	1/29	3/2				
면담2	2/3	2/10	2/17	2/24	3/5	3/12	3/19
협의회	1/6	3/3					
성찰기록	2/20	2/21	3/6	3/10			

인할 수 있는 점은 모든 형태의 자료가 똑같이 균등하게 수집되는 것을 강조한다는 것이다. 이러한 도구를 활용하면 자료 수집 과정을 한눈에 알아볼 수 있다는 장점이 있다. 각각의 자료들은 연구를 구성하는 중요한 요소이다. 각 요소들을 언제 몇 번 수집했는지를 표시함으로써 연구 진행 상황을 파악하고, 연구 방향을 계속해서 점검해 나갈 수 있게 된다. 이렇게 수집된 자료들은 모두 실천가로서의 연구자들에게 새로운 이야기와 통찰을 제시해 줄 것이다. 그리고 이 특징만 보더라도 실행연구에서 자료 수집이 결코 쉬운 일이 아니며, 또 그렇게 되어야만 연구의 질을 담보할 수 있다는 사실을 알 수 있을 것이다.

2) 자료 수집에서의 다양한 관점 강조

실행연구에서는 자료 수집 과정에서 다양한 이야기를 듣는 것을 권장한다. 다시 말하면 다양한 형태의 자료들을 수집하는 것을 강조한다. 한 가지 내용에 대해 자료 수집을 하더라도 그 요소와 관련된 다양한 관점이 존재할 수 있다. 가령 교실에서의 수업에 대한 실행연구를 실시할 경우 수업을 계획하고 실행하는 교사의 입장, 수업을 직접적으로 체험하는 학생의 입장, 그리고 간접적으로 수업의 영향에 대해 듣거나 관찰하는 학부모, 동료 교사의 입장까지 다양한 관점의 의견이 제시될 수 있다. 또한 수업의 영향을 평가할 때도 단순히 시험 점수 자료만을 수집해서는 곤란하다. 실행연구에서 한 가지 종류의 자료만을 갖고 결론을 내리는 것은 곤란하다. 연구가 왜곡될 위험이 있기 때문이다. 따라서 다양한 종류의 자료를 병행해서 제시하게 되는데, 이것은 연구의 신뢰도를 높여 주는 삼각측정(triangulation)법으로 불리기도 한다.

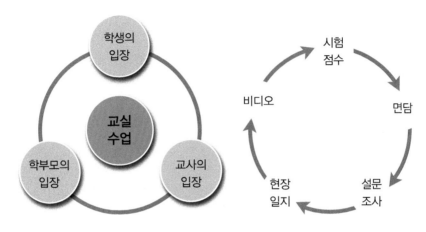

자료 수집에서의 다양한 관점 예시(교실)

　이러한 형식적인 측면보다 더 중요한 것은 자료가 질적으로 풍부해질 때 연구가 가치 있게 된다는 사실일 것이다. 따라서 수업에 대한 학생들의 설문, 면담, 동료 교사들과의 수업 협의, 학부모들의 의견 청취까지 다양한 범위의 자료를 수집하고, 그 자료들 속에서 통찰을 얻을 수 있도록 노력해야 한다. 이것은 교육 현장에서만 국한되는 것도 아니다. 실행연구가 사용되는 어디서나 다양한 관점을 반영하는 방안을 고심해야 한다.

3) 수집된 자료 비판

세 번째 특징은 실행연구가 다른 연구들과 가장 뚜렷하게 차별화되는 요소라고 할 수 있다. 특히 기술적 연구나 현상 이해적 연구와는 상당히 다른 특징이다. 앞에 제시한 연구들에서는 수집된 자료를 그대로 나열하고, 이를 묘사하면서 현재 장면을 그림 그리듯이 설명한다. 따라서 자료 자체가 옳고 그름을 따질 필요가 없다. 단지 정말로 그 현상으로부터 나온 것인지 여부만이 중요하다. 그러나 실행연구에서 수집되는 자료는 그 성질이 다르다. 실행연구에서 수집된 자료는 현재 문제 상태에 대한 일종의 해결책이다. 그렇기 때문에 수집된 자료가 적절하지 않다는 것은 연구자가 내릴 결론이 옳지 못하다는 의미가 된다.

단순히 자료 자체의 오류를 넘어 연구자로서의 실천가들이 가질 수 있는 편견이나 선입견도 비판의 대상이 된다. 연구자들이 색안경을 끼고 자료를 수집할 경우, 수집된 자료들의 신뢰성에 문제가 생길 가능성이 있다. 따라서 우리가 갖고 있는 몇 가지 편견적인 요소들이 연구 결과에 영향을 줄 수 있고, 연구를 받아들이는 독자들이 오해할 수 있게 만든다는 사실에 유의해야 한다. 우리는 현장에서 어떠한 일이 일어나고 있는지를 조사해야 하며, 실행연구를 진행하면서 인식하고 경험한 것이 무엇인지에 대한 분석 결과를 알려 주어야 한다. 연구자로서 현장에서 어떤 일이 일어나고 있는지를 묘사하면서 한편으로는 오해의 소지가 있는 요소들에 대해 날카로운 지적을 해야 한다.

이처럼 자료 수집에서의 비판은 자료 분석과는 다른 개념임을 분명히 이해해야 한다. 자료 분석은 자료를 바탕으로 하여 가치 있는 연구 결과를 이끌어 내는 과정이다. 따라서 그 전에 수집된 자료가 자신이 가진 문제를 이해하고 해결하는 데 도움이 될 것인지, 아니면 자신의 주관과 선이해가 반영된 결과물인지를 판단하는 과정이 반드시 필요하다. 그것이 실행연구의 정체성을 결정하는 데 큰 역할을 한다.

2. 실행연구에서 수집하는 자료들

이 부분에서는 실행연구에서 주로 수집되는 자료의 종류를 구체적으로 제시할 것이다. 연구자들은 다음에 제시되는 여러 종류의 자료들 중에서 연구 상황에 적절한 자료를 선택하면 된다. 중요한 것은 우리의 실행연구를 명확하면서도 집 중적으로 실시하는 것이다. 따라서 실행연구를 하면서 각 자료들을 모두 수집할 필요는 없다. 왜냐하면 너무 많은 자료를 수집하려고 하는 시도는 연구자를 혼돈스럽게 하고 지치게 만들기 때문이다. 우리의 연구 질문과 현장 상황에 가장 알맞은 방법을 찾고, 적용할 필요가 있다. 다음에 제시되는 자료들의 형태를 잘 살펴보고, 자신의 연구 상황에 알맞은 자료를 선택해 보도록 하자. 각 자료들은 크게 네 가지 범주에 속해 있다.

실행연구 자료의 종류

1) 관찰 자료

관찰하기는 실행연구 및 질적 연구 방법에서 대표적으로 활용되는 자료 수집 방법이다. 관찰 방법은 말 그대로 연구 현장에서 다양한 사람들과 사건들을 직접 경험하면서 눈으로 본 내용을 연구자가 설정한 방법으로 기록하는 것을 의미한다. 실행연구의 관찰에서 우리가 주목할 점으로 관찰의 결과로 수집되는 자료들에는 결국 실천가들에 대한 정보가 어떠한 형식으로든 포함될 수밖에 없다는 점을 들 수 있다. 왜냐하면 실행연구는 연구자로서의 실천가의 역할에 주목하기 때문에, 연구자는 항상 현장에서 모든 실제적인 연구를 진행해야 하기 때문이다. 따라서 연구자가 관찰하게 되는 사실, 가치, 이론의 형태는 연구의 중요한 부분이 된다고 할 수 있다. 즉, 자연스럽게 실행연구에서의 관찰은 실험실 바깥에서 안쪽을 바라보는 비참여적 관찰보다는 실험실 안에서 직접 경험하고, 생각하고, 느끼는 참여적 관찰 방법이 더 많이 활용된다.

이러한 관찰의 결과로 네 가지 종류의 자료를 수집할 수 있다. 수집할 수 있는 각 자료들에 대한 설명은 아래에서 자세히 다룰 것이다. 앞에서도 이야기했듯이 반드시 모든 종류의 자료를 수집해야 하는 것은 아니다. 연구 현장의 상황과 연구자의 이론적, 실제적 판단에 근거하여 자료를 선택적으로 활용하는 것이 중요하다. 가령, 개인정보 유출에 대한 거부감이 심한 장소라든지 보안 및 업무상 공개하기 어려운 내용의 경우에는 비디오 촬영이나 녹음 방법으로 연구를 하는 것이 어려울 것이다. 이 상황에서는 굳이 그러한 방법들을 사용하려고 고집하기보다는 그림 그리기나 심층 묘사와 같은 대안적인 방법을 활용하는 것이 좋다. 이 점에 유의하도록 하자.

현장기록

현장기록은 질적 관찰 방법을 대표하는 방법이다. 실행연구를 하는 동안, 실천가이자 연구자로서 우리는 직접 가설로 설정한 해결책을 실행하면서 현장의 모든 일을 직접 경험하게 된다. 연구 현장은 바쁘게 돌아갈 것이다. 그리고 연구를 하면서 원래는 당연했던 현상들이 다르게 느껴지고, 스스로의 오류와 선입견 등에 대해 다양한 반성과 성찰이 이루어질 것이다. 그것을 놓쳐서는 안 된다. 즉,

그것을 기록하지 않는다면 연구 결과로 활용할 수 없게 된다. 여기서 우리가 가장 쉽게 할 수 있는 행동은 우리가 보고 느낀 것을 글로 적어 놓는 것이다. 즉, 현장일지는 연구자가 현장에서 무엇을 관찰했는지에 대한 기록이며, 이것은 가장 기초적이면서도 핵심적인 연구 자료가 된다.

현장기록에 대해서 어렵게 생각하지 않는 것이 좋다. 특히 실행연구에 익숙하지 않은 연구자들은 단순히 현장에서 보이는 것을 그대로 적는 것만으로도 큰 도움을 얻을 수 있다. 실행연구를 수행하면서 많은 현장기록을 작성하다 보면, 수많은 자료에서 패턴이 드러나기 시작할 것이다. 이러한 현장기록에는 다양한 수준이 존재한다.

먼저 신속한 기록 방법이 있다. 이것은 상황이 발생했을 때 그 사실과 그 때 들었던 감정 등을 잊지 않기 위해 최대한 빠르게 메모하는 기술이다. 이것은 우리 뇌의 작동 기억과 관련이 있다. 어떠한 사건을 기억할 때, 만일 장기 기억으로 넘어가지 않는다면 뇌에 잠시 저장된 기억은 불과 몇 분 만에 사라지게 된다. 따라서 이 기록 방법은 지금 현재 너무나 바쁘거나 나중에 이 사건에 대해 생각해 볼 필요가 있을 때 활용되는 방법이다. 현장에서 이루어지는 실행연구에서 가장 일반적이며, 효율성이 높은 방법이다. 주의할 점으로는 그 상황에 대해 정확히 적어 놓아야 나중에 오해가 발생하지 않는다는 점이 있다. 우리의 기억은 쉽게 왜곡되기 때문에 기록을 엉성하게 적어 놓으면 나중에 자료를 분석하는 과정에서 잘못 해석될 우려가 있다. 신속한 기록을 작성하는 일반적인 방법은 다음과 같다.

신속한 기록 작성 방법

❶ 연구 참여자들이 모르는 곳에 빈 공책 또는 종이를 놓고, 흥미로운 사건이 발생하면 재빨리 상황을 메모한다. (후에 자료들을 모은다면 총체적인 분석이 가능하게 될 것이다.)
❷ 아이디어, 관찰, 또는 통찰이 발생한 경우를 분류하여 각각 따로 보관한다.
❸ 현재 사용하고 있는 문서의 뒷면이나 여백에 즉시 메모를 남긴다. 가장 간편하면서도 논리적으로 효과적인 메모 방법이다.

다음으로는 보조 기록 방법이 있다. 이것은 앞서 설명한 신속한 기록과 나중에 설명하게 될 심층적 묘사의 중간형태의 기록 방법이다. 보조 기록 방법은 주로 다른 자료 수집 방법(예를 들면 체크리스트)과 함께 사용된다. 즉, 주된 자료 수집 방법으로 현상을 관찰하되, 그 때 일어났던 특이한 일들이나 연구자의 생각, 즉석에서 이루어진 자료 분석 결과 등을 곁들여서 첨가해 놓는 방식이 바로 보조 기록 방법이다. 이 방법은 한 가지 방법만으로 사건을 바라볼 때 우리가 간과할 수 있는 점에 대해 생각해 볼 수 있게 해 준다는 점에서 상당히 유용하다.

보조 기록 방법의 예시

연구자이자 사회봉사 단체의 팀장을 맡고 있는 김철수는 프로젝트의 일환으로 사무실 배치에 관한 연구를 하게 되었다. 실제적인 연구 목적은 사무실에 가장 많이 방문하는 노인들의 행동 양식을 분석하여 고객들이 가장 편리하게 업무를 볼 수 있도록 사무실의 자리 배치를 최적화하는 것이다. 연구에 착수하게 된 김철수는 원래 보던 업무를 하면서 사무실에 방문하는 노인들의 동선과 행동, 주로 사용하는 편의 시설, 앉아 있는 시간 등을 관찰하기 시작했다. 주된 연구 도구로는 사전에 제작한 체크리스트가 활용되었다. 연구를 계속해 나갈수록 김철수는 체크리스트에 해당하지 않는 행동도 많이 발생한다는 것을 알게 되었다. 그리고 처음에 생각했던 가정과도 다른 현상들이 일어나곤 했다. 김철수는 이러한 생각들을 체크리스트에 표시하고, 부연설명을 덧붙였다. 체크리스트의 항목에 정확히 일치하지 않거나, 그 당시 연구자로서의 반성이 일어난 경우에도 별도로 메모지를 붙여 기록했다.

마지막으로 제시할 단계는 바로 심층적 묘사 방법이다. 심층적 묘사는 말 그대로 현장에서 일어나는 일을 그대로 기록하는 것을 의미한다. 어떠한 현상을 있는 그대로 기록하기 위해서는 우선 연구자가 객관적인 관찰자가 되어야 할 것이다. 관찰자가 되기 위해서는 누군가가 자신을 의식하지 않아야 하고, 특히 연구자가 글을 쓰는 과정에서 방해를 받거나 신분이 드러나면 안 될 것이다. 이 경우에는 관찰의 대상이 되는 연구 참여자가 연구를 의식해서 거짓된 행동을 할 가능성이 높아진다. 이를 위해 다음의 예시를 참고하기 바란다.

❶ 현장에 최대한 빠르고 조용히 들어가서 눈에 띄지 않는 장소를 찾는다.

❷ 만일 학생이 당신을 발견하고 누구인지 물어본다면, 조금 있다가 대답하라. 학생들이 당신이 어디 있는지 주목하지 못하게 하라. 곧 학생들의 관심은 멀어질 것이다.

❸ 직접 쳐다보지 말고 일지를 작성하라. 이것은 관찰 과정을 덜 소란스럽게 해 준다.

❹ 적는다. 이 과정은 절대 방해받아서는 안 된다. 뇌의 작동 기억은 용량이 한정되어 있기 때문에, 아주 기초적인 것도 모두 적어야 한다.

심층적 묘사를 위해 연구자는 객관적인 관찰자가 된다. 이 순간만큼은 계속적인 현장 사건들을 기록하고 점검하면서 기록을 채워 나가야 한다. 심층적 묘사를 제대로 적기 위해서는 어느 정도의 시간이 필요하다는 것도 알 수 있을 것이다. 대신 이러한 과정을 거쳐 심층적 묘사를 적게 되면 분량도 충분하고, 어느 정도 분석이 진행된 형태로 결과물이 나오기 때문에 연구를 진행할 때 훨씬 수월하다. 즉, 심층적 묘사는 연구자가 직접 실천하며 경험을 개선해 나가는 실행연구의 특성상 자주 활용되기는 어려운 방법이기도 하다.

이러한 현장기록 방법이 집약된 형태가 있다. 그것은 바로 일기이다. 일기는 단순히 한 인간의 삶을 요약하는 차원에서 벗어나 중요한 분석 자료로서 기능할 수 있다. 일기의 형식은 다양할 수 있다. 기존의 일기와 같이 매일의 감흥을 짧게 적고 그것을 모아 한 편의 연구일지처럼 활용할 수도 있고, 아니면 매일매일 주어진 질문지를 적어 가면서 좀 더 구체적이고 체계적인 것으로 활용하는 것도 가능하다. 중요한 것은 일기는 현장기록의 역할을 수행해야 한다는 것이다. 단지 집에 와서 적는다는 차이점만 존재할 뿐이다. 잘 기록된 일기장 한 권은 중요한 연구기록으로서 기능하게 될 것이다.

위에서 제시한 현장기록에 반드시 글만 있어야 하는 것은 아니다. 글은 가장 간편한 기록 방식이지만, 연구자가 생각하기에 더 효율적이고 적합한 방식이 있다면 다른 것을 선택해도 좋다. 기록에 활용될 수 있는 또 다른 자료로는 우선 사진이 있을 수 있다. 실제로 사진 한 장이 몇 장의 글보다 더 많은 내용을 포함하고, 감명을 주기도 한다. 이와 같은 맥락에서 그림이나 스케치도 활용될 수 있을 것이다. 손으로 그린 도표나 그래프, 다이어그램도 중요한 기록이 될 수 있다. 복잡한 인간관계나 사람들이 움직이는 동선 등은 이러한 방법을 활용하면 더 적절하게 표현할 수 있다. 요즘에는 현장기록을 노트북이나 태블릿PC로 기록하는 경우도 많기 때문에 이러한 표현 방법이 더욱 많이 활용된다.

현장기록은 우선 현장의 생생한 장면과 구성원들의 목소리를 가감 없이 담는다는 점에서 첫 번째 의미를 지닌다. 그러나 또 다른 의미가 존재한다. 즉, 작성된 일지를 바탕으로 연구자가 연구실로 돌아가 자료를 다시 분석하고 이를 바탕으로 연구 과정이나 초기 가설을 반성하는 데서 두 번째 의미가 나오는 것이다. 기록할 당시는 생각하지 못했던 해결 방법이 떠오르기도 하고, 새로운 연구 주제가 추출되기도 한다. 이처럼 현장기록은 자료 수집에서 가장 중요한 역할을 수행하는 연구 자료이다. 좋은 현장기록을 남기는 것은 좋은 연구를 수행하는 첫 걸음이 된다.

체크리스트

체크리스트는 추상적이고 모호한 관찰 결과를 명확한 양적 자료로 바꾸어 주는 자료 수집 방법이다. 연구자들은 연구를 실시할 때 연구 결과가 자신의 편견과 오해에서 벗어난 객관적인 연구가 되기를 원한다. 하지만 앞에서 제시한 연구자의 기록은 연구의 객관성을 완전히 보장하지 못하는 방법적인 위험성을 갖고 있다고 할 수 있다. 연구자가 의미 있다고 생각하는 사건이라는 사실 자체가 연구자 스스로의 생각과 가치관을 반영하는 것이며, 실행연구는 이러한 비판에서 완전히 벗어나기 어렵다. 만일 현장기록만 갖고 연구 논문을 작성한다면, 이 점에 대해 비판을 받을 수도 있을 것이다. 이러한 측면에서 지금 소개할 체크리스트는 연구자의 지나친 주관성을 보완할 자료로 기능할 수 있다. 체크리스트 역시 주로 현장 관찰에서 활용되는 도구이다. 체크리스트는 특히 특정한 행동이 얼마나 많이 발생하는지를 측정하는 데 적합한 자료 수집 방법이 된다. 이것은 앞에서 설명한 현장기록보다 좀 더 수량적이고 객관적인 특징을 갖는다. 그리고 체크리스트는 관찰하는 동안에는 많은 통찰이나 생각의 변화를 요구하지는 않는다. 왜냐하면 일단 체크리스트의 항목이 정해지고 나면, 그것에 따라서 일정시간 동안 연구 참여자들의 행동을 빠짐없이 표시하면 되기 때문이다. 대신 체크리스트에서 중요한 요소는 관찰하기 전 어떠한 행동을 관찰할 것인지 설정하고, 관찰 방식을 설계하는 데 있다. 연구를 시작하기 전에, 연구자들은 자신들이 중요하다고 생각하는 행동과, 각 이론에서 제시하는 유의미한 행동, 가설 등을 조합하여 관찰할 행동을 설정한다. 관찰할 행동의 개수는 연구자가 결정하는 것이지만, 대개 5~10개의 행동을 설정한다.

체크리스트는 크게 몇 가지 개념에서 접근할 수 있다. 첫 번째는 연구를 실행하는 연구자의 입장에서 작성하는 체크리스트이고, 두 번째는 연구 참여자의 입장에서 작성하는 체크리스트이다. 제시할 방법 모두 연구의 중요한 자료이지만, 각각 좀 더 두드러지는 장점이 있으므로 두 방법을 조화롭게 사용해야 한다. 좀더 자세히 알아보기 위해, 먼저 연구자가 직접 체크리스트를 활용하는 방법에 관해 이야기하고자 한다. 다음에 제시할 내용은 교실에서 학생들의 행동을 관찰하기 위한 체크리스트에 관한 것이다. 예시를 확인하면서 자신의 실행연구에서 체크리스트를 구체적으로 어떻게 활용할 것인지에 관해 생각해 보기 바란다.

다음 자료를 잘 살펴보면, 비록 짧은 시간이지만, 다음 수업에서는 학생에게 질문을 촉진해야겠다는 판단을 내려 볼 수 있을 것이다. 그리고 이러한 판단은 자료에 근거했기 때문에 동료 교사 혹은 다른 연구자들에게 연구 결과를 자신 있게 이야기할 수 있을 것이다. 연구자들이 작성하는 체크리스트는 어떠한 기술이 부족한지, 숙달되었는지를 알려 주고 무엇에 대해 논의해야 하는지를 알려 준다.

연구자 입장에서 작성하는 체크리스트에서 주의할 점은 한 번의 관찰로 연구의 모든 측면을 다루려고 해서는 안 된다는 것이다. 연구자의 인지 능력에는 한계가 있다. 따라서 항목을 세분화할 때는 이것이 정말로 연구에 필요한 것인지,

그리고 자신이 이 모든 내용을 관찰하고 기록할 수 있을 것인지를 고려하는 과정이 필요하다. 한 번의 관찰은 아주 작은 것만을 알려 준다. 그러나 이것이 누적되면 각 자료들끼리 시너지 효과를 일으켜 많은 것을 얻을 수 있게 된다. 따라서 조금씩 자주 관찰하고, 자료들을 체계적으로 수집해야 할 것이다. 수집된 자료들은 분류하여 폴더에 보관하거나 전자 문서 시스템에 저장하여 관리하는 것이 좋다.

교실 체크리스트의 예시

학생 교실 행동 관찰 척도

활용 방법: 초시계를 2분 단위로 작동시켜 총 10분을 관찰한다. 6분이 지날 때마다 관찰하고자 하는 학생의 행동을 다음의 목록에 따라 분류한다. 실제로 행동이 일어나면 칸에 표시를 한다. 10분이 지난 후에 행동의 횟수를 전부 합하여 정리한다. 이 과정은 수업 시간 동안 계속해서 반복될 수 있다. 가령 40분 수업이면 척도를 네 번 사용하여 총 횟수를 구해 보아도 좋다.

	관찰 행동	0~2	2~4	4~6	6~8	8~10	합계
1	질문하기						0
2	교사에게 집중하기		✓				1
3	친구들과 이야기하기			✓	✓		2
4	문제 풀기					✓	1
5	교사의 질문에 대답하기					✓	1
6	장난치기(딴청부리기)			✓			1
7	책 읽기	✓					1

다음으로 제시할 내용은 연구 참여자의 입장에서 작성하는 체크리스트이다. 이것은 연구 참여자들이 체크리스트를 직접 작성할 수도 있고, 연구자가 대신 작성할 수도 있다. 이 방식은 나중에 소개할 설문조사 방식과도 유사한 측면이 있다. 대부분의 경우에, 관찰하고자 하는 행동(가령, 봉사활동, 출근, 스포츠경

기, 수업 등)을 하는 도중에, 연구자는 연구 참여자들을 주의깊게 관찰하고 나서 체크리스트를 배부한다. 그리고 연구 참여자들은 방금 자신이 한 행동을 떠올리면서 자신이 한 활동들에 대해 직접 표시한다. 이때 제공되는 체크리스트는 형식이 다양할 수 있다. 단순히 주어진 질문에 체크하는 형식이 일반적이지만, 약간 개방적으로 스스로 어떠한 행동을 했는지 적어 보는 질문을 제공할 수도 있다. 이것을 '개방형 체크리스트'라고 하는데, 이 방식은 연구자와 연구 참여자들에게 능력, 이해, 기술을 어떻게 사용하는지에 대해 진술하도록 충분한 공간을 제공한다는 장점이 있다. 스스로 어떤 행동을 했는지 직접 생각해 내고 적어봄으로써 자신의 행동에 대한 이해의 수준을 정확히 진단하도록 도와준다.

이처럼 연구자는 연구의 목적에 적합하게 체크리스트 항목을 만들어 연구 참여자들로 하여금 응답하게 하고, 그것을 연구 결과에 반영한다. 이 방법 역시 일회성으로 끝나는 것이 아니라, 여러 번 반복하게 한다. 설문이 진행될수록, 연구자와 연구 참여자들은 어떤 활동에 얼마나 시간을 소비하고 있는지에 대해 알 수 있게 된다. 이처럼 연구자가 체크리스트를 활용하여 연구 참여자들의 행동을 여러 번 직접 기록하게 되면 그것은 연구 결과를 지지하는 강력한 근거로 기능하게 될 것이다. 자신의 가설을 직접 현장에서 실천했을 때, 특정한 행동이 많이 나온다는 것은 연구자가 생각한 방법이 긍정적이든 부정적이든 영향을 준다는 의미를 가진다. 즉, 체크리스트는 실행연구자가 자료로 말할 수 있게 만들어 주는 강력한 수단이 된다.

그림, 사진

연구자들이 경험하는 다양한 상황들은 숫자나 글로 표현되기 어려운 측면이 있다. 이것을 해결해 주는 자료 수집 방법이 그림과 사진이다. 우리는 때로는 수십 장의 글보다 그림 한 점, 사진 한 장이 사람들의 마음을 더 움직이게 만드는 경우가 있다는 사실을 잘 알고 있다. 다만 지금까지는 그림을 그리거나 사진을 찍는 것은 자료 수집에서 주된 과정이기보다는 보조적인 것으로 이해되어 왔다. 즉, 사진을 촬영함으로써 연구가 실제로 실행되었다는 것을 증명하거나, 글로 일일이 전사하기 어려운 문서 자료들을 나타내는 작업에 활용된 것이다. 이러한 사실은 이제 그림 그리기, 사진 찍기 방법에 다른 의미를 부여해야 함을 의미한다.

그림을 그리는 것은 사건 현장을 그대로 스케치하는 것부터 시작하여, 특정한 공간에 대한 지도를 그리는 것까지 포함하는 광범위한 개념이다. 먼저 스케치에 대한 예시로는 연구 참여자의 앉아 있는 자세, 그날 입은 옷, 중요한 어느 날의 풍경 등을 그리는 것이 있다. 이 장면들은 연구자가 글로 아무리 자세히 설명하더라도 글을 읽는 독자들이 이해하지 못하거나 이해하더라도 왜곡하는 경우가 많다. 왜냐하면 자세, 생김새, 옷에 관한 묘사는 같은 단어라고 하더라도 사람들마다 다른 이미지를 떠올리게 만들기 때문이다. 따라서 글 옆에 그 현장 상황을 간단히 그린 그림을 제시한다면 그 장면의 맥락과 연구자의 의견을 좀 더 쉽게 이해할 수 있게 될 것이다. 스케치에 관한 적절한 예시는 다음과 같다.

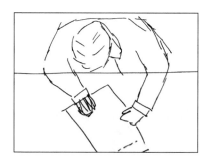

글 쓰는 자세에 관한 스케치 예시

그림을 보면 연구자가 어떠한 점에 대해 이야기할 것인지를 짐작할 수 있을 것이다. 이 경우에 연구자가 그림 없이 오로지 글로만 설명하려고 시도했다면 그 과정이 상당히 어려웠을 것으로 추측할 수 있다. 이처럼 스케치는 연구의 장면을 효과적으로 표현해 줄 수 있는 유용한 방법이 된다.

한편, 그림 그리기의 두 번째 방법에는 지도 그리기가 있다. 지도 그리기는 사실 공간연구에서 활발하게 사용되는 방법이며, 그러한 전통이 질적 연구 및 실행연구와 결부된 자료 수집 방법이다. 지도 그리기 역시 현장의 상황을 그림으로 나타낸다는 점에서 스케치와 비슷하지만, 이것은 현장 공간에 대한 전체적이고 포괄적인 특징에 주목한다는 점에서 차별성을 갖는다. 지도 그리기의 구체적인 목적은 실천가인 우리를 포함한 사람들이 현장을 과연 어떠한 방식으로 활용하고 있는지 알아보기 위한 것이다. 지금까지는 이러한 공간을 비교하고 국가, 문화, 사회 계층별로 분류하거나 분석하곤 했다. 그러나 실행연구에서의 지도 그리기 방법은 현장에 대해 포괄적으로 설명할 필요가 있을 때, 그리고 연구 참여자들 사이의 관계를 분석하거나 특정 행위에 관한 원인을 찾고자 할 때 주요한 방법으로 활용될 수 있다. 지도 그리기의 대표적인 예시는 다음에 제시되는 그림에서 확인할 수 있다.

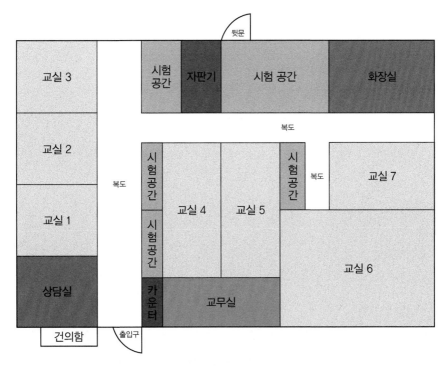

학원 공간에 대한 지도 그리기 예시(김영천, 2008에서 재인용)

이 지도를 접한 독자들은 굳이 많은 설명을 듣지 않아도 학원 공간에 대한 많은 정보를 얻을 수 있다. 지도를 잘 살펴보면 좁은 공간에 많은 교실이 밀집해 있고, 복도는 상당히 좁으며, 시험을 위한 공간이 의외로 많다는 사실을 한눈에 알아볼 수 있다. 우리가 일반적으로 생각하는 학교의 공간과 학원은 달랐던 것이다. 즉, 우리는 지도 그리기 방법을 통해서 학원이 철저하게 학습과 평가에 맞춰진 공간이라는 중요한 개념을 이해할 수 있게 된다.

마지막으로 소개할 사진의 경우 아래에서 소개할 공학적 관찰법과 어느 정도 중복되는 면이 있는 것은 사실이다. 그러나 사진은 자료를 단순히 보관하고 되새기는 역할보다 좀 더 예술적인 역할을 담당할 수 있다. 많은 연구자들은 사진을 아무런 가치 없이 현장을 기록하는 방법으로 사용하기보다는 그 속에 연구자의 생각을 담고자 한다. 사진은 같은 장면이라도 어떻게 촬영하는가, 그리고 무엇을 촬영하고 무엇을 배제하는지 여부에 따라 상당히 다른 이야기를 할 수 있게 된다. 또한 우리가 흔하게 접하지 못하는 생소한 현장을 설명하는 데 사진만큼 뛰어난 매체는 없다. 따라서 실행연구에서 연구자는 사진을 중요한 자료 수집의 방법으로 활용할 수 있다. 이미 사진을 활용한 연구는 질적 연구 및 인류학 분야에서 활발히 활용되고 있기 때문에 이러한 연구 방법에서 힌트를 얻어 실행연구 자료 수집에 이용하면 좋을 것이다.

비디오, 오디오

비디오와 오디오는 현장기록 방법의 또 다른 형태이다. 즉, 현장일지가 직접 보고 손으로 적는 방식으로 현장의 상황을 기록하는 방법인 반면에, 비디오나 오디오는 전자적인 도구를 활용하여 현장을 직접적으로 기록에 남기는 방식이다. 비디오나 오디오는 연구자의 육체적, 정신적인 노동을 조금이나마 나누어 담당해 준다는 의미에서 연구를 수월하게 해 주는 유용한 도구가 된다. 그 중에서도 비디오는 연구 참여자들의 비언어적 행동, 그들의 위치 혹은 움직임을 전부 기록해 준다는 점에서 더 유용한 방법이다. 실행연구는 많은 경우 연구자 스스로의 행동을 관찰하는 경우가 많다. 그럴 경우 비디오를 활용한 기록 방법은 상당히 중요한 의미를 가진다. 비디오를 촬영하고 그것을 다시 바라보는 활동을 통해 연구자들은 실천가일 때는 몰랐던 스스로의 행동에 대해 다시 돌아보고, 반성할 수 있는 기회를 얻게 된다.

이러한 비디오 촬영법에 장점만 있는 것은 아니다. 우선 비디오를 촬영하기 위해서는 상당히 큰 장비와 촬영 공간이 필요하다. 이것은 연구자와 연구 참여자들이 어떠한 행동을 하는 데 상당히 신경 쓰이게 할 만한 원인이 된다. 일단 자신의 행동이 전부 녹화되고 있으며, 나중에 계속해서 분석될 수 있다는 의식이 머리에 박히게 되면 본래 하고자 했던 행동을 거리낌 없이 하는 것은 힘들다. 즉, 모든 사람이 비디오를 의식하게 되면 연구 현장 자체가 실제를 반영하지 못하게 될 수 있다. 이러한 점을 해결하기 위해 연구자들은 다양한 방법을 활용하는데, 비디오 촬영 장치를 최대한 눈에 띄지 않는 모퉁이에 두거나, 작은 것으로 구입하기도 한다. 그리고 그것을 최대한 오랜 시간 동안 같은 장소에 둔다. 처음에는 모든 사람이 비디오에 관심을 갖지만, 만일 아무도 그 장치를 언급하지 않고 많은 시간이 흐른다면, 몇몇 사람들의 기억에서는 망각되는 것이다. 따라서 이전보다는 좀 더 자연스러운 촬영이 가능해진다.

비디오 촬영법의 단점을 보완할 수 있는 또 다른 방법으로는 오디오 기록이 있다. 녹음은 비디오 촬영에 비해 상당히 간편하다는 장점이 있기 때문이다. 오디오 기록을 만들기 위해서는 주로 녹음기나 스마트폰, MP3 플레이어 등을 활용한다. 오디오 기록은 상당히 빠르고, 쉽고, 연구 참여자들의 눈에 잘 띄지 않는다는 특징을 가진다. 따라서 더 자연스럽고 쉽게 현장 상황을 기록하는 것이 가능하다. 다만 중요한 단점으로는 현장 상황을 시각적으로는 담지 못하며, 특히 비언어적 행동이나 움직임, 위치 정보를 누락한다는 점을 들 수 있다.

유능한 실행연구자라면 이러한 디지털 도구들을 어떻게 활용해야 할지 감이 올 것이다. 각 도구들은 장점과 단점이 명확하다. 따라서 연구 상황에 맞게 적절히 도구들을 배치하는 지혜가 요구된다. 또한 이러한 자료들은 단순히 수집하여 쌓아 두기만 해서는 안 된다. 각 자료들을 즉시 분류하고, 짧은 시간 내에 다시 보고, 중요한 것만을 추려 두어야 한다. 왜냐하면 촬영된 비디오와 녹음된 오디오는 그 자체만으로는 중요한 내용이 무엇인지 알 수 없으며, 나중에 그것을 검색할 수도 없기 때문이다. 따라서 미리 중요한 곳이 어디인지 표시해 두고 추후에 활용하는 지혜를 발휘해야 한다. 그렇지 않다면 자료 분석 과정에서 큰 어려움을 겪게 될 것이 자명하다.

2) 발표, 회의, 면담 자료

실행연구에서는 연구 참여자들의 적극적인 역할이 그 어느 때보다 더 중요해진다. 가령 병원에서 특정한 치료 방법에 대해 연구하고자 할 때, 연구에서 연구자의 역할만큼 중요한 것이 그 치료 방법을 수행할 의사, 간호사, 그리고 치료 방법을 직접 체험할 환자의 역할이다. 따라서 실행연구에서는 그들이 겉으로 보여주는 행동을 관찰하여 일지를 쓰거나 분석하는 활동이 많지만, 그에 못지않게 그들의 머리와 입에서 나온 말을 포착하는 작업도 굉장히 중요하다. 이를 가장 잘 반영한 자료 수집 방법이 발표, 회의, 면담이다. 즉, 지금까지 소개한 방법들이 연구 참여자의 행동에 초점을 맞춘 자료 수집이었다면, 지금 소개할 발표, 회의, 면담은 언어에 초점을 맞춘 자료 수집이다.

연구자들이 인위적으로 이러한 과정을 연출할 필요는 없다. 사실 우리가 잘 느끼지 못하지만, 현장에서 발표, 회의, 면담 과정은 계속해서 일어나고 있기 때문이다. 특히 직장의 경우에는 어디를 가나 정기적인 회의가 이루어지고 있으며, 교실의 경우에는 발표가 특히 활발하고, 일상적인 이야기를 가장한 면담활동 역시 매 순간 일어난다. 물론 연구자가 부족하다고 생각할 경우에는 연구 참여자들의 동의를 얻어 실행연구를 주제로 한 회의를 개최할 수도 있다. 또한 각 구성원들에게 현재 실행연구의 경험에 대해 이야기하는 자리를 마련할 수도 있다. 중요한 것은 연구자가 이러한 과정을 제대로 담아내어 실행연구가 의도한 문제 해결 방안에 대한 힌트를 얻어내야 한다는 점이다.

언어적 자료 수집 방법들

발표와 회의

먼저 발표, 회의의 경우에 대해 설명하면, 이 방법은 한 명 혹은 몇 명의 연구 참여자들이 둘러앉아 그들의 작업이나 현재 연구 장소의 기능에 대해 자유롭게 이야기하는 것이다. 발표는 개인적 측면이 부각되는 것이고, 회의는 집단적 혹은 어떠한 의견에 대한 합의가 강조되는 것이다. 한 개인이 발표하는 것, 그리고 회의에서 여러 사람들이 이야기하는 내용에는 연구에 직, 간접적으로 영향을 끼치는 내용들이 포함되어 있다. 따라서 모든 내용들을 녹음기로 빠짐없이 녹음해야 한다. 일상적인 회의의 경우에는 굳이 연구자가 회의를 주도할 필요가 없다. 자연스럽게 뒤에서 지켜보면서 다양한 의견들을 메모하면 된다. 그러나 만일 연구자가 연구에 활용하기 위해 일부러 회의를 개최했다면, 회의에 참가한 연구 참여자들을 위해 미리 토의 주제를 제시하고, 그들이 의견을 준비해 올 수 있도록 배려하는 것도 좋다.

본격적인 회의가 시작되면, 연구 참여자들은 자신들의 이야기를 하고, 대화를 주도한다. 우리는 모든 사람들이 회의에 익숙하다고 간주해서는 안 된다. 특히 학생들의 경우에는 토론이나 회의 상황을 처음 경험해 보는 경우도 있다. 따라서 몇 가지 지침을 미리 제공하고 연습할 수 있도록 해야 한다. 한편, 회의에서 사용되는 질문들은 대부분 의견을 물어보는 개방형 질문으로 하도록 유도해야 한다. 회의를 개최하는 장소는 특별히 정해지지 않는다. 시간 역시 참가한 인원에 맞추어 2~15분 정도로 설정하면 된다. 참가 인원은 상황에 따라 다르지만, 3~8명 범위 안에서 진행하는 것이 일반적이다. 회의는 어떠한 사람이 자신의 의견을 발표하면, 그것을 듣고 다른 사람이 반응하는 방식으로 진행한다. 회의 내용은 반드시 녹음하고, 들으면서 계속해서 메모하는 것이 좋다. 다만 아주 세세하게 적을 필요는 없고, 중요한 것, 장점, 단점을 중심으로 기록한다. 여기서도 여러 종류의 체크리스트를 활용할 수 있다. 구체적으로 체크리스트는 학생들을 추적하고 회의 시간을 기록하는 데 많이 사용된다.

이렇게 회의를 여러 번 해 보고 나면 연구자들은 어떤 의견이 연구에 필요한 것인지, 그리고 다음 연구 과정 혹은 회의에서는 어떠한 주제를 제시해야 할지를 익힐 수 있게 된다. 더 나아가 회의는 사회적, 혹은 대인관계 주제를 진술하는 데도 사용될 수 있다.

면담

한편, 면담은 발표나 회의와는 다른 성질을 가진 자료 수집법이다. 기본적으로 면담은 연구자와 연구 참여자가 직접 이야기하는 것이다. 따라서 연구 참여자로 하여금 좀 더 자신의 내면에 숨겨진 이야기를 하거나 남들에게는 하지 못했던 자기주장을 할 수 있게 된다는 장점이 있다. 면담에서는, 학생들은 준비된 질문에 답을 한다. 특히 면담을 처음 하는 경우에는 연구자가 연구 참여자를 위해서 사전에 질문지를 준비한다. 아주 뛰어난 면담가의 경우를 제외한다면, 대부분의 경우에는 개인적으로 만났을 때 이야기를 이끌어 내는 것이 어렵기 때문이다. 면담 질문지에 대해 감이 잘 오지 않을 경우 다음의 간단한 예시를 확인하도록 하자.

❶ 이 작업을 처음 해 보는 사람들에게 해 줄 조언이 있습니까?

❷ 올해 당신이 얻고자(알고자) 하는 점이 있나요?

❸ 당신의 일에서 바꾸고 싶은 부분이 있다면 무엇입니까?

❹ 그 분야의 전문가로서 당신이 가지게 된 통찰력은 무엇입니까?

❺ 이 일을 하면서 가장 의미 있었던 경험은 무엇입니까?

❻ 당신이 일을 하면서 가장 중요하게 생각하는 자원(능력)은 무엇입니까?

좀 더 구체적으로는 다음의 예시를 확인하면 좋다. 이 예시는 사회복지사들과의 실행연구에서 활용한 면담지이다. 즉, 실행연구자들은 각 분야에 적합하도록 면담지를 적절히 수정해서 활용해야 한다.

사회복지사와의 면담에 활용된 질문지

❶ 복지와 관련하여 청년수당에 관한 당신의 생각은 무엇입니까? 그것이 효과가 있을까요? 그리고 만일 그렇다면 그것이 청년들을 구제할 수 있을까요? 이유를 제시해 보세요.

❷ 효율적이면서도 공평한 복지 모델의 특징에는 무엇이 있을까요?

❸ 유능한 사회복지사가 되기 위해 필요한 기술에는 무엇이 있을까요?

❹ 사회 구성원들과 소통하는 데 공유해 줄 만한 조언이나 통찰을 제시해 주세요.

❺ 배려를 촉진하는 데 추천할 만한 프로그램이나 좋은 예시가 있나요?

이때 주의해야 할 점은 면담 질문들이 일관성을 유지해야 한다는 점이다. 너무 다양한 분야에 대해 이것저것 묻거나 개인적인 비밀을 요구하게 되면 면담이 엉뚱한 방향으로 흘러갈 수 있다. 처음에는 철저히 연구 주제에 관한 짧은 질문들을 중심으로 면담을 진행한다. 면담이 계속되면 면담지는 점점 개방적으로 변하게 되고, 심지어는 면담지가 없더라도 면담이 이루어질 수 있다. 이때 연구자는 연구 참여자가 했던 말 중에서 궁금한 내용이나 좀 더 알고 싶은 내용을 질문하는 형식으로 면담을 이어 나가야 한다. 그렇게 함으로써 면담이 한 개인의 마음속에서 일어나는 심리적 변화나 연구에 대한 아이디어를 포착하는 것이 더

욱 용이해지게 된다. 물론 면담 역시 회의와 마찬가지로 녹음을 하여 면담 내용
을 놓치는 일이 없도록 유의해야 한다.

3) 설문조사 자료

설문조사는 실행연구뿐만 아니라 조사연구, 프로그램 개발 결과 분석, 현장 이
해연구 등 거의 모든 종류의 연구에서 활용할 수 있는 자료 수집 방법이다. 물
론 실행연구 분야에서 현재 설문조사 방식이 적합한 것이냐에 대해서는 여러 의
견이 분분한 실정이다. 특히 설문조사는 연구 목적을 제대로 반영하지 못한다는
비판이 제기되고 있다. 가장 이상적인 방법은 연구 참여자의 이야기를 직접 듣는
것이기 때문이다. 따라서 실행연구에서는 일반적으로 심층 면담이 현실적으로
어려울 경우에 설문조사를 많이 활용한다.

설문조사 방법 활용의 예시

박흥부 교사는 현재 사과중학교에서 2학년 국어 과목을 담당하고 있다. 그는 현재 매주 6
개의 반에 속한 180명에 가까운 학생들에게 수업을 하고 있다. 연구자로서 박흥부 교사는
대학원에서 배웠던 실행연구의 여러 절차와 방법들을 교실 수업에 적용하고 싶었다. 그는
실행연구 절차들을 직접 구안했고, 그동안 적용해 보고 싶었던 새로운 국어 수업 방법을
활용해 보았다. 주된 자료 수집 방법은 심층 면담에 두었다. 그러나 막상 연구를 시작하고
나서 고민에 빠졌다. 많은 시간을 수업에 투자해야 하는 교사의 특성상 심층 면담에서 많
은 학생을 만날 수 없었던 것이다. 연구에서 한두 명의 학생들과 면담하는 과정 자체도 어
려웠지만, 정작 많은 학생들의 수업에 관한 생각을 알지 못했던 박흥부 교사는 자신이 수
업하고 있는 학생들 전체를 대상으로 한 설문조사 방법도 활용하기로 결정했다.

위 예시와 같이 연구자는 설문조사 방법을 다양한 상황에서 활용할 수 있다.
이러한 설문조사는 장점과 단점이 뚜렷한 편이다. 먼저 장점을 제시하면 다음
과 같다. 우선 다양한 장소에서 많은 사람들에게 동시에 의견을 물어보고 그 결

과를 체계적으로 관리할 수 있다는 점을 들 수 있다. 이것은 다른 자료 수집 방법과 비교하여 설문조사 방법만이 갖고 있는 장점이라고 할 수 있다. 즉, 설문조사 방법은 설문지를 복사하거나 우편으로 보내는 것 이외에는 비용이 거의 들지 않는 경제적이고 효과적인 연구 방법이다(Patten, 1998; Salkind, 1991). 단시간에 많은 자료를 추출할 수 있고, 이를 근거로 연구 주장을 강화하거나 반박하는 것이 가능하다. 설문조사의 두 번째 장점은 익명으로 설문조사를 할 수 있다는 사실이다. 이것은 연구 방법으로서 설문조사가 가질 수 있는 또 다른 강점이다. 사실 질적 연구와 실행연구에서 가장 취약한 부분이 바로 연구의 진실성이다. 연구 참여자들은 대부분은 진실되게 행동하지만, 몇몇 경우, 예를 들어 누군가가 나를 관찰하고 있다고 생각하거나 비디오가 녹화되고 있다고 판단할 경우 거짓으로 행동할 가능성이 있다. 누구나 자신의 비밀이 드러나는 것은 꺼리기 때문이다. 이것은 면담의 경우에도 마찬가지이다. 아무리 면담자와 내담자가 공감대를 형성하고 면담의 진실성을 약속한다고 하더라도 연구 참여자가 정말 진실한 이야기를 해 줄 것인가에 관한 문제는 확실히 해결하기 어려운 것임이 분명하다. 설문조사의 익명성은 이러한 점을 보완하는 좋은 도구가 될 수 있다. 익명이 확실히 보장된다면 사람들은 좀 더 민감하거나 심지어는 불법적인 행동들에 관한 정보까지도 솔직히 말할 수 있게 될 것이다. 연구자들은 이러한 심리를 잘 활용하여 우리가 현장에서 직접 관찰하거나, 공식적인 면담을 할 때는 알 수 없었던 귀중한 정보를 수집할 수도 있다.

한편, 설문조사에 대해 알려진 문제점은 다음과 같다. 첫째, 낮은 응답률이 있다. 설문조사는 연구자가 연구 참여자를 직접 만나서 대답을 기다리지 않는다. 즉, 연구가 시간적으로 동일한 선상에 있지 않다는 것이다. 이러한 문제는 특히 대규모로 편지를 보냈을 때 더욱 두드러진다. 이러한 설문조사에서는 상당수의 응답이 돌아오지 않는다고 보아야 한다. 대부분의 사람들은 자신이 응답하지 않더라도 누군가는 할 것이라고 생각한다. 둘째, 설문조사는 수준 높은 응답을 기대하기 어렵다. 설문조사는 일반적으로 몇 가지 선택지에 관한 객관적인 질문을 제시하거나 빈칸을 채우거나, 짧은 답변을 요구하는 데서 그친다. 이러한 특징은 앞서 설명했듯이 간편하고 효율적이지만, 대신 연구 참여자의 응답이 제한되고, 수준이 낮다는 단점을 가진다. 연구에 대해 충분히 설명하지 않는다면, 대부분은 시간에 쫓겨 서둘러 대충 응답을 하고 말 것이다. 셋째, 설문조사와 관련된 또 다른 문제점은 응답의 진실성에 있다. 대부분의 응답자들은 정말 진실된 응답을 하려고 하기보다는 사회적으로 바람직한 응답, 혹은 옆 사람의 응답을 그대로 따라 하곤 한다. 이러한 경향은 질문지가 어떤 특정한 장소에 있는 모두에게 제공되었을 경우 훨씬 강해진다.

설문조사의 장점과 단점은 상당히 명확한 편이다. 따라서 설문조사 방법을 사용하는 기준은 목표로 한 정보를 얻을 수 있을 것인지 아닌지에 대한 정확한 판단에 따라야 한다. 그렇지 않다면 시간과 비용을 낭비하는 결과를 낳게 될 것이다. 따라서 설문조사를 활용하기로 결정했다면, 연구 결과의 왜곡을 제거하기 위해 질문을 섬세하게 설계해야만 한다는 사실을 명심해야 한다. 설문조사를 실시할 때 일반적으로 주의해야 할 점은 다음과 같다(Haladyna, 1999; Patten, 1998; Salkind, 1991; Schoer, 1970).

설문조사 가이드라인

❶ 정확한 답변을 듣기 위해 장기 기억보다는 단기 기억에 근거한 질문을 해야 한다.
❷ 답변하는 사람들이 오해할 수 있는 부정적인 형식의 질문은 피해야 한다.
❸ 만일 어쩔 수 없이 부정적인 질문을 사용해야 한다면 그 단어가 눈에 잘 띄도록 밑줄을 하거나 굵게 표시해 주어야 한다.
❹ 하나의 질문에는 하나의 답만을 요구해야 한다.
❺ 여러 가지 답을 원할 경우에는 각각의 질문을 분리해서 제시해야 한다.
❻ 축약한 단어의 경우 본래 단어를 전부 표기해 주고, 어려운 용어는 부연설명을 덧붙여야 한다.
❼ 연구 참여자로 하여금 모든 답에 표시하도록 요청할 경우에는 질문에 특별히 기재해야 한다.
❽ 특별히 얻고자 하는 정보에 따라 개방형 질문, 폐쇄형 질문을 적절히 배치해야만 한다

설문조사는 연구 결과의 방향을 바꿀 수도 있는 중요한 자료 수집 방법이다. 따라서 신중하게 설계하고 실시해야 한다. 설문조사를 실시하기 위해서, 연구자들은 질문지를 만든 뒤 최소 20명이 넘는 사람들에게 질문 분석을 받도록 해야 한다. 그리고 이러한 결과들은 여러 번 시행되어 반드시 누적되어야 한다. 이러한 분석 결과에 근거하여, 구체적인 질문을 신중하게 개선하거나 제거해야 한다. 또한 질문 분석을 하게 되면 어떠한 항목의 점수가 너무 높거나 낮게 나오는 질문들이 생겨날 것이다. 따라서 이 결과가 연구에 있어 가치 있는 내용이기 때문에 그렇게 나타난 것인지, 아니면 질문 내용이 잘못되었기 때문에 나타난 것인지를 다른 질문들과 비교하고 연구자가 직접 판단을 내려야 한다. 결국 연구자들은 모든 질문의 반응 수준을 측정하여 전체적인 반응의 패턴을 확인해야 한다. 설문조사지 분석이 끝나면 질문의 형태를 마지막으로 확인하고 설문조사에 사용할 질문을 확정한다(Aiken, 1996; Patten, 1998; Schoer, 1970).

　그 다음으로는 설문지의 표지에 연구의 개요를 제시해야 한다. 여기에는 설문조사의 목적, 원하는 반응, 그리고 설문조사를 제출해야 하는 기한 등을 적는다. 또한 비밀을 보장하기 위해, 설문조사는 끝나자마자 연구자에게 전달될 필요가 있다는 사실을 알리고, 설문조사에 귀중한 시간을 내어 주어서 고맙다는 인사도 넣을 필요가 있다(Patten, 1998; Salkind, 1991). 이러한 글은 설문조사의 응답률을 높이는 역할을 해 준다. 질문지의 형식을 고려한다면, 각 질문에 대한 설명에 관한 글도 제시될 필요가 있다. 질문을 기준에 맞게 분류하고, 각 분류마다 소제목을 달아서 응답자로 하여금 설문조사를 빠르고 정확하게 완료할 수 있도록 적절한 도움을 주어야 한다. 응답의 형태를 맞추는 것도 중요하다. 질문마다 다른 척도를 사용하거나 혹은 갑자기 척도를 역순으로 배열하게 되면 연구 참여자들은 혼란스러워한다(Patten, 1998; Salkind, 1991). 당연히 연구 결과에도 영향을 미치게 될 것이다. 그리고 연구 참여자의 수준도 고려해야 한다. 일반적인 성인들의 경우에는 글이 좀 많더라도 괜찮을 것이다. 그러나 설문조사가 어린이를 대상으로 이루어진다면 글보다는 다양한 그림과 도식을 활용해야만 할 것이다. 반대로 노인들을 대상으로 한 설문조사는 활자의 크기를 신경 써야 할 것이다.

설문조사가 만일 편지 형태로 연구 참여자들에게 배달되는 경우에는 연구자들이 반드시 설문지를 신중하게 포장해서 사람들이 그것을 광고 등으로 오해하여 버리는 일이 없도록 해야 한다. 또한 연구 중간에 설문지를 작성해서 보내 줄 것을 부탁하는 추가적인 편지를 보낼 수도 있다. 이는 연구 참여자들 중에서 아직 조사를 완료하지 못한 바쁜 사람들에게 설문지에 관한 사실을 다시 한 번 상기시키고 설문을 완료할 수 있도록 권유하는 역할을 한다. 어쨌든 설문조사에 연구를 소개하고 안내하는 과정은 핵심적인 요소라는 사실을 아는 것이 중요하다. 이러한 섬세한 설계가 없다면 응답자는 설문지를 올바로 작성하지 못할 것이다.

설문조사에서는 실행연구에서 발생하는 주요 현상들에 대해서 사실, 태도, 가치에 관한 연구 참여자의 생각을 묻는 방식이 주로 활용된다. 이러한 설문은 일반적으로 개방형, 척도형 질문으로 분류할 수 있다. 즉, 형태가 질적, 양적으로 자유롭게 편집 가능하기 때문에 자료 수집을 위해 질적, 양적 연구 모두에서 설문조사 방법을 활용하는 것이 가능하다. 척도형 질문은 반응을 강요하는 측면이 있지만 결과를 빠르게 얻을 수 있고, 연구를 간편하게 수행할 수 있다. 신뢰성을 확보하기 위해, 설문은 몇 가지 질문을 재진술하도록 설계될 수도 있다. 대부분의 척도형 설문조사는 Likert 척도를 활용하여 반응을 측정한다. 각 질문지의 척도는 3개에서 7개 사이에서 구성되는 경우가 대부분이다. 일반적인 5개 척도를 설명하면, 각 척도는 1(강하게 동의함), 2(동의함), 3(중립), 4(동의하지 않음), 5(강하게 동의하지 않음)로 구성되어 있다. 이러한 척도를 보고, 연구 참여자는 자신의 의견과 가장 비슷한 숫자에 표기한다. 측정 척도가 결정되고 나면, 연구자는 개별적인 질문과 더불어 평가 분류표를 만든다. 선언적인 진술을 사용하고 가설 상황을 만듦으로써 목표하는 자료를 수집할 가능성을 높이게 된다(Arhar, Holly & Kasten, 2001; Patten, 1998).

한편, 개방형 질문은 연구 참여자들이 좀 더 포괄적이고 완전한 반응을 할 수 있도록 만들어 준다는 장점이 있다. 비록 개방형 질문이 폐쇄형 질문에 비해 분석하기는 더 어렵지만, 분석을 제대로 한다면 좀 더 심층적이고 의미 있는 정보를 제공해 준다(Arhar, Holly & Kasten, 2001; Patten, 1998).

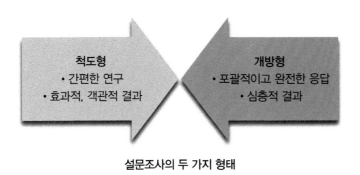

설문조사의 두 가지 형태

최근에는 다양한 형태의 질문을 혼합한 창의적인 형태의 설문지도 등장하고 있다. 먼저 360도 피드백 설문조사를 제시할 수 있다. 360도 피드백 조사는 기존의 설문조사를 보완하는 한 가지 예시가 될 수 있다. 이 설문조사는 스스로의 수행에 대해 평가하고자 할 때 유용하다. 우선 설문조사 내용을 전부 평가받고자 하는 자신의 행동이나 말에 관한 질문들로 채운다. 그런 다음 이 설문지를 자신의 주변에서 현재 인간관계를 맺고 있는 모든 사람들에게 배부하는 것이다. 즉, 자신의 행동을 다른 제3의 권위자가 아니라 주변의 동료, 그리고 직접적으로 관련이 있는 감독자에게 평가받는 방식을 취하고 있다. 360도 피드백 설문조사의 결과에 근거하여, 각 개인은 그들이 측정하고자 하는 영역에서 자신의 기술을 발전시키도록 수행 계획을 세울 수 있다. 자신을 직접 옆에서 지켜보고 같이 일하거나 공부하는 사람들로부터 평가를 받게 되므로 평가의 신뢰성이나 진지함을 보장받을 수 있다. 360도 피드백 조사는 익명으로 진행하는 것을 권장하는 데, 왜냐하면 동료들이 자신들의 생각을 두려움 없이 제시할 수 있을 것이기 때문이다.

마지막으로 제시할 내용은 비교에 활용되는 설문조사에 관한 것이다. 이것은 하나의 관찰하고자 하는 기술에 대해 두 가지, 혹은 세 가지의 설문조사 결과를 겹쳐 봄으로써 그 두 요소를 비교하는 방법이다. 즉, 비교 설문은 산출물이나 수행들 속에서 당신이 찾고자 하는 특징을 두드러지게 나타내 준다. 이는 교육 현장에서 많이 활용되는 루브릭과 상당히 유사한 특징을 가진다. 그러나 루브릭은 각각의 상황을 자세히 설명하는 문장이나 설명이 덧붙여지고, 비교 설문은 그 상황을 드러내는 하나의 단어만을 사용한다는 점에서 차이가 보인다. 비교 설문 역시 일반적인 설문조사와 마찬가지로 상당히 간편하기 때문에 즉시 만들어서 활용하기도 편하고, 연구자의 직관을 드러내는 데도 유리하다. 따라서 실행연구에서 상당히 실용적인 방법 중 하나이다. 비교 설문에 관한 다음의 예시를 확인하면 더욱 이해하기가 쉬울 것이다.

간호 과정에 대한 비교 설문

간호사	간호 과정	환자
	상호작용	
	확실한 근거에 따라 진단	
	배려와 미소	
	즉각적인 조치	
	올바른 절차	
	간호 행위의 정확성	
	순환적 평가, 환류	

점수: 5점(아주 좋음) 4점(좋음) 3점(보통) 2점(좋지 않음) 1점(아주 좋지 않음)

간호사 총점:	환자 총점:
간호사 평균:	환자 평균:

연구자 논평:

비교 설문에서는 제시된 목록에 따라 연구자가 연구 참여자들을 평가하는 것, 그리고 각 구성원들이 직접 설문을 적어 보는 것 모두 연구 과정에서 활용 가능하다. 그리고 양적 자료와 질적 자료를 결합시키는 것도 좋다. 중요한 것은 이러한 설문조사의 활용이 하나의 과정 속에서 서로 다른 입장 혹은 공통된 관심사 등을 제대로 전달해 줄 수 있어야 한다는 점이다.

4) 프로젝트 수행 자료

마지막으로 제시할 요소는 프로젝트 수행에서 수집할 수 있는 실제적인 자료에 관한 것이다. 프로젝트는 실행연구의 가장 핵심을 보여 주는 연구 방식이다. 프로젝트라는 개념은 연구와 실행을 연구 현장에서 동시에 실시하겠다는 의미를 담고 있다. 실행연구 연구자는 자료 수집은 현장에서 실시하고, 연구는 연구실에 돌아와서 하겠다고 구분지어서는 안 된다. 즉, 실행연구는 연구 현장에서 모든 연구 활동이 이루어질 수 있음을 알아야 한다. 또한 실행연구자가 반드시 실행연구를 혼자서 진행할 필요는 없다. 연구 참여자가 연구를 이해하고 거기에 동의한 순간 언제든지 연구의 중요한 부분이 될 수 있다. 연구자의 실천을 개선하기 위해 수행되는 프로젝트는 크게 세 단계로 나누어지는데, 각 단계마다 우리가 얻을 수 있는 유용한 자료들이 존재한다.

그림에서 확인할 수 있듯이, 프로젝트의 각 단계에서 다양한 자료들을 얻어낼 수 있다. 자료를 수집하는 주체는 분명 실천가로서의 연구자이지만, 가치 있는 자료를 생성

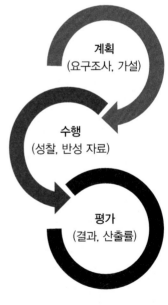

프로젝트에서 수집 가능한 자료들

해 내는 주체는 연구자일 수도 있고, 프로젝트에 참가하는 연구 참여자일 수도 있다. 따라서 우리는 연구와 현장을 떨어뜨려 놓을 필요가 없다. 연구 현장에서 연구 참여자들과 직접 프로젝트를 수행하고, 그 과정에서 가치 있는 자료들을 재빨리 수집하는 과정이 필요하다. 프로젝트를 시작하기 전에, 수집할 모든 요소를 체크리스트에 기록하고, 하나씩 점검해 나가야 한다. 실행연구 프로젝트는 과학, 연구, 그리고 현장을 개선하는 방법들에 관한 자료들을 효과적으로 수집할 수 있게 만들어 준다.

계획 단계

실행연구 프로젝트를 실시하기 위해서는 먼저 요구조사를 실시해야 한다. 이 과정에서는 크게 두 가지 방향의 자료가 수집될 수 있다. 우선, 실천가이자 연구자인 자신의 입장에서 생각한 연구의 필요성들이 있을 것이다. 연구를 직접적으로 수행하고 현장을 개선해야 하는 입장에서, 연구의 필요성을 입증하는 자료는 다양할 수 있다. 우선 연구자의 실패의 경험이나 현장 개선의 필요성을 기록한 자료들이 있다. 일기, 업무수첩, 구체적으로 실패했던 기록, 현장 개선을 건의했던 문서, 공식적 기록물 등을 수집하는 것은 연구자의 입장에서 연구의 필요성을 입증하는 데 중요한 활동이 된다.

또 다른 입장으로는 현장의 구성원과 연구 참여자를 들 수 있다. 이들은 학생, 부하직원, 고객, 서비스 수혜자, 직장상사, 지역사회, 공공기관, 정부에 이르기까지 다양하다. 중요한 것은 이러한 사람들이 현장에서 일어나는 문제를 해결하기 원한다는 사실이며, 자료의 형태 역시 다양할 수 있다. 구체적으로는 문서, 뉴스보도, 동영상, 낮은 시험점수, 전문가의 공식적인 의견서 등이 있으며, 이러한 자료 역시 연구가 필요한 강력한 근거로 활용할 수 있다.

프로젝트를 시작하기 전 세우는 가설도 중요한 자료이다. 실행연구를 실시하면서 아마 가설이 그대로 적중하거나 모든 연구 과정이 완벽하게 들어맞지는 않을 것이다. 즉, 연구 초기에 세운 가설은 나중에 변화하게 될 가설에 대한 중요한 근거가 된다. 연구는 한 번으로 끝나지 않고 계속 순환될 것이기 때문에, 가설을 빠짐없이 수집한다면 연구의 연속성과 역사성을 보여 주는 데 큰 도움이 될 것이다.

수행 단계

수행 단계는 본격적인 프로젝트가 시작되고 다양한 활동이 이루어지는 과정이다. 수행 단계에서는 구체적으로 실행 방법을 고안하고 적용해 보게 되는데, 이 과정에서 다양한 자료들을 모으게 된다. 우선 적절한 해결책을 고안하기 위해 과거의 자료들을 수집할 수 있다. 간호 현장에서는 환자의 과거 병력이라든지, 병원의 시설 개선 현황, 실천가들의 병원 근무 기록 등이 해당될 것이다. 학교의 경우 학생들의 작년 시험점수, 등급, 그동안 학생들이 모아 두었던 학습에 관한 구체적인 산출물들, 건강기록, 가족관계, 출석부 등이 해당된다. 과거 자료들은 현재를 개선하기 위해 반드시 필요한 것이고, 이러한 자료들이 수집되는지에 따라 연구의 방향이 결정되기도 한다. 다만 이러한 과거 자료들은 일종의 개인정보이기 때문에 반드시 연구 참여자들의 동의가 있어야 하고, 모든 자료들은 수집되기 전에 윤리적 측면에서 철저하게 검증되고 보고되어야 한다는 사실을 명심해야 한다. 또한 이 자료들을 그냥 활용해서는 안 된다. 자료를 활용하기 전 연구자의 언어로 바꾸어 참고 자료로만 활용하는 것이 좋다.

구체적인 실천 활동 이후에는 그 결과가 자료로 축적될 것이다. 만일 연구자가 복지학 분야에서 장애인들에게 알맞은 역할을 제공하고 그들의 수행을 돕기 위한 직업교육 프로젝트를 실시할 경우, 그 결과는 연구 참여자들의 만족도 설문, 실제적인 취업률, 퇴사율, 직장에서 그들이 보여 주는 판매실적, 성과 등으로 나타날 것이다. 이러한 자료들을 직접 수집하고, 다양한 형태의 자료로 나타낼 수 있다. 이러한 양적인 자료 이외에도 연구자가 직접 교육을 실시하며 얻게 된 통찰이나 반성 결과 역시 중요한 자료이다. 자료를 모두 수집할 수는 없기 때문에, 연구자는 현장을 잘 지켜보고 있다가 수행에 변화가 생긴다고 생각할 때 적절히 대표적인 자료들을 수집할 필요가 있다. 연구 과정에서는 항상 유연하게 대처하는 것이 도움이 된다. 수집한 자료들을 컴퓨터 자료로 저장한다면 이동하기도 편리하고, 언제 어디서나 연구 결과를 정리할 수 있을 것이다.

평가 단계

평가 단계에서 수집되는 자료는 수행 단계에서 수집되는 자료와 그 내용이나 양상이 비슷해 보일 수 있다. 그러나 이 단계에서 중점적으로 수집해야 하는 자료는 바로 연구 프로젝트 자체에 관한 것이어야 한다. 지금까지는 실천 활동의 결과로 나타나는 자료들에 초점을 두고 있었다면, 평가 단계에서 중요하게 수집해야 할 자료들은 연구 과정이 우리에게 준 긍정적인 영향과 효과, 그리고 프로젝트를 진행하면서 드러났던 딜레마, 연구의 제한점 등이다. 연구자와 연구 참여자는 연구가 수행되는 방식이나 자신의 참여도, 연구에서 어려웠던 점, 그리고 의문이 들었던 점을 표현할 수 있다. 여기에 대한 자료를 수집하여 다음 연구에 반영하는 것이 평가 단계 자료 수집의 목적이다. 자기평가에 관한 체크리스트, 성찰 기록지, 연구 과정에 관한 전문가의 피드백 등이 자료 수집의 대상이 된다. 결국 우리가 보고, 듣고, 생각하고, 말하는 것 모두가 자료 수집의 원천이 될 수 있다.

참고문헌

김영천 · 김필성(2008). **차라리 학원에 보내라**. 서울: 브렌즈.

Aiken, L. R. (1996). *Rating scales & checklists: Evaluating behavior, personality, and attitude*. New York: John Wiley.

Arhar, J. M., Holly, M. L., & Kasten, W. C. (2001). *Action research for teachers*. Columbus: Merrill-Prentice Hall.

Athenes, S. (1989). *"Contribution de la main droite a l'acte graphique chez le scripteur gaucher adulte: une comparaison entre postures 'inversee' et 'non-inversee"* (Contribution of the right hand in handwriting for left-handed adults: a comparion of the 'inverted' and 'non-inverted' postures). Universite de Provence, France. Yves Guiard, advisor.

Haladyna, T. M. (1999). *Developing and validating multiple-choice test items*. New York: Routledge.

Patten, C. (1998). *East and West*. Basinstoke: Macmilan.

Salkind, N. J. (1991). *Exploring research*. New York: Macmilan.

Schoer, L. A. (1970). *Test Construction: A Programmed Guide*. Boston: Allyn and Bacon.

실행연구에서의 자료 분석

누군가가 우리에게 실행연구에 대한 이미지를 떠올려 보라고 말했다고 가정하자. 여러분은 어떤 장면이 떠오르는가? 대부분의 사람들은 어떤 연구자가 직접 현장을 비디오로 녹화하고, 연구 참여자들과 적극적으로 면담을 하고, 자신의 수행에 대해 끊임없는 반성과 성찰을 하는 모습을 떠올릴 것이다. 그리고 우리가 겪고 있는 문제에 대한 적극적인 해답을 제시하고, 이를 바탕으로 놀라운 연구 결과를 발표하며, 연구 결과를 바탕으로 또 다른 새로운 분야를 개척하기 위해 나아가는 진취적인 모습도 생각할 것이다. 이러한 모습은 실행연구에 대한 우리의 환상적인 이미지를 잘 드러내 준다.

그러나 현실은 이상과 조금 다르다. 지금도 많은 실행연구자들은 수백 장에 이르는 현장일지와 수십 시간짜리 녹음테이프, 산더미같은 서술형 설문지, 포트폴리오 등을 쌓아 두고 모래사장에서 바늘을 찾듯 헤매고 있다. 하나의 범주를 생성하기 위해서 읽었던 자료들을 또 읽기도 하고, 전사 자료를 만들기 위해 밤

새도록 녹음 자료를 틀어 놓고 키보드를 두들기기도 한다. 최악의 경우 연구 방향과 맞지 않아 쓸모없어진 자료를 만지작거리며 노력과 열정을 허비한 것에 대해 안타까워하기도 한다. 이러한 상황은 실행연구를 직접 수행해 보았던 연구자들이라면 대부분 공감할 것이다.

이처럼 실행연구를 진행하면서 우리는 다양한 자료를 수집한다. 아마도 눈으로 관찰한 것에서부터 듣고, 배우고, 느끼고, 깨달은 것까지 체계적으로 기록해 왔을 것이다. 그 형태 역시 글로 된 관찰일지, 일기, 면담 기록과 같은 것부터 그림, 사진, 비디오, 설문조사 결과까지 다양할 것이다. 특히 실행연구는 직접 실천하는 과정과 그 결과를 연구에 반영하는 것이 중요하기 때문에, 실천하면서 산출되는 다양한 자료들(보고서, 학습에 활용되었던 도구들, 업무 매뉴얼 등) 역시 빠짐없이 수집되었을 것이다. 연구자들은 자료를 수집하면서 몇 가지 느낀 점이 있을 것이다. 특히 충분하게 정보를 수집했을 때 알게 되는 사실이 있다. 그것은 자료 포화에 관한 현상이다. 위에서 설명했듯이 종종 자료가 너무 많아 도저히 감당하기 힘든 상황에 대한 이야기이다. 실제로 연구자들은 자료 수집 과정에서 더 이상 어떠한 새로운 것을 배울 수 없거나, 새로운 주제 혹은 패턴을 확인할 수 없을 때 자료 포화, 또는 자료 중복 현상을 경험하게 된다.

이처럼 자료 분석에 있어서 연구자들이 겪게 되는 어려움은 실행연구의 특징과도 관련이 깊다. 특히 실행연구는 연구자가 생각했던 해결책을 현장에서 직접 실천하고, 관련된 자료를 수집하면서 동시에 분석이 일어나기도 한다. 더 나은 실천을 위해서는 피드백을 즉각 반영해야 할 필요가 있기 때문이다. 그러한 점에서 자료 포화 현상은 자료 분석을 실시해야 할 적절한 시간에 대해 알려 주는 중요한 단서가 된다. 물론 자료 분석의 필요성을 느낀다면 언제든지 분석을 실시해도 좋다. 그러나 최소한 자료 포화 현상을 경험했다면, 그 사실은 더 이상 자료 분석을 미루어서는 안 된다는 것을 의미한다. 그만큼 쌓여 있는 자료가 많기 때문에, 연구자는 자료를 분석하고 거기서 새로운 생각과 연구 결과들을 정리해 나가야 할 것이다.

한편, 실행연구에서 수집된 자료는 실제 연구에 참여하는 실천가들, 상담가들, 행정가들을 돕기 위해 요약되고, 해석되어야 한다. 즉, 연구를 위한 연구는 지양되어야 한다. 그들은 우리가 자료를 해석한 결과를 갖고 앞으로 나아갈 방향과 스스로의 실천을 결정할 것이다. 실행연구의 자료 분석이라고 해서 무엇인가 특별한 과정이 있는 것은 아니다. 질적 및 양적 자료를 해석하는 절차는 다른 연구들과 거의 유사하다. 그러나 실행연구에서의 자료 분석은 문제를 해결하는 데 유용한 해결책이 되어야 하고, 현장에서 활용되어야 한다. 즉, 실행연구에서 분석의 목표는 실천가로 하여금 현상을 이해하고, 발전시키기 위해 자료를 해석하고 결정을 내리는 데 있다고 할 수 있을 것이다.

1. 자료 분석 준비하기

실행연구자들이 자료를 분석할 때 여러 주의사항에 신경 써야 하는 이유는 실행연구가 기존의 연구와는 달리 직선적이지 않고 상당히 복합적이기 때문이다. 실행연구 자료 분석을 준비하는 연구자들은 언제든지 자료 분석 과정이 일어날 수 있음을 알고 있어야 한다. 따라서 자료 분석 과정을 수행하기 전이라도 실행연구자가 갖고 있는 배경 지식과 편견, 분석 방법에 대해 어느 정도 파악해 놓는 작업이 필요하다. 분석은 결코 쉬운 절차가 아님을 명심해야 한다. 수집한 자료에서 의미 있는 연구 결과를 이끌어 내기 위해서는 충분한 근거와 납득할 만한 판단이 필요하다. 그러므로 연구자들은 분석에 대한 기본적인 기술을 갖고 있어야 한다. 만일 분석 기술에 대해 미흡하다는 생각이 들면 별도로 분석 기술을 연마해야 할 것이다. 다양한 분석 기술을 갖추었다면 어떠한 종류의 자료를 대하더라도 자신감을 잃지 않고 적극적으로 분석할 수 있게 된다.

궁극적으로 특정한 주제를 연구하고자 하는 목적은 직접 수집한 자료를 분석하는 과정을 통해 실현될 수 있다. 자료 분석 과정을 시작하기 위해서, 처음으로 해야 할 일은 자료의 양을 줄이고 쉽게 분석될 수 있는 형태로 변환하는 것이다. 특히 질적 자료 분석은 매우 개인적인 과정으로 흐를 위험성이 존재하기 때문에 엄격한 규칙과 절차가 필요하다. 자료 분석을 시작하기 전에 준비해야 할 몇 가지 제언에 대해 살펴보고, 자신만의 연구 철학을 세워 보는 것도 좋은 방법이 될 것이다.

자료 분석에 관한 몇 가지 제언

❶ 정보를 수집하기 시작한 순간부터 자료가 적절한지를 생각하기
❷ 중요한 정보와 필요 없는 정보를 구분하기
❸ 출처가 의심스러운 자료를 제거하기
❹ 연구 과정 속에서 자료를 해석하기
❺ 어떻게 해서 이러한 자료가 수집되었는지를 고찰하기
❻ 자료 분석의 공학적 과정에 익숙해지기

이 조언들은 실행연구 자료 분석의 핵심적인 요소들을 담고 있다. 이 문장들을 기억하는 것만으로도 큰 도움이 될 것이다. 이를 바탕으로 구체적인 유의점들을 제시하면 다음과 같다.

자료 분석 준비하기

첫째, 자료 분석을 실시하기 전에 먼저 연구자가 모은 자료들이 타당한지를 검토해야 한다. 자료의 타당성을 검토하는 것은 자료 분석과는 별개의 문제이다. 연구 목적에 맞는 자료를 수집하는 것은 연구 과정을 간결하게 만들어 주는 중요한 방법이다. 우선, 모든 자료들은 명확하게 읽을 수 있는 상태이고 잘 조직된 상태여야만 한다는 사실을 명심해야 한다. 만일 연구 질문이 두 개 이상이라면, 모든 자료들을 질문에 따라 미리 분류해 놓는 것이 좋다. 또한 모든 자료들을 최소한 한 번 이상 다시 읽어야 한다. 특히 수집된 자료가 질적 자료일 경우에, 여러분은 아마 연구하는 내내 자료들을 모두 읽고 이해해야 할 것을 각오해야 할 것이다. 또한 자료의 형태가 설문조사 결과와 같이 숫자이거나 수량적일 경우, 자료가 완전히 모일 때까지는 분석을 시작해서는 안 된다. 왜냐하면 자료의 일부분만 가지고 어떠한 특정한 연구 결과를 도출할 경우 자료 전체의 성격과는 맞지 않을 수 있기 때문이다. 그리고 여러분의 연구 질문에 자료를 직접적으로 활용하지 않도록 주의해야 한다. 각 원자료에는 연구 참여자가 민감하게 생각할 수 있는 정보들이 포함되어 있는 경우가 많다. 그들은 자신의 면담내용이나 글쓰기한 결과들이 공개되는 것을 꺼린다. 특히 개인을 구별할 수 있는 정보가 포함된 경우는 더욱 주의해야 한다. 그러한 정보를 미리 제거하는 것도 좋다. 더불어 연구자는 자료를 반드시 자신의 언어로 해석하고 재진술하고, 연구자의 분석 내용을 결과에 반영하도록 해야 한다. 수집된 자료들이 부적절할 경우 그것을 아무리 열심히 분석하더라도 소용이 없다. 결국 연구 결과를 잘못 도출해 내는 과오를 범하게 될 뿐이다. 따라서 연구자들은 자료가 연구에 충분할 정도로 많은지, 그리고 쓸모없는 자료가 섞여 있지는 않은지를 계속 검토해야 한다. 만일 아깝다고 해서 연구와 상관없는 자료들을 보관하게 될 경우 그것이 연구 결과의 신뢰성을 떨어뜨릴 수 있음을 명심해야 한다. 과감하게 정리하고 새로운 자료를 탐색할 기회로 삼아야 한다.

둘째, 자료에 대한 검토를 마친 후에는 자료들을 분석할 방법들을 미리 생각해 보아야 한다. 여기서의 분석 방법은 연구 패러다임을 의미한다. 또한 수집한 자료의 종류도 확인해야 한다. 자료 분석의 스펙트럼 속에서 실행연구 자료 분석이 보여 줄 수 있는 형태가 다양하기 때문이다. 예를 들어, 자료 분석의 형태는 질적 자료 형식이 될 수도 있다. 글로 적은 대부분의 현장기록, 일지, 그리고 상당한 수준의 성찰적 분석 자료까지 해당한다. 한편으로는 양적 자료 형식도 가능하다. 코드의 개수, 숫자, 점수, 척도 표시 결과까지 다양한 자료 형식이 있다. 실행연구에서는 이러한 질적, 양적 연구 방법을 자유롭게 활용할 수 있다. 무조건 어느 특정한 방법을 활용하겠다고 생각하면 곤란하다. 모든 연구 방법은 각각의 특징을 지니기 때문에, 수집된 자료를 보고, 자료 수집에서 활용했던 방법들과 잘 조화될 수 있는 분석 패러다임을 설정해야 한다. 즉, 연구자가 수집한 자료에 맞는 방법을 미리 생각해 두어야 한다.

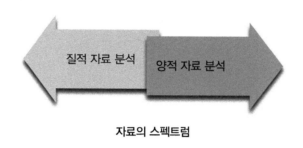

자료의 스펙트럼

우선 질적 자료를 분석할 때, 연구자는 계속해서 자료 분석 과정이 수반될 것임을 미리 알고 있어야 한다. 질적 자료들은 수집되어 연구자의 기억에서 사라지기 전에 분석되어야 그 생생함이 잘 드러날 수 있다. 분석을 미루게 되면 나중에 그 자료가 어떤 맥락에서 수집되었는지, 당시 상황이 어땠는지를 전혀 알 수 없게 된다. 구체적으로는 개별 면담과 집단 면담을 하면서도 분석이 계속될 수 있다. 질적 자료를 분석하면서 드러나는 주제들은 연구자의 반성을 이끌어 낼 수도 있다. 따라서 질적 자료의 경우 수집하면서 분석하거나 수집이 끝난 뒤 최대한 빨리 분석하는 것이 유리하다. 한편, 양적 자료 분석 과정에서는 자료 수집 과정부터 정확한 측정과 분석을 하는 것이 중요하다. 이러한 방식으로 수집된 자료는 숫자나 통계적인 형태를 띠게 될 것이다. 연구자는 관찰된 것을 설명하기 위해 통계적인 모델을 제시할 것이다. 이러한 분석 과정의 대표적인 예는 사원들의 판매실적을 수집하여 실행연구 프로젝트의 분석에 활용하는 것이다. 이러한 수량적인 자료들은 사전에 미리 결정된 실적 평가 체계에 의해 사원들이 직접 행동을 수행한 결과로 나타난 것이다. 연구자들은 이러한 실적 자료 수집을 여러 번 지속적으로 실시하여 양적 자료들을 누적시켜 가는 것이 중요하다. 분석은 어떠한 것을 구성요소 수준까지 분해하는 것을 의미한다. 물론 각 요소들은 이해할 수 있어야 한다. 그리고 질적 자료와 달리 양적 자료는 자료를 수집하기 전에 섣불리 분석을 진행해서는 안 된다. 모든 수량적 자료들은 전체적으로 모이고, 누적되어야 큰 주제가 드러나게 된다. 자료의 일부분만 보고 섣불리 결론을 이끌어 내는 것은 곤란할 것이다. 이처럼 실행연구에서 자료는 연구자가 표현하고자 하는 현실을 제대로 반영해야만 한다. 그것을 가능하게 하는 과정이 분석이다.

셋째, 실행연구자들은 '이론적 민감성'(Glaser, 1978)을 가져야 한다. 이 능력은 남들이 대수롭지 않게 넘어가는 일상적인 요소들 중에서 학문적으로 중요한 사실들을 추출해 내는 연구자의 역량을 의미한다. 유능한 실행연구자는 이론적 민감성이 높다고 할 수 있을 것이다. 뛰어난 실행연구자는 다양한 실행에 따라 연구 참여자들이 어떤 반응을 보이는지를 재빨리 파악하고 수행을 개선시키는 데 활용할 수 있다. 이론적 민감성은 유전적 재능이 아니다. 연구를 많이 진행하고, 열심히 할수록 증가하는 속성을 갖고 있다. 베테랑 연구자들도 하루아침에 뛰어난 분석가가 된 것이 아니다. 그들 나름대로 많은 자료들을 접하고 여러 번 연구를 진행해 봄으로써 현상을 바라보는 안목이 생겨난 것이다. 우리는 다양한 연구사례를 접하고 연습 문제들을 해결해 봄으로써 우리 자신의 연구를 충실히 수행하는 데 필요한 이론적 민감성을 증가시킬 수 있다.

넷째, 마지막으로 우리가 자료 분석에 대해 생각할 점은 인내와 관련이 있다. 인내라는 요소는 많은 연구자들이 공감할 것으로 생각한다. 연구는 자기 자신과의 싸움이다. 자료 분석은 항상 고민하고 숨겨진 의미가 무엇인지를 파악하는 작업이기 때문에 자료 수집보다 훨씬 더 정신적으로 어려운 과정이다. 그러나 이 과정이 생략되어서는 연구 결과를 도출하는 것 자체가 불가능해진다. 수집한 자료들을 계속해서 읽고 의미를 생각하는 것부터 출발하는 것이 중요하다. 실행연구자는 어느 정도 연구 결과가 드러날 때까지 분석에 몰입해야만 할 것이다.

2. 자료 분석의 일반적 흐름

실행연구의 자료 분석 과정에서 제시할 수 있는 큰 흐름은 다음과 같다. 물론 각 과정에서 필요한 구체적인 분석 기술은 연구마다 조금씩 다르기 때문에 분석을 시작하기 전에 필요한 분석 기술들을 미리 확인해야 할 것이다.

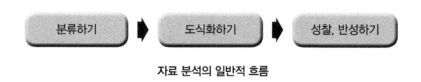

자료 분석의 일반적 흐름

1) 분류하기

분류하기란 수집한 자료들을 범주에 맞게 잠정적으로 나누는 과정을 의미한다. 자료를 분류하기 위해서, 연구자들은 각 자료를 읽어 보고 해당하는 주제를 발견해야 한다. 각 자료마다 주제를 하나씩 만들어 내는 것이 좋다. 때때로, 여러 자료에서 동일한 주제를 생각해 낼 수도 있다. 어쨌든 자료 분석에서의 초기 작업은 각각의 문장에서 하나의 주제를 찾을 것을 권장한다. 초기의 주제들은 나중에 찾게 될 중요한 핵심 주제들과 같지 않다는 점을 분명히 기억해야 한다. 그러한 주제들은 나중에 찾을 수 있게 될 것이니 초조해하지 않는 것이 좋다. 초기의 주제는 문장의 핵심을 대표하는 것이면 충분하다.

각 자료마다 주제를 한 문장으로 정했으면, 이제 주제를 잠정적인 범주에 포함시켜야 한다. 그 전에 각 주제들을 대표할 수 있는 범주를 만들고, 동시에 이름을 만들어 붙여 놓아야 한다. 예를 들어, 만일 어떤 연구 참여자가 상담가가 더 필요하다는 이야기를 했다고 가정해 보자. 우리는 이 내용이 연구 결과에 반영될 수 있는 중요한 이야기라는 것을 알 수 있을 것이다. 이 경우, 여러분은 문장을 그대로 주제로 만들어 적을 수 있다. 또는 '상담가가 더 필요함'이라는 명시적인 문장으로 기억할 수도 있을 것이다. 몇몇 유능한 연구자들은 범주의 이름을 좀 더 알기 쉽고 기억하기 좋은 형태로 지을 수 있다.

범주 이름의 예시

연구 자료에서 그대로 이름을 추출함	우리에게는 상담가가 더 필요해요
범주를 한 문장으로 요약함	상담가가 더 필요함
범주를 단어로 표현함	필요한 자원 – 상담가

이처럼 범주에 이름을 붙이는 방법은 여러 가지가 있음을 알 수 있다. 물론 이러한 방법에 정답이 있는 것은 아니다. 우리는 많은 분석 과정을 거치면서 몇 개의 잠정적인 범주를 만들게 될 것이다. 간단히 이름을 붙이고 연구 과정을 명확하게 만드는 것이 중요하다. 자료를 계속해서 읽고, 잠정적인 범주들을 추가해 나가면서, 연구자는 다양한 문장 속에서 연구 참여자들이 공통적으로 언급했던 주제들을 찾게 될 것이다. 만일 이 과정을 직접 수행했다면 연구자들은 이미 코딩의 수량화 과정을 체험한 것과 다름없다. 예를 들어, 상담가가 더 필요하다는 문장을 네 개 혹은 다섯 개 이상 찾게 되었다면, 연구자는 이 내용을 기억하게 되고 이 문제에 대해 점점 더 알아보고자 하는 욕구를 갖게 될 것이다. 범주 역시 좀 더 중요한 위치로 옮겨지게 될 것이다.

범주들을 어느 정도 작성하고 나면, 범주들 간의 위계를 설정하는 것도 신경 써야 한다. 범주를 효과적으로 배치하는 것은 연구의 중복을 막고 효율적인 연구 수행을 위해 꼭 필요한 단계이다. 범주의 여러 위치들을 가정해 보고 어느 범주가 다른 범주들을 포괄할 수 있을 것인지를 판단해야 한다.

2) 도식화하기

도식화 단계는 분석 과정을 좀 더 체계적이고 투명하게 보여 주기 위한 목적을 갖고 있다. 분류 단계를 거치면서 우리의 연구실에는 수많은 자료들이 자신의 기준에 따라 쌓여 있을 것이다. 이 자료들은 자신만이 알 수 있는 방식으로 분류되고, 정리되어 있다. 범주의 경우도 마찬가지이다. 범주를 사전에 철저히 계획하고 만들지 않았다면, 범주는 여기저기 나누어져 다른 연구자들이 알아보기 힘들 것이다. 이것을 모든 사람들이 쉽게 파악하고, 언제든지 연구 결과를 확인할 수 있게끔 정리하는 것이 도식화의 핵심 목표이다. 다음에 제시된 예시를 보면 도식화에 대한 감을 잡는 데 도움을 받을 수 있을 것이다.

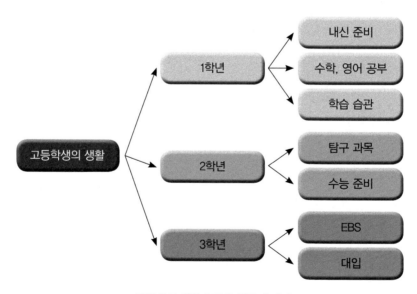

고등학생의 생활에 관한 범주의 예시

처음부터 만족스러운 도식을 만들어 내기는 힘들다. 그러므로 첫 번째 단계에서 일반적인 범주와 하위 범주들을 도출한 이후에, 모든 연구 참여자들의 반응을 도식으로 나타내 본다. 이렇게 연구를 진행하다 보면 모든 연구 참여자들의 진술을 다루기가 힘들고 종종 몇 가지를 빼먹거나 잘못 분류하는 경우가 발생한다. 중요한 것은 도식화 활동을 여러 번 실시하는 데 있다. 이 활동은 반복적으로 계속 이루어져야 한다. 계속적으로 목록을 다시 정렬하고 모든 내용을 분류해 낼 수 있도록 해야 한다. 도식화 과정을 수행하다 보면, 더 많은 상위, 하위 범주가 필요할 것이다. 그 때마다 즉시 필요한 내용을 추가해야 한다. 범주끼리 합치거나 이름을 다시 고치는 등의 작업을 실시한다. 나중에 생성된 범주는 이전의 것보다 알아보기 쉽고, 주제를 더 명확히 드러낼 수 있어야 한다. 이러한 작업이 여러 번 이루어지다 보면 큰 주제와 연결된 상위 목록들, 그리고 상위 목록들을 뒷받침하는 근거로서의 하위 범주들이 생성된다. 연구자들은 이 구조가 연구 문제와 일치하는지를 점검한다. 만일 기존의 연구 문제에서 제시하지 못한 새로운 근거가 추출되었다면 연구 문제를 수정하거나 재진술해야 할 것이다. 마찬가지로 연구 문제와 어느 정도 관련이 있지만 제대로 뒷받침하지 못하는 목록이 있을 경우, 특별히 자료 수집을 좀 더 실시할 수도 있을 것이다.

이처럼 도식화는 단어, 감정, 행동, 그리고 프로젝트와 관련된 연구 참여자들의 상호작용에 대한 증거들을 시각적으로 보여 주는 작업이다. 그들이 무엇을 이야기했는지, 무엇을 보았는지, 무엇을 느꼈는지, 무엇을 생각했는지에 관한 수많은 자료를 일일이 분류함으로써 가장 중요하고도 핵심적인 주제를 나타내게 하는 중요한 과정이다. 도식화는 연구가 어떠한 방향으로 나아가야 할지 알려 준다는 면에서 중요하다고 할 수 있다.

3) 성찰, 반성하기

분석의 마지막 과정은 바로 성찰과 반성이다. 이는 개인적 차원의 반성도 있고,

다른 연구자나 연구 참여자와의 상호작용 차원에서의 반성도 해당된다. 특히 실행연구에서는 현장에서 연구 참여자들과의 의사소통, 중재, 혁신과 같은 과정을 거쳐 분석 결과를 개선하고 강화하는 것을 중요하게 생각한다. 연구자가 생각하는 현장과 연구 참여자들이 생각하는 현장은 다를 수 있다. 마찬가지로 같은 자료를 갖고도 사람들마다 다른 이야기를 제시할 수 있다.

이처럼 현장에 투입되는 요소들은 다양할 수 있다. 따라서 실천가들의 흥미와 기술을 강화시키는 것, 연구 참여자들 간의 관계를 증진시키는 것, 현장과 외부 기관 사이의 협조, 현장 연구를 완성시키는 데 필요한 지역 사회의 협력까지도 분석 과정에 포함시키는 것은 상당히 중요하다. 실행연구에서의 분석 과정은 한 마디로 요약하면 걸러내고 다듬는 과정이라고 할 수 있다. 넘쳐나는 자료들은 그 자체로도 가치 있지만 아직 원석에 불과하다. 그것을 깎아내고 매끈하게 다듬어 빛나게 하는 것은 연구자들의 과업이다. 물론 그 작업은 약간 단조롭고 힘들기는 하지만 연구의 핵심 가치들을 드러내 주는 멋진 과정이 된다. 여기에 개인적인 성찰과 주변 연구자들의 조언이 첨가된다면 분석이 상당한 근거를 갖출 수 있게 될 것이다.

비록 자료 분석이 어려운 과정이기는 하지만 얻는 것도 있다. 그것은 자료 분석이 그 자체로 경험적 학습을 이끈다는 사실이다. 이것은 성찰 과정을 통해 가능해진다. 이것은 실행연구의 장점과도 일맥상통한다. 연구자들은 무엇이 필요한지 결정되면 주어진 자료, 분석적 사고, 분류 목록과 주제에 대한 비판적 생각을 갖추면 된다. 물론 이전에 연구를 경험해 보았다면, 연구 과정을 더 빠르게 진행할 수 있다. 다만 그것은 본질적으로 필요한 것은 아니다. 연구 과정에 문제가 되는 것도 아니다. 실행연구는 이러한 간단한 사실에 기초하고 있다.

3. 자료 분석의 실제적 기술

여기서는 실행연구 자료 분석에 대한 구체적이고도 유용한 정보를 제공하고자 한다. 분석 기술의 종류는 수집하는 자료의 종류만큼이나 다양하다. 따라서 앞서 자료 수집 과정에서 제시한 다양한 자료들의 목록을 바탕으로 각 자료들을 어떻게 분석하면 좋을지에 대한 실용적 지침을 제시했다.

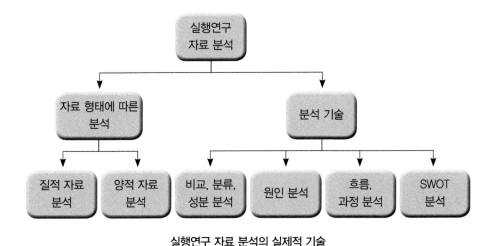

실행연구 자료 분석의 실제적 기술

1) 질적 자료 분석하기

실행연구를 실시하면서 가장 많이 수집하게 되는 자료가 텍스트로 대표되는 질적 자료이다. 텍스트에는 연구자가 직접 적은 현장일지, 메모, 일기, 성찰일지도 있고 면담과 참여 관찰을 실시하고 난 뒤 작성한 전사 자료도 있다. 이외에 글로 표현된 다양한 자료들이 모두 텍스트에 해당한다. 텍스트는 가장 쉽게 얻어 낼 수 있는 자료인 반면에 가장 다루기 어려운 자료이다. 왜냐하면 텍스트는 대부분 질적 자료로서 연구자가 모든 자료를 직접 읽어 보지 않으면 주제를 도출해 낼 수 없기 때문이다. 최근에는 사진이나 그림도 분석 자료의 하나로 중요하게 제기되고 있다.

질적 자료 분석의 가장 기본적인 형태는 기술적 분석이다. 기술적 분석은 연구자가 본문에서 중요하다고 생각한 주제에 대해 스스로의 생각이나 이론적 배경들을 제시하여 독자들을 이해시키는 분석법이다. 기술적 분석은 일반적으로 수집한 자료 중에서 중요한 기록을 본문에 인용 형태로 제시하고, 이것에 대해 자세히 분석하는 형태가 주를 이룬다. 만일 텍스트를 그저 나열하기만 한다면 그 연구 논문을 이해할 수 있는 사람은 연구자뿐일 것이다. 즉, 기술적 분석은 연구 결과를 독자들에게 친절히 설명한다는 의미로 이해하면 좋을 것이다.

또 다른 형태의 분석 방법에는 내용 분석이 있다. 내용 분석은 일차적인 주제 분석과 비교했을 때 좀 더 공학적인 자료 분석 과정이다. 내용 분석을 위해서는 미리 준비된 코드 체계가 필요하다. 즉, 연구자들이 수집하는 자료는 미리 지정된 체계적 방법에 의해 코딩되는 것이다. 물론 코드의 범위를 정하는 것은 연구자의 재량에 달려 있다. 그들은 어떤 체계의 코드를 사용할지 결정해야 한다. 일반적으로 텍스트에 드러난 특징을 확인하기 위해 숫자나 단어를 코드로 활용한다. 연구자들은 코드를 분류하고 정리하기 위한 목록을 작성한다. 사실상 우리는 자료 수집 과정에서 면담, 현장일지, 기록을 발견하면서 이러한 범주들을 발전시켜 왔을 것이다. 즉, 자료 수집 이전에 그동안 수집했던 연구 자료들을 읽고, 미리 주제를 생각해 보면서 코드를 생성해 내고 여기에 따라 자료들을 체계적으로 분류하면 된다. 단순히 내용을 분석하는 것도 가능하고, 내용이 어떻게 조직되어 있는지, 이러한 내용이 등장하게 된 근본 원리가 무엇인지, 글쓰기 방법이 어떠한지 등을 분석하는 것도 가능하다.

질적 자료를 분석하는 또 다른 방법은 담화 분석이다. 담화 분석은 자료 분석 스펙트럼의 중간 부분에 위치해 있다. 이러한 방식의 자료 분석 방법은 대화의 패턴, 어떻게 사람들이 이야기하는지, 그들이 사용하는 은유 방법이 무엇인지, 대화를 이끌어 나가는 방법이 무엇인지를 파악하는 데 초점이 맞추어져 있다. 담화 분석에서, 대화는 실행의 한 종류로서 이해된다. 또한 담화 자료를 분석하는 것은 특히 반성적인 특징을 갖는다. 물론 담화 분석에도 수량적인 면이 존재한다. 집단 토의에서 개인이 참여한 횟수를 센다거나, 동료들의 개인적인 대화 시간을 비교하는 경우도 있다. 담화 분석은 최근에는 내러티브와 스토리텔링 분석으로까지 발전했다. 이러한 자료 분석은 최근 다양한 연구에서 활용되고 있으며, 실행연구의 경우에는 각 현장에 관여하는 사람들의 삶의 이야기를 통하여 현재의 문제를 자세히 설명하고 해결하려는 노력을 보여 주는 것이 담화 분석이라고 하겠다. 많은 담화 분석과 내러티브, 스토리텔링 분석법은 독자들에게 말하듯이 글을 쓰거나 연구자 자신의 생각을 중얼거리는 듯한 어조를 보이는 경우도 있다. 자료 분석의 결과로 나타나는 글쓰기는 연구자가 가장 적절하다고 생각하는 형태로 이루어진다.

이러한 질적 자료 분석의 여러 방식들을 살펴보다 보면, 각 방법이 조금씩 다르지만 큰 원리를 내포하고 있다는 사실을 알 수 있다. 그것은 바로 자료에서 주제와 패턴을 찾아내는 일이다. 질적 자료를 분석하는 것은 자료 원천들로부터 의미를 만들어 내는 과정이다. 따라서 여기에는 연구자의 주관이 필수적으로 포함될 수밖에 없다. 텍스트를 분석하는 간단한 과정을 드러내면 다음과 같은 다섯 가지 과정으로 제시할 수 있다.

질적 자료의 분석 과정

첫째, 자료 엮기는 모든 질적 자료들을 모아서 분류하는 것을 말한다. 글로 쓰이지 않은 자료들은 모두 적는다. 이것을 '전사 작업'이라고 한다. 면담, 집단, 그리고 회의 기간 동안 녹음된 것들을 모두 단어 수준까지 전사하는 것을 의미한다. 자료들은 반드시 모아서 같은 종류끼리, 혹은 같은 연구 질문끼리 분류해 놓아야 한다. 둘째, 분해는 자료들을 코딩하는 과정이다. 큰 덩어리의 자료들을 작은 수준으로 쪼갠다. 한 덩어리는 하나의 의미를 가지도록 쪼갠다고 생각하면 좋다. 이러한 과정은 자료들이 패턴을 가지도록 만들어 준다. 셋째, 다시 엮기 과정에서는 코딩된 자료들을 관련된 범주들끼리 묶는데, 이 과정에서 첫 단계와는 다른 방식으로 자료들이 묶인다. 즉, 여러 범주들이 하나로 뭉쳐 큰 주제를 형성하게 된다. 넷째, 해석하기란 다시 조합된 자료들을 이야기로 꾸미거나 연구자가 생각한 자료 표현 방식을 갖고 해석해 주는 것이다. 연구자 머릿속에서 일어난 생각을 독자들이 알기 쉽게 제시하는 과정이다. 이에는 많은 글쓰기 과정과 고민이 있어야 한다. 마지막 결론은 자료를 해석한 과정에서 제시되어야 한다. 큰 주제들을 바탕으로 연구 결과를 생성하는 것이다. 이제 구체적인 텍스트 분석의 과정을 한 번 살펴보도록 하자.

텍스트에서 코드를 분석해 내는 과정은 연구자의 관점에서 실시하는 것임을 명심해야 한다. 다른 사람이 같은 자료를 분석한다면 또 다른 요소가 추출될 수도 있다. 따라서 우리는 열린 가능성을 갖고 글을 대해야 한다. 다음에 제시된 예시에는 몇 가지 코드들이 제시되고 있다. 다른 면담이 분석된다면 이러한 코드들은 다른 예시에 적용될 수도 있고, 새로운 면담의 결과로 추가적인 코드가 만들어질 수도 있다. 이 과정은 협상이라고도 불릴 수 있다. 자료를 다루는 일에 좀 더 익숙해지면 몇몇 코드는 결합되어 새로운 코드가 되거나 삭제되거나, 새로운 코드가 등장할 것이다. 이에 따라 많은 학자들은 자료 분석에서 코드북을 제작할 것을 권장하고 있다. '코드북'이란 텍스트 분석의 결과로 연구자가 만들어 낸 주제들을 체계적으로 정리한 것을 말한다. 여기서 더 많은 자료들을 수집할 필요가 생긴다. 더 많은 자료 원천을 분석하여 코드를 개선시키는 것은 연구의 핵심 작업이다. 계속적인 분석과 개정은 주제를 조직하고 자료에서 배운 것을 어떻게 적용할 것인지, 연구 문제에 어떻게 답할 것인지를 가장 잘 설명해 줄 수 있는 방법이다. 범주와 코드를 직접 만들어 분석 구조를 설계해 본다면, 여러분은 복잡한 자료 속에서도 패턴과 주제를 찾아낼 수 있을 것이다. 이러한 주제는 연구 질문에 답할 수 있도록 도와줄 것이며 이 연구를 수행하는 궁극

질적 자료 분석의 예시

2015년, 연구 참여자 A와 면담		생성된 대 주제 및 세부 코드
연구자	회사 동료들과의 집단 연구에 참가한 이후에, 당신은 바뀐 것이 있다고 느낍니까?	
참여자 A	네, 우리들은 모두 판매 분석 팀 팀원이잖아요. 연구를 하면서 우리들이 겪고 있는 여러 문제들에 대해 이야기할 수 있었어요. 신제품이 출시되고 몇 주 동안은 정말 지옥 같은 날이 계속돼요. 그것에 대해 시원하게 털어놓고 좌절감을 공유하는 경험은 좋았어요. 다만 저는 몇몇 사람들이 이 연구를 그들의 좌절을 단지 토로하는 장소로 여기고 개선하지 않으려는 것 같아서 조금 기분이 안 좋았어요. 저는 브레인스토밍 과정이 인상적이네요. 정말 많은 아이디어들이 떠올랐어요. 숫자를 다루는 방법, 어떻게 하면 조사에 성실하게 응하도록 하는지에 대한 유용한 정보들을 얻을 수 있었어요.	[주요 행동-유사한 문제 논의하기-**긍정적**] [중심 주제-판매 분석 팀] [주요 행동-좌절을 공유하기-**긍정적**] [주요 행동-단지 토로하기만 하는 것-**부정적**] [주요 행동-브레인스토밍-**긍정적**] [동료로부터 아이디어 얻기-절차 혹은 기술]
연구자	그렇다면 연구를 통해 당신이 혜택을 받았다는 것은 동료들과 함께 변화해서 그렇다는 것이지요?	
참여자 A	네, 그것은 큰 부분이에요. 저는 때때로 불만을 입 밖으로 꺼낸다는 것이 도움이 된다고 생각해요. 특히 이것은 같은 배를 탄 사람들끼리 이야기할 때 좋은 것이에요. 왜냐하면 이 문제들에 대해 공감을 한다는 사실을 깨달으면, 자연스럽게 어떻게 해결해야 할지를 논의하게 되니까요.	[장점-투덜거리는 과정은 외로운 것이 아니라, 동료들과 함께 알아가는 과정]

적인 이유를 규명해 줄 것이다. 이러한 원리를 바탕으로 다음의 활동을 직접 실시해 본다면 질적 자료 분석을 이해하는 데 좀 더 도움이 될 것이다.

- 첫 번째, 두 번째 연구 질문을 적어 보자. 연구 질문에 따라 자료 분석 과정이 어떻게 될 것인지를 나타내 보자.
- 자료 수집 원천들을 나열해 보자. 그리고 오디오나 비디오 자료를 직접 전사해 보자.
- 텍스트 자료를 며칠에 걸쳐 여러 번 읽어 보자. 자료를 여러 부분으로 분해해 보자.
- 코드북을 만들어 보자. 코드를 정의하고 그 코드가 나오게 된 원천 자료들과 엮어 보자.
- 자료를 다시 묶어 주제를 찾아보자. 결과를 해석하고 찾은 내용을 글로 적어 보자. 연구 질문과 특별히 관계있는 패턴이나 주제를 이야기해 보자.

이처럼 질적 자료 분석은 복잡하지만 실행연구의 실천적이고도 현장적인 면을 가장 잘 드러내 주는 분석 방법이다. 질적 자료 분석은 실행연구의 가장 기본적이면서도 중요한 것이다. 질적 자료 분석에 대한 여러 기법들을 파악하는 것이 필요하다고 하겠다.

2) 양적 자료 분석하기

양적 자료는 쉽게 말하면 점수로 추출되는 결과들을 말한다. 연구자가 직접 점수를 매기는 체크리스트 방법과 더불어 연구 참여자가 적는 설문조사 결과가 이에 해당한다. 물론 반드시 숫자일 필요는 없다. 설문조사 결과로 수집되는 수많은 양적 자료들을 조직하고 분석하려면, 다음의 지침을 확인해 보자.

- 양적 자료를 수집할 때에는 자료의 원천과 기록정보를 함께 모아야 한다. 자료를 수집하는 도구는 책, 저널, 컴퓨터 하드디스크 등이 될 것이다. 각 자료는 단순히 숫자로 기록되거나 간단한 부호로 기록되기 때문에 이 자료가 무엇에 관한 것인지 알릴 수 있는 정보를 함께 기재하고 저장해야 한다. 즉, 자료를 기록할 때 잃어 버리거나 오해하지 않도록 기록한 날짜, 자료의 내용과 목적 등에 관한 정보를 여러 번 확인해야 한다.

(계속)

- 자료를 시각적으로 다양하게 만들어야 한다. 동료 연구자, 혹은 연구 참여자들과 함께 자료를 어떻게 보여 줄 것인지에 관한 방법을 의논해 보아야 한다. 자료는 가능한 한 독자들이 이해하기 쉬운 방법으로 제시해야 한다.
- 결과를 설명하기에 가장 좋은 분석 방법에 대해 연구해야 한다. 자료만 제시하는 것은 가장 낮은 수준의 연구이다. 이것을 언어적으로 다시 설명하고 핵심을 제시해야 한다. 정확하게 자료를 묘사하고 서로 비교해야 한다.
- 분석 결과를 동료들과 공유해야 한다. 동료들은 여러분의 분석, 차트, 그림, 그래프들에 관한 실제적인 조언을 해 줄 것이다.
- 자료 분석의 결과가 어떻게 연구 질문을 해결하는 데 도움을 주었는지에 대한 성찰일지를 작성해야 한다. 그것이 성취되고 나면 다른 방식으로 자료를 분석해 보아야 한다. 실행연구는 성취되었다고 끝나는 것이 아니기 때문이다. 또 다른 질문을 바탕으로 연구를 재정립하고 새로운 연구를 시작해야 한다.

이와 같은 지침들을 잘 지킨다면 자료 분석에서 효율적이고 효과적인 절차를 수행할 수 있다. 한편, 양적 형태의 자료를 분석하기 위한 일반적인 단계는 자료 확인하기, 비교하기, 자료 가공하고 제시하기로 구성되어 있다.

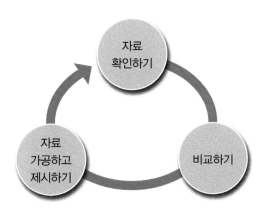

양적 자료 분석의 일반적인 과정

양적 자료를 분석할 때 가장 먼저 해야 할 것은 각 자료들을 한데 모아서 확인하는 것이다. OMR이나 전자 설문 프로그램을 활용하지 않는다면, 별도의 응답지에 연구 참여자들의 응답을 일일이 기록해야 한다. 또한 설문조사는 다양한 기간 동안 반복적으로 실시된다. 여기서 우리는 질문지를 작성하여 자료를 수집하게 되는데, 꼭 숫자로 질문지를 만들 필요는 없다. 왜냐하면 무조건 숫자 척도만을 활용하게 될 경우 몇몇 상황에서 원하는 의도를 제대로 파악할 수 없기 때문이다. 예를 들면 어린아이나 노인에게 설문조사를 실시할 때 숫자로만 된 질문지는 어렵게 느껴질 수 있다. 보기에 다양한 응답을 첨가하더라도 나중에 수량화하여 자료를 분석할 수 있다. 아래의 예를 보면, 설문조사 결과가 숫자가 아닌데도 불구하고 분석이 양적으로 실시될 수 있음을 잘 보여 준다.

다양한 조사 방식의 예시

폐쇄형 자기-평가 질문	적절한 응답에 표시하시오. 1. 나는 책을 자주 읽는다. 네 보통 아니오 2. 나는 글을 쓴다. 네 보통 아니오
폐쇄형 동료-평가 질문	여러분의 직장 상사에 대해 다음의 질문을 평가해 보시오. 　　　　E=우수함, G=적당함, A=보통, P=빈약함 1. 업무 계획을 세울 때 도와줌: E G A P 2. 업무 현장 관리: E G A P
행동 척도 질문	다음에 제시되는 행동의 빈도를 평가해 보시오. 　　　0=없음, 1=하루에 두 번까지, 2=하루에 세 번 이상 1. 권위에 반항하기: 0 1 2 2. 육체적 갈등: 0 1 2
태도 척도 질문	가장 유사한 반응에 표시하시오. 　SA=강력히 동의함, A=동의함, D=반대함, SD=강력히 반대함 1. TV 시청보다 독서를 좋아한다. SA A D SD 2. 나는 훌륭한 독자이다. SA A D SD

위에 제시된 자료에 따르면 응답이 숫자가 아니지만, 각 응답을 세거나 평균을 내어 분석할 수 있다는 사실을 알 수 있다. 즉, 양적 자료의 범위는 상당히 넓다. 하지만 이러한 사실과 관련하여 제기되는 비판도 많다. 그 중의 하나는 자

료의 신빙성이나 출처에 대한 비판이다. 따라서 설문조사 결과를 분석할 때에는 수집한 자료를 정확하게 제시하되, 그것을 부연설명하고 예시를 보여 주어야 한다. 특히 자료들을 많이 비교하고 분석해야 한다. 실제적인 자료가 많을수록 연구의 신뢰성이 높아진다. 연구 근거로 제시하는 다양한 예시들은 연구 결과를 풍부하게 해 준다. 양적 자료 분석의 두 번째 과정은 바로 자료끼리 비교하는 것이다. 비교하기는 자료가 수집되고 나면 자연스럽게 이루어지는 과정이라고 할 수 있다. 다만, 비교하기를 제대로 수행하기 위해서 양적 자료를 다루는 연구자들에게 유용한 지침이 있다. 그것은 연구자가 자료를 보기 편하게 모으는 과정에 관한 것이다. 대부분의 실행연구자는 매우 바쁘기 때문에 수집한 양적 자료들을 그저 쌓아 두곤 한다. 그러나 우리는 자료들을 수집할 때마다 철저히 관리해야 함을 명심해야 한다. 그것은 체계적으로 잘 정리된 비교를 수월하게 만들어 준다. 그 예시는 다음 표에서 확인할 수 있다.

자료 취합의 결과

	나는 문법에 맞게 글을 쓴다.		교정 과정에 대해 알고 있다.		글쓰기를 좋아한다.		글쓰기 수업이 도움이 되었다.	
	초기 설문	최종 설문	초기 설문	최종 설문	초기 설문	최종 설문	초기 설문	최종 설문
조OO	4	4	3	4	3	4	–	4
김OO	1	3	1	2	2	2	–	2
박OO	2	3	1	3	1	3	–	4
정OO	2	4	2	3	2	3	–	3
김OO	2	2	2	3	1	3	–	3
민OO	1	3	3	4	1	1	–	2
박OO	2	3	2	2	1	2	–	3
황OO	1	3	2	3	1	3	–	3

초기 설문 : 3월 12일 실시(연구 초반) 최종 설문 : 7월 27일 일시(연구 마지막)
1=강하게 반대, 2=반대, 3=동의, 4=강하게 동의

단순히 자료를 쌓아 두는 것이 아니라, 이처럼 적극적으로 가공하게 되면 자료를 분석하기 전이라도 자료를 읽어 보고 중요한 부분이 무엇인지, 나중에 분석할 때 무엇을 중점적으로 봐야 하는지를 쉽게 알 수 있다. 따라서 비교하기 과정에서 자료들을 한눈에 보고 주목할 점을 재빨리 파악할 수 있게 된다. 비교하기 단계에서는 이러한 수량적 자료들을 다루기 때문에, 단순히 연구자의 머리로 생각하기보다는 각 질문지 결과 해석 부분에 있는 척도 계산법을 활용하거나 컴퓨터 통계 프로그램을 이용하는 것이 더 좋다. 물론 양적 자료를 분석하고자 하는 연구자는 사전에 각 분석 기술들에 대한 실제적인 지식을 갖고 있어야 함을 명심해야 한다. 혹시 수집한 자료의 양이 방대하다면, 많은 양의 자료를 처리하기 위한 소프트웨어를 이용하는 것도 고려할 만하다. 개인적으로 통계 분석을 실시해 보고 싶다면 양적 분석 소프트웨어인 SPSS, SAS, Minitab, Excel 등의 사용법을 확인해 보기 바란다. 유튜브 등을 활용하면 직접 책을 구입하지 않고도 각 프로그램을 활용하여 어떻게 비교하기 과정을 수행하는지 자세히 관찰할 수 있다.

마지막으로 제시할 내용은 연구자가 포착한 연구 결과를 독자들에게 체계적으로 제시하는 과정이다. 지금까지 양적 자료를 수집하기 위해 자기평가나 동료평가, 행동척도, 태도척도, 특정한 내용에 대한 설문조사를 실시했을 것이다. 그러나 문제는 이제부터 시작이다. 일단 자료를 모두 수집하고 나면, 각 자료들을 어떻게 설명하고 보여 줄 것인지를 생각해야 한다는 것이다. 따라서 연구자들은 연구 결과를 다른 사람들이 이해할 수 있도록 하는 방법을 찾아야 한다. 물론 수집한 자료를 위에 제시한 표 형태로 그대로 나타낼 수도 있지만, 만일 그래프, 차트와 같은 그래픽 형식으로도 나타낸다면 더 많은 사람들이 더 쉽게 이해할 수 있을 것이다. 다양한 형태로 표현된 자료를 보면 우리는 더 많은 내용들을 포착해 낼 수 있다. 이것은 연구자의 생각과 결부되어 연구 결과에 영향을 끼칠 것이다. 또한 분석한 내용들을 그래픽으로 만들었다고 하더라도 그냥 제시만 해서는 안 된다. 연구자가 직접 자료에 해설을 덧붙여야 한다. 가령, 다음에 제시된 그래프의 내용을 바탕으로 자료를 분석한다면, 다음과 같은 분석 자료를 만들어 낼 수 있을 것이다.

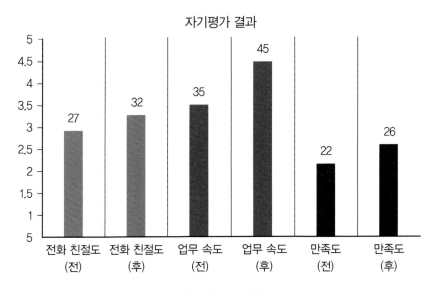

자료를 그래프로 표현하기

그래프를 바탕으로 한 분석

연구를 진행한 결과 우리는 텔레마케터들의 전반적인 업무 능력이 향상되었음을 알 수 있었다. 특히 연구를 위해 제작한 텔레마케터 업무 지침서의 효과가 컸다. 그동안 텔레마케터들은 특정한 교육 없이 무조건적으로 업무 현장에 투입되어 많은 어려움을 겪고 있었다. 평가 결과를 분석하면 지침서에 따라 업무를 진행하게 되어 업무 속도가 3.5점에서 4.5점으로 상당히 상승한 것을 확인할 수 있다. 이것은 업무 지침이라는 일종의 교육과정이 텔레마케터들의 반복적인 업무를 효과적으로 만들어 주는 밑거름이 되었다는 것을 알 수 있다. 전화 친절도 0.5점 높아졌는데, 이것은 의도하지 않은 것이다. 업무 지침서에 친절이라는 용어가 등장하지 않는데도 친절도가 높아졌다는 사실은 친절도가 업무 숙달과 관련이 있는 요소일 수도 있다는 사실을 말해 준다. 즉, 업무 속도가 빨라지고 업무가 여유로워짐에 따라 자연스럽게 친절도도 높아진 것으로 판단된다. 다만 만족도는 그다지 향상되지 않았다. 이것은 텔레마케터의 업무 특성과 관련이 있다. 감정 소모가 심각하다 보니 자기평가에서도 그것이 반영된 것으로 추측한다.

이처럼 실행연구에서는 질적 자료, 양적 자료의 활용에 제한을 두지 않는다. 따라서 연구 결과를 좀 더 효율적이고 많은 독자들이 이해할 수 있는 방향으로 생성하고 싶다면 양적 자료를 활용하는 것도 나쁘지 않은 선택이 될 것이다. 다만, 양적 자료에 과도하게 의존하게 되면 실행연구의 본질인 실천과 반성, 순환적인 개선에서 멀어질 수 있다는 점을 명심해야 한다. 모든 자료들은 자신의 실천에서 드러나는 문제를 어떻게 해결할 수 있는가라는 근본적인 물음에 답할 수 있는 것이어야 한다.

3) 비교 분석, 분류 분석, 성분 분석

여기서 제시할 분석 방법은 분석의 구체적인 기술들에 관한 것이다. 비교, 분류, 성분 분석은 분석의 기술 중에서도 가장 기초적이며 핵심적인 분석 기술이다. 각 분석 방법들을 잘 활용하면 대상 속성의 숨겨져 있었던 의미가 확실히 드러나게 된다. 이 분석 방법을 적용할 수 있는 자료의 범위도 대단히 광범위하다. 이러한 분석 방법은 꼭 학술적인 연구뿐만 아니라 우리의 일상생활 전반에 널리 활용되는 것이기 때문에 우리에게 어느 정도 익숙한 측면이 있다. 따라서 이러한 방식을 정확하게 이해하고 다양한 자료에 활용하는 것이 중요하다고 하겠다.

우선 비교 분석은 쉽게 이야기하면 두 가지 요소를 한꺼번에 보고 무엇이 다른지를 찾는 것이다. 즉, 수집한 자료들의 공통점과 차이점을 찾는 것으로 요약할 수 있다. 비교는 분석 중에서 가장 기초라고 할 수 있다. 따라서 연구자들은 비교 방법을 쉽게 생각하는 경우가 많다. 그러나 비교 방법은 함부로 남용하거나 잘못 사용하면 연구 결과를 틀어지게 만든다. 따라서 비교에 대한 정확한 지식과 연구 절차를 지켜야 한다. 비교 분석을 실시할 때 주의할 점으로 다음과 같은 것들이 있다(Beyer, 1988; Stahl, 1985).

비교 분석은 두 자료를 서로 번갈아 가면서 볼 때 의미 있는 것이므로, 우선 연구자가 관심을 가지는 두 대상에 관한 자료를 수집해야 한다. 그리고 무엇을 비교할 것인지, 이것을 어떻게 연구에 활용할 것인지도 설정해야 한다. 가령, 연구자는 큰 병원과 작은 병원의 진료 문화를 연구하기 위해 도시의 어떤 종합병원과 시골의 병원을 각각 선정할 수 있다. 진료 문화라고 한다면 의사들의 출퇴근 시간이나 하루 근무 생활, 의사 1인당 담당하는 환자 수, 주로 방문하는 환자들의 특징, 진료비, 진료받는 질병의 종류와 같은 요소 중에서 연구자가 필요하다고 생각하는 점이다. 연구자는 연구를 진행하면서 각 병원에 해당하는 자료를 수집하고, 이것을 동일한 선상에 놓고 비교한다.

비교의 예시

	사과종합병원	딸기병원
위치	포도시(주변 인구 약 170,000명)	메론읍(주변 인구 약 5,000명)
의사 수	약 200명(1인당 담당 환자 871.1명)	약 20명(1인당 담당 환자 20.7명)
주된 진료 분야	내과, 외과, 소아청소년과, 산부인과, 영상의학과, 마취통증의학과, 진단검사의학과, 치과	내과, 영상의학과, 노인요양, 치매
입원 환자의 구성	30대 이하(22%) 30~50대(25%) 50~70대(33%) 70대 이상(20%)	30대 이하(6%) 30~50대(11%) 50~70대(30%) 70대 이상(53%)

제시되는 자료를 잘 살펴보면 비교 분석의 특징을 잘 확인할 수 있다. 각 병원의 특징을 바탕으로 도시의 진료 문화와 농촌지역의 진료 문화를 비교할 수 있음을 알 수 있을 것이다. 이처럼 비교 분석은 그 내용에 대해 잘 모르는 독자들에게도 쉽게 내용을 전달할 수 있다는 방법적 장점이 있다. 한편으로는 비교 분석을 실시하기 위해서는 어느 정도 공통된 속성이 있지만 차이점이 잘 드러나는 요소를 찾아야 한다는 사실을 알 수 있다. 즉, 비교 분석을 제대로 하려면 자료를 세심하게 골라야 한다. 또는 자료 수집 단계에서부터 의도적으로 비교할 자료들을 미리 생각하고 수집 과정에서 체계적인 수집이 이루어져야 한다.

다음으로 제시할 것은 분류 분석이다. 분류 분석은 일반적으로 체계 분석, 분류 체계 분석 등으로 불리기도 한다. 그러나 어려운 개념은 아니다. 분류 분석역시 우리가 일반적으로 많이 활용하는 분석 방법이다. 분류 분석이란 중요하다고 판단되는 것에 대해 우리가 갖고 있는 가치에 대한 관계를 드러내 주는 분석방식이라고 할 수 있다. 가령 학교라는 단어를 들었을 때, 우리는 학교에 포함

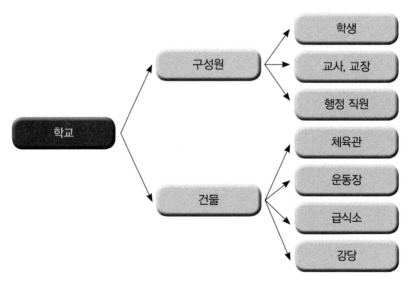

학교의 구성요소 분류

된 수십 가지의 구성요소들을 떠올리게 되는데, 이러한 사실은 지금도 우리가 학교와 다른 요소들(학생, 책상, TV, 운동장 등) 간의 관계에 대해 분류 분석을 하고 있다는 것을 의미한다.

이러한 분류 체계는 사람들마다 모두 다르다. 같은 학교라고 하더라도 중요하게 생각하는 요소들과 어느 것이 더 중요한지 분류하는 기준이 다르다. 더군다나 이러한 가치 체계는 인간의 머릿속에서 잘 드러나지 않는다. 이것은 보통 사람들이 이야기하는 말 속에서 분류에 대한 가치 체계를 찾는 것이 상당히 어렵다는 의미이다. 따라서 연구자들은 분류 분석을 성공적으로 수행하기 위해 연구 참여자를 몇 달에 걸쳐 꾸준히 관찰하거나 아주 정교하게 구성된 질문지를 통해 면담을 수행하기도 한다. 즉, 분류 분석은 심층 면담, 참여 관찰, 관찰, 그리고 수집한 자료를 분석하여 어떠한 상황이나 연구 참여자, 연구자들의 가치를 분석할 때 많이 활용된다. 분류 분석을 올바로 실행하기 위해서는 하위에 있는 지식과 상위에 있는 지식을 규명할 수 있는 능력이 있어야 할 것이다. 연구자는 연구 참여자가 지식을 계층별 구조로 조직화할 수 있도록 약간의 도움을 줄 수도 있다.

마지막으로 제시할 성분 분석은 비교 분석과 상당히 비슷한 측면이 있다. 성분 분석은 어떠한 현상이나 개념에 대해 여러 가지 의견들을 모두 수집하고 나서 이들의 성분을 분석함으로써 드러나는 의미들을 이해하는 것을 뜻한다. 성분 분석은 여러 사람의 의견을 종합하는 것이 중요하기 때문에, 주로 심층 면담 과정에서 수집되는 자료의 성격을 갖고 있다. 따라서 성분 분석을 실시할 때는 주로 질문지의 결과를 바탕으로 분석을 진행하게 된다. 다양한 의견을 수렴하고 나면 도표를 활용해 분석을 진행한다. 성분 분석에 대한 대표적인 예를 한 번 살펴보자.

성분 분석의 예시

학생의 유형 (별명)	학생들의 속성			
	성적	성격	친밀도(교사)	사회적 위치
모범생	높음	적극	높음	리더
아웃사이더	중간	가장 소극	약간 낮음	방관자
운동선수	낮음	가장 적극	중간	폭군
말썽꾸러기	낮음	알 수 없음	약간 높음	광대
평범한 아이	약간 높음	중간	약간 낮음	시민

예시를 살펴보면 학생들의 속성에 대해 한눈에 파악할 수 있음을 알 수 있을 것이다. 이러한 분석 자료들을 통해 우리는 학생들이 교실 내에서 다양한 성격과 사회적 위치에 따라 어떠한 이미지를 갖게 되는지를 이해한다. 이처럼 성분 분석은 하나의 개념에 대해 다양한 관점을 반영하기 때문에 분석을 진행할 때 반드시 연구 참여자들의 생각을 제한하지 않도록 주의해야 한다. 미리 연구자가 설정한 기준에 따라 분류해 달라든지, 연구 참여자가 제시한 의견에 반박하는 등의 잘못된 행동을 하지 않도록 주의해야 한다. 연구자들은 혹시 원하는 정보가 있다고 하더라도 끝까지 기다려야 한다. 연구 내용이 연구 참여자에게서 나올수록 연구의 신뢰성과 참신함이 더 높아지게 된다.

4) 원인 분석

실행연구에서 현상에 대한 원인을 찾는 것은 앞으로의 발전에 대해 알 수 있는 중요한 단서가 된다. 원인 분석은 이러한 상황에서 일반적으로 활용될 수 있는 유용한 연구 방법이다. 원인 분석은 본래 과학 분야에서 많이 활용되었다. 자연현상이나 인체에 발생한 증상의 원인이 무엇인지에 대해 분석하면서 원인 분석이라는 방법이 탄생하게 되었다. 하지만 이 방법은 사회과학, 교육학, 복지학 분야에서도 널리 활용되고 있다. 어떠한 현상에 대해서 기존의 이론만으로는 설명이 부족한 경우가 있다. 왜냐하면 개개인의 성격이나 행동은 조사하고자 하는 사람의 수만큼 다양할 것이고, 일반화된 이론으로는 모든 사람들의 생각을 반영하기 어렵기 때문이다. 따라서 연구자가 행동의 원인에 대해 집중하여 관찰하면서 자주 원인 분석을 한다면 연구자의 실천을 개선하는 데 큰 도움을 얻을 수 있을 것이다. 원인 분석은 질적 연구의 입장에서 현장을 바라볼 때 유용한 도구이기도 하다. 연구자들은 원인 분석 기법을 활용하여 특정한 현상 속에 숨어 있는 원인들을 규명하고 각 요소들 사이의 관계를 규명할 수도 있다. 원인 분석은 분류 분석과 약간 비슷해 보이기도 하는데, 가장 큰 차이점은 원인과 결과에 따라 화살표로 구분하는 것에 있다. 다음의 예시를 확인하면 이해하기 쉬울 것이다.

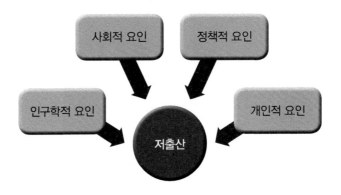

저출산에 대한 원인 분석의 예시

원인 분석을 할 때는 반드시 원인과 결과 사이의 논리적인 연결에 주의해야 한다. 왜냐하면 화살표를 사용한다는 것은 각 원인이 분석하고자 하는 현상과 강력한 연관이 있다는 것을 의미하기 때문이다. 따라서 독자가 이해하지 못하는 논리를 제시하지 않도록 여러 번 검토하고 다양한 연구 참여자들의 의견을 들을 필요가 있다. 원인 분석을 위해서 다양한 입장의 자료를 수집할 필요도 있다. 특정한 현상은 반드시 한 가지 원인에 의해서만 촉발되지 않는다. 수많은 요소 중에서 중요한 영향을 주는 원인들을 규명하고 제시해야 할 것이다.

5) 흐름 분석, 과정 분석

흐름 분석은 수학적 개념 중에서 알고리즘에 비유할 수 있다. 어떠한 행위가 이루어지는 자세한 과정을 연구자가 포착하고, 중요한 과정을 독자들이 이해하기 쉽도록 도식화하는 것이 흐름 분석의 핵심이다. 이 분석 방법이 활용되는 대표적인 사례는 사무실에서 업무가 처리되는 흐름이나 현장 구성원들이 의사 결정하는 과정에서 찾을 수 있다. 흐름 분석은 주로 흐름도라는 그림으로 표현된다. 대표적인 예시를 다음 그림에서 확인해 보자.

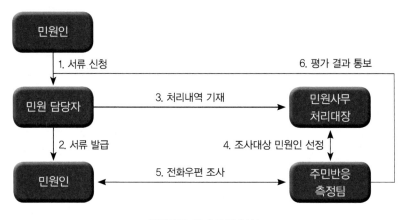

민원업무 처리 흐름 분석

만일 어떤 연구자가 관공서의 업무 처리 과정을 분석하고자 할 때, 우선은 며칠 동안 꾸준히 관공서를 방문하여 업무 처리 과정을 관찰할 것이다. 그 결과로 연구자는 업무 처리에서 꼭 필요한 몇 가지 단계를 발견하게 되는데, 분석 과정에서 그러한 절차들을 나열하고, 그 순서나 관계를 제시된 예시와 같이 설명하는 것이 흐름 분석의 핵심이다. 흐름 분석에서 중요한 것은 관찰한 것을 모두 기록해서는 안 된다는 것이다. 민원업무 처리가 반드시 6가지 과정으로만 일어나는 것은 아니다. 경우에 따라서는 민원인과 직접 상담하는 경우도 있고, 민원인이 민원 담당자 말고 다른 경로를 통해 업무 처리를 요구할 수도 있다. 그러나 여기서는 그러한 예외적인 경우를 제외하고, 연구자가 중요하다고 판단한 일반적인 절차를 추출해 내야 한다. 그 내용을 바탕으로 흐름도를 작성해야 한다. 또한 작성한 흐름도는 반드시 논리적으로 이상이 없어야 한다. 독자들이 흐름도를 따라가다 엉뚱한 내용을 만나는 일이 없도록 논리적이고 간결하게 작성해야 한다.

과정 분석은 흐름 분석과 개념이 유사하다. 특히 어떠한 일이 일어나는 과정을 분석한다는 측면에서는 거의 동일한 뜻을 갖기도 한다. 그러나 과정 분석에서는 시간이 중요시된다. 과정 분석은 좀 더 미시적 차원의 분석법이다. 자세히 설명하면 과정 분석은 어떠한 특정한 시간 동안 무슨 활동이 일어났는지를 규명해 주는 분석 방법이라고 할 수 있다. 과정 분석의 대표적인 예시는 수업 분석이다. 40~50분에 해당하는 수업 시간 동안 관찰하고자 하는 대상이 무슨 행동을 하는지를 도식적으로 기록하는 것이다. 과정 분석은 흐름 분석과 달리 모든 내용을 시간 단위로 정확하게 기록해야 한다는 것이 특징이다. 과정 분석은 이용숙(2007)이 제시한 것을 기본으로 삼고 있는데, 각 과정을 기록하고 그 관계는 화살표로 표시한다. 즉, 화살표가 시간의 흐름을 표시하고 있는 것이다. 화살표는 시간에 따라 길이가 달라야 한다. 즉, 10분을 표시한 화살표는 5분을 표시한 화살표보다 두 배 더 길다. 일반적으로 1분을 1cm로 표시하거나 2분을 1cm로 표시하는 경우가 많다. 따라서 분석도만 보고도 수업에서 어떠한 활동이 몇 분 동안 일어났으며, 수업에서 무엇이 주된 활동이었는지를 쉽게 알 수 있다.

6) SWOT 분석

SWOT 분석은 연구의 초반과 후반 모두에서 활용할 수 있는 실제적이고 명확한 분석 방법이다. SWOT 분석이라는 용어를 전파하는 데 기여한 학자는 Humphrey(2005)이다. SWOT 분석은 경영학과 경제학 등에서 기업을 분석하는 도구로 활용되고 있다. 이 방법은 누구나 이해하기 쉬운 분석 방법을 갖고 있기 때문에 현재는 거의 모든 집단에서 널리 활용되고 있는 분석 도구이기도 하다. SWOT 분석은 4단계로 구성되어 있는데, 각 단계에서의 첫 글자를 따서 SWOT라는 이름이 붙여졌다. 즉, 내부의 강점(Strengths), 내부의 약점(Weaknesses), 외부로부터의 기회(Opportunities), 그리고 외부로부터의 위협(Threats)을 각각 평가하고 분석함으로써 프로젝트에 대한 전체적인 흐름을 그려 낼 수 있다는 것이다. SWOT 분석을 잘 사용하면 현재 우리의 위치를 정확하게 알 수 있고, 장점과 단점을 잘 알 수 있기 때문에 앞으로 나아갈 방향에 대한 계획을 세우는 데 유리하다. 한편, 제시되는 네 가지 요소를 결합하면 분석의 결과를 좀 더 구체화할 수 있다. 다음의 그림을 확인하면 이해가 좀 더 명확할 것이다.

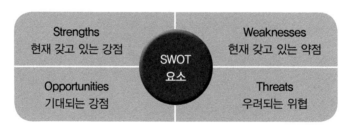

SWOT 요소

SWOT 분석을 결합한 문제 해결 전략

	S(강점)	W(약점)
O(기회)	SO전략: 기회로부터 이익을 얻기 위해 강점을 활용하는 전략	WO전략: 약점을 극복하고 기회를 살리는 전략
T(위협)	ST전략: 위협을 피하기 위해 강점을 활용하는 전략	WT전략: 약점을 최소화하고 위협을 회피하는 전략

SWOT 분석은 굉장히 조직적이면서도 실제적인 성격을 갖고 있기 때문에 다양한 연구 분야에서 활용하는 것이 가능하다. 기업, 자영업과 같은 경제 분야뿐만 아니라 관공서, 학교, 도서관, 복지시설 등에서도 쉽게 활용할 수 있다.

인터넷 쇼핑몰의 가능성에 대한 SWOT 분석의 예시

강점	약점
쉽고 빠른 제품 선택 저렴한 비용으로 제품 구입 시간과 공간 제약이 없음 무점포 마케팅 비용 감소(인터넷 활용) 효율적인 운영(인건비 절감) 제품 정보 제공의 용이성 고객 자료 분석 유리	초기 투자비용(인터넷 웹사이트 구축) 보안 및 결제시스템 구축 마케팅 효과가 비교적 낮음 초기 고객 확보 어려움 수많은 경쟁업체 낮은 마진 고객 상담, 문제 해결이 어려움
기회	위협
IT 기술 발달 다양한 기업 및 동료 업체와의 협력 가능 독창적인 수익 모델 창출 가능 온라인 커뮤니티의 활성화 결제 기술의 발달 개인화된 제품에 대한 요구 증가	정체된 인터넷 활용 인구 행정기관 및 법의 규제 오프라인 할인업체 경기 침체 유행의 변화 물류비, 유통비용 증가 인터넷 쇼핑몰의 대형화(독점화)

4. 실행연구 자료 분석에서 유의할 점

지금까지 자료 분석에 관한 실제적인 방법들에 대해 알아보았다. 실행연구의 궁극적인 목적은 연구자인 여러분이 현실을 변화시키기 위한 최선의 선택을 찾는 것이다. 연구가 성공했다고 말하기 위해서는 자료의 수집과 분석이 반드시 정확하고 믿을 수 있어야 한다. 실행연구에서 정확하다는 의미는 우리가 수집한 자료들을 짜 맞추었을 때 현실을 그대로 재현해야 한다는 의미이다. 이러한 정확성의 확보는 어떤 상황에서든 우리가 최선의 결정을 할 수 있도록 도와줄 것이다. 실행연구가 신뢰성을 갖추게 되면 연구자들이 자료에 대해 자신감을 가질 수 있게 된다. 한편, 실행연구에서의 자료 분석은 연구 결과를 뒷받침하는 강력한 증거가 된다. 같은 자료라고 하더라도 어떻게 분석하는지에 따라 연구의 방향이 크게 달라질 수 있다. 그리고 실행연구는 현장을 개선하기 위해 끊임없이 실천하는 과정이다. 아래의 일곱 가지 조언(Johnson, 2002)이 실행연구 자료 분석에 대한 신뢰성을 확립하는 데 도움을 줄 것이다.

실행연구 자료 분석에 대한 조언(Johnson, 2002)

❶ 관찰한 내용을 조심스럽고 정확하게 기록하라. 본 것을 정확하게 기록했는지 확인하기 위해 항상 두 번 점검하라.

❷ 자료 수집과 분석에 대한 모든 과정을 묘사하라. 연구 기록에서 모든 과정을 다시 회상하고 자신이 어떤 방법을 활용했는지를 철저히 기록해야 한다.

❸ 기록하고 보고하는 모든 과정이 중요하다는 점을 명심하라. 특히 연구자의 가설에 반대되는 자료들을 고의적으로 생략하는 잘못을 범해서는 안 된다.

❹ 무엇을 보았는지에 대해 가능한 한 객관적으로 묘사하고 해석하라. 편견이나 문제점을 방치하게 되면 연구의 신뢰도가 많이 떨어지게 된다.

❺ 충분한 자료 원천을 활용하라. 만일 두 가지 이상의 자료를 분석해서 유사한 연구 결과나 패턴을 찾아내었을 경우, 연구자의 관찰과 분석이 좀 더 신뢰성을 가질 수 있을 것이다.

❻ 자료의 종류는 연구 주제를 정확하게 이해할 수 있도록 제시되어야 한다. 실제 연구 참여자들의 대화가 녹음된 오디오, 연구자가 직접 기록한 현장 일지, 설문조사 등이 활용되어야 할 것이다.

❼ 충분히 길고 깊게 보라. 3주간의 관찰은 약간의 흥미로운 자료들을 제공해 줄 것이다. 그러나 3개월간의 관찰은 자료의 범위를 넓힘과 동시에 깊게 만들어 줄 것이다. 더 긴 관찰 과정은 더 많이 볼 수 있게 해 준다.

이 부분에서는 위에 제시한 조언을 좀 더 구체화하고 우리의 실행연구에 꼭 필요한 내용을 선별하여 다음과 같은 세 가지 요소로 설명하고자 한다. 위의 조

언에 대해 잘 생각해 보면 실행연구에서 자료 분석은 자신의 실천에 대해 생각해 보는 과정임을 알 수 있다. 왜 이러한 반응이 나오는지, 자신의 실천이 왜 효과가 없었는지를 점검해 보면서 효과가 있을 만한 다른 방법들을 구안하는 과정이다. 따라서 자료 분석의 결과는 실제적인 효과를 보여 주어야만 한다. 단순히 이론을 고찰한다거나 이상적인 방향을 제시하는 것은 실행연구의 의도를 제대로 실천하지 못하게 될 수 있다. 자료 분석을 통해 최대한 실제적이고 즉각적인 효과를 얻을 수 있는 방안을 찾아내야 한다.

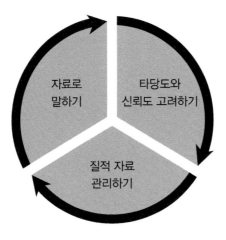

자료 분석에서의 유의점

1) 타당도와 신뢰도 고려하기

타당도와 신뢰도는 사실상 연구 프로젝트에서 가장 핵심적인 요소이다. 이것을 어느 정도의 수준까지 보장하지 못하면 연구의 결과를 인정받지 못하게 된다. 따라서 자료 분석의 결과로 추출되는 연구 결과, 주제를 신뢰도 있게 만들기 위해 여러 주의사항들을 지켜야 한다.

먼저 타당도는 연구의 진실성과 관련된 요소이다. 연구를 접하는 독자들은 어떻게 연구자가 그들의 말과 행동을 실제로 평가하고 묘사했는지 알고 싶어한다. 이러한 요구를 측정할 수 있는 것이 타당도이다. 즉, 타당도는 측정되어야 할 내용이 어떻게 실제적으로 측정되었는지를 알려 주는 척도이다. 예를 들어, 초등학생의 쓰기 능력을 측정하고자 할 때, 문법과 표기법에 관한 표준화된 객관식 시험을 제공할 수 있다. 이것은 어느 정도 정확한 점수를 산출해 주기 때문에 이것을 기록하거나 비교해 볼 수도 있을 것이다. 하지만 이러한 방식의 측정은 쓰기 능력 전부를 보여 주지는 못한다. 따라서 객관식 시험은 학생들이 자신의 생각을 조직하고 글을 통해 다른 사람과 소통하는 능력을 측정하는 데는 별로 좋은 방법이 아니다. 타당도를 높이기 위해서는 학생들이 실제로 적었던 쓰기 예시들을 확인하는 것이 더 중요할 것이다. 실행연구는 이 점에 유의하여 연구 목적에 적절한 자료를 분석하는 것이 중요할 것이다.

한편 타당도를 높이기 위해서는 자료 분석에서의 다양한 관점을 강조해야 한다. 즉, 하나의 현상을 관찰할 때 한 가지 이상의 관점을 활용하는 것을 의미한다. 관찰되어야 하는 요소를 한 꼭짓점에 두고, 다양한 자료 수집 방법들이 나머지 두 꼭짓점에서 향하는 삼각형의 모양을 생각해 보면 이해하기 쉬울 것이다. 이러한 방법은 질적 연구에서의 트라이앵귤레이션과도 같다. 다양한 관점을 모두 확인하는 작업은 연구자로 하여금 모든 연구 상황을 지켜보고 있다는 확신이 들게 만들어 준다. 또한 실행연구가 단순히 연구자의 임의적 판단에서 이루어지는 것이 아니라 다양한 의견을 반영하고 있다는 것을 보장하게 되면 연구의 깊이와 차원을 다양하게 만들어 주게 된다. 즉, 연구 문제의 정확성을 향상시키는 데도 기여한다. 실행연구에서 타당도는 다른 형태의 자료 수집하기, 다른 자료 수집 방법 활용하기, 매 시간마다 자료 수집하기, 그리고 하나의 자료를 여러 사람이 돌려 보고 논평하기 등의 방법을 통해 높아질 수 있다.

한편, 신뢰도는 연구를 반복하더라도 유사한 결과가 나올 수 있을 것인가에 대한 문제를 담고 있다. 신뢰도는 주로 과학 실험과 의학 분야에서 많이 제기되는 문제이다. 예를 들어 제약회사에서 연구의 결과로 어떠한 약을 만들어 냈을 경우, 이 약이 다음번에 실험할 때도 같은 효과를 보여 주는가 여부가 상당히 중요할 것이다. 신뢰도를 보장하기 위해서, 전통적인 실험연구에서는 연구하고 자 하는 대상 이외의 모든 내용을 전부 차단하고 통제하여 인과 관계를 설명한 다. 만일 신뢰도가 높은 연구라면 투입이 일정할 때 결과도 항상 일정하게 나올 것이다. 이것이 전통적인 연구에서 설명하는 신뢰도이다.

신뢰도에 관한 개념은 사회과학, 교육학 분야에도 적용되었고, 신뢰도는 점점 더 중요한 요소가 되어 가고 있다. 실행연구도 마찬가지이다. 연구자가 지금 실 행하는 방법이 지금 당장은 효과가 있지만 그 연구 결과를 바탕으로 독자가 현 장에 적용했을 경우 같은 효과를 보여 주지 못한다면, 아무리 정교하고 창의적 인 연구라도 연구의 의미가 별로 없게 된다. 즉, 실행연구가 매력이 있으려면 연 구를 접하는 사람들이 연구에서 제시한 방법을 활용했을 때 효과를 볼 것이라 는 확신이 있어야 한다. 따라서 연구 결과가 다음번에 실험하더라도 똑같은 결 과를 도출해 낼 수 있을 것인가 여부는 상당히 중요한 쟁점이다. 하지만 실행연 구에서 신뢰도를 보장하는 것은 상당히 어렵다. 왜냐하면 연구자들은 이러한 매 우 복잡한 현실 세계의 사건들을 관찰하기 때문이다. 사람들은 사실 놀라울 정 도로 예측 불가능한 존재이고 믿을 수 없을 정도로 많은 변수에 노출되어 있다. 사람들이 어우러지는 현장은 더욱 예측하기가 어렵다. 그러므로 우리가 조사하 고 연구할 때마다 다른 것을 보게 된다. 그러므로 실행연구의 결과는 무조건 일 반화할 수는 없다는 것이 일반적인 견해이다. 그러나 최소한의 신뢰도를 보장 하기 위해서 분석 과정에 여러 가지 상황적 제한점과 고려해야 할 점을 명시해야 한다. 실행연구 결과를 특정한 상황을 이해하는 데 활용하고, 다른 유사한 상 황에 적용하는 수준에서는 적절하게 활용할 수 있다.

2) 질적 자료 관리하기

실행연구에서 쟁점이 되는 두 번째 요소는 바로 질적 자료를 관리하는 방법과 관련이 있다. 양적 자료가 중요하지 않다는 것은 아니다. 그러나 양적 자료는 연구 결과를 관리하고 그것을 분석하는 과정이 질적 자료에 비해 상당히 간편하다는 장점이 있다. 연구자들이 통계에 익숙하다면, 직접 프로그램을 활용해도 좋고, 아니면 통계처리 업체에 의뢰한다면 설문조사 척도, 혹은 통계조사에 대한 과학적이고도 자세한 분석 결과를 얻을 수 있다. 그러나 질적 자료는 그렇지 못하다. 우선 질적 자료는 양적 자료에 비해 그 양에서부터 차이가 난다. 물론 대부분의 실행연구자들은 유명한 여러 연구들처럼 엄청난 수의 자료를 접하게 되지는 않을 것이다. 왜냐하면 대부분의 실행연구는 연구자가 자신의 현장에서 문제를 발견하고 해결책을 찾는 것이 목적이기 때문이다. 즉, 현장의 문제에 집중한 것이기 때문에 다른 대규모 연구처럼 많은 자료를 다루지는 않는다. 그렇다고 하더라도 실행연구에서 수집되는 질적 자료들을 연구자 혼자 전부 읽고 다루는 것은 상당히 힘들고 어려운 과정임에 틀림없다. 따라서 질적 자료를 어떻게 관리할 것인가에 대한 실행연구자의 철학을 가져야 한다.

질적 자료를 분석할 때 중요하게 생각해야 하는 개념은 바로 범주이다. 범주는 원 자료들, 혹은 하위 범주를 포괄하고 대표하는 개념을 뜻한다. 자료를 분석한 결과는 범주로 나타낼 수 있는 것이다. 따라서 대부분의 분석은 범주를 만드는 과정을 포함한다. 범주는 양적 연구, 질적 연구에서 모두 중요한 것이지만, 특히 질적 자료를 분석할 때 범주를 잘 만드는 것이 중요하다. 범주를 만드는 한 가지 쉬운 방법은 자료들을 공통된 속성에 따라 분류하는 것이다. 연구자들은 여러 자료들을 읽고 공통적인 요소를 갖는 것들끼리 모아 두었다가 그 특징을 범주로 나타내면 된다. 범주를 잘 만들어 놓으면 질적 자료들을 자연스럽게 체계적으로 분류할 수 있게 된다. 나중에는 범주를 고치거나 서로 조정하는 것만으로도 자료 전체를 쉽게 관리하는 효과를 얻게 되는 것이다. 범주는 연구의 주요한 질문과 관련이 있어야 한다. 범주는 고정된 것이 아니라는 것을 명심해야 한다. 범주는 연구가 진행되면서 추가될 수 있고, 삭제되거나 다른 범주와 합쳐질 수도 있다. 이러한 범주는 연구 결과와 상당히 밀접한 관련이 있기 때문에 범주를 수정할 때는 신중하게 접근해야 한다. 중요한 것은 여전히 자료의 신뢰성에 초점을 맞추어야 한다는 것이다. 질적 자료를 효율적으로 관리할 수 있는 또 다른 방법은 자료 분석을 최대한 빨리 시작하는 것이다. 양적 자료와 달리 질적 자료의 분석에서는 자료가 다 모이기를 기다리면 늦다. 자료를 수집하는 대로 분석을 실시하는 것이 좋다.

3) 자료로 말하기

자료로 말한다는 문장의 의미는 연구의 결과가 자료에서부터 나와야 한다는 것을 뜻한다. 즉, 이 문제는 근거 이론과 관련이 있다. 근거 이론과 실행연구는 상당히 밀접한 관련이 있다. 특히 근거 이론은 실제 수집한 자료를 중요시하기 때문에 실행연구의 여러 철학들과 잘 들어맞는다.

또한 근거 이론에서 주장하는 가장 핵심적인 내용은 바로 연구의 출발점이 널리 알려진 이론에 있지 않고, 실제 수집한 자료에서 시작한다는 점이다. 물론 아주 유명한 이론에서 출발한다면 연구의 논리를 펼치는 데 훨씬 수월할 것이다. 그러나 학술적으로 유명한 이론들이 현실을 제대로 반영하지 못한다는 것이 근거 이론의 주장이다. 따라서 궁극적으로는 특별한 현상을 이론적으로 설명하고, 자료를 통해 이론을 생성하는 것이 근거 이론의 목표가 된다.

근거 이론에서는 '이론적 민감성'이라는 개념을 중요하게 생각한다. 이론적 민감성이란 자료를 보고 그 중에서 우리에게 의미 있는 것이 무엇인지를 포착하는 능력을 말한다. 같은 현상, 같은 자료를 보더라도 평범한 사람들은 그냥 넘어갈 수 있지만, 유능하고 민감한 연구자는 그 중에서도 무엇이 중요한지를 파악하여 연구 결과로 도출해 낼 수 있을 것이다. 즉, 이론적 민감성은 학자로서의 주요한 능력이 되어야 한다. 이론적 민감성은 자료를 수집하고, 자료에 대해 성찰하고, 자신의 경험과 비교하는 과정이 반복되면 길러질 수 있다. 이론적 민감성은 통찰력, 이해력, 직관 등과도 연관되는 용어이다.

자료로 말하기 위해서는 구체적인 코딩 기술에 관한 이해도 꼭 필요하다. 자료에 의미를 부여하는 작업이다. 코딩에 대해 간략히 설명하면, 구체적으로 개방적 코딩, 축 코딩, 선택적 코딩으로 나뉜다. 개방적 코딩은 분석할 자료들을 전부 읽고 그 현상에 각각의 이름을 붙이는 것으로서 앞에서 설명한 분류하기 과정과 유사하다. 자료를 면밀히 검토하고 각 자료에 속성을 부여하는 것을 말한다. 축 코딩은 연구자가 만들어진 범주를 보고 일정한 기준에 따라 범주를 정리하는 것을 말한다. 범주들은 원인과 결과, 자료의 맥락, 연구자의 객관적 판단, 연구의 흐름 등에 따라서 통합되거나 분리된다. 축 코딩에서 중요한 것은 모든 것은 잠정적인 것이며 새로운 사건이 나타날 때마다 언제든지 바뀔 수 있음을 명심하는 것이다. 마지막으로 선택적 코딩은 핵심적인 이론을 추출하는 과정이다. 여러 범주들을 통합하다 보면 가장 상위의 주제들이 떠오르게 된다. 초기 연구 질문들과 비교하여 의미 있는 결과들을 핵심 주제로 선정하는 것이 선택적 코딩이다. 핵심 주제는 실행연구자의 가설을 옹호하는 것일 수도 있고, 정면으로 반박하는 것일 수도 있다. 어느 경우라고 하더라도 문제될 것은 없다. 실행연구는 점진적 개선을 목적으로 두기 때문에, 이러한 결과가 나왔다는 것은 자료가 탄탄하다는 것을 증명하는 좋은 예시가 된다.

실행연구에서 근거 이론이 중요한 이유는 근거 이론이 실행과 이론을 결합시켜 주는 도구가 되기 때문이다. 즉, 근거 이론은 실행과 이론을 접목시키는 문제를 해결해 준다. 근거 이론은 우리가 수집한 자료와 실천에서 이론을 시작한다. 또한 위에서 잘 보았듯이 근거 이론은 자료 분석과도 밀접한 관련이 있다. 연구자가 직접 자료를 배열하고, 자료에서 반복적으로 언급되는 속성이나 중요한 메시지를 갖고 연구 결과를 계획하는 것이 근거 이론의 핵심이다. 근거 이론에서는 웬만하면 연구자의 자의적 판단이나 통찰과 같은 요소를 배제하려고 노력한다. 오로지 자료가 연구 결과를 설명하도록 유도하는 것이 실행연구에서의 근거 이론이다. 근거 이론을 활용하게 되면 연구 결과가 어떻게 생성되었는지에 대해 명확한 답변을 제공할 수 있다는 장점이 있다. 실행연구에서는 되도록 자료가 연구자의 주장을 대변할 수 있도록 하는 것이 중요하다.

근거 이론 이외에 귀납적 분석 이론도 자료 분석에서 자료의 중요성을 강조한다. 귀납적 분석이란 자료 속에서 무엇이 관찰되었는지를 조직함으로써 자료의 순서와 방향을 추론하는 방법을 의미한다. 이것은 자료를 수집하는 것부터 출발한다. 순환하는 개념, 주제, 혹은 드러난 패턴을 찾고, 범주에 저장하는 과정을 거친다. 이러한 목록은 나중에 수집되는 주제들에 의해 변경될 수 있는 유연함을 가져야 한다. 자료를 수집하는 동안 귀납적 분석을 실시하는 것도 좋다. 왜냐하면 분석 결과가 자료 수집의 방향을 알려 줄 수도 있기 때문이다.

참고문헌

이용숙(2007). 수업구조분석법과 실제학습시간분석법 재개발 연구. **열린교육연구, 15**(2), 21–49.

Beyer, B. K. (1988). *Developing a thinking skills program*. Boston: Allyn and Bacon.

Glaser, B. G. (1978). *Theoretical sensitivity*. Mill Valley: Sociology Press.

Humphrey, A. (2005). *SWOT Analysis for Management Consulting*. SRI Alumni Newsletter.

Johnson, A. (2002). *A Short guide to Action research*. Boston: Allyn-Bacon.

Stahl, R. J. (1985). *Cognitive information processes and processing within a uniprocess superstructure/microstructure framework: A practical information-based model*. Unpublished manuscript, Universiry of Arizona, Tuscon.

실행연구에서의 다양한 표현

1. 인용하기
2. 이야기 만들기
3. 자료 배치하기
4. 시각 자료로 바꾸기

여기서는 실행연구의 최종 결과이면서도 또 다른 연구 과정의 시작이라고 할 수 있는 자료의 표현에 대하여 설명할 것이다. 실행연구의 결과로 수많은 자료들이 생성되었고, 또 그것을 분석하는 과정을 통해 어떤 자료를 어디에서 활용할 것인지를 결정했을 것이다. 그러나 이것만 가지고는 좋은 논문을 만들었다고 말하기 힘들다. 즉, 실행연구에서 표현이라는 용어는 독자들이 연구의 결과를 이해하기 쉬워야 하고, 연구로부터 많은 것을 느끼도록 만들어야 한다는 사실을 함축하고 있다. 연구자는 자신의 연구를 어떻게 설명할 것인지를 적극적으로 고민하고 참신한 방법들을 계속해서 적용해야 한다.

그러한 점에서 우리는 주변의 연구들을 둘러볼 필요가 있다. 현재 다양한 표현에 관하여 가장 활발히 연구되고 있는 분야는 질적 연구이다. 특히 질적 연구 분야에서는 우리가 일반적으로 생각하는 글쓰기 방식을 벗어나 서술적, 시각적, 예술적 형태에 이르는 방법들이 널리 활용되고 있는 실정이다. 실행연구 역시 많은 자료들을 배열하고, 이 내용을 어떻게 전달할 것인지가 중요하다. 따라서 우리가 일반적으로 생각하는 다양한 방법들을 연구에 적용할 수 있다. 특히 자료를 직접 전달하는 것보다는 다양한 은유를 활용하여 독자들의 흥미와 관심을 증진시키는 과정이 중요하다고 하겠다. 실행연구는 자기 자신의 실천에 대한 이야기를 연구 질문으로 만들어 내는 경우가 대부분이다. 따라서 자신의 실행연구를 하나의 논문으로 만들고 발표하는 과정을 세련되게 만드는 것은 연구의 일반화, 타당화에도 기여한다고 할 수 있다.

즉, 실행연구를 표현하는 것은 수많은 원 자료와 분석된 자료를 효과적으로 배열하는 것을 말한다. 실행연구자들은 자신의 연구를 많은 사람들을 설득할 수 있도록 효과적으로 배치해야 한다. 그러한 점에서 실행연구는 상당히 창의적이고 끊임없는 개선의 과정이라고 말할 수 있다. 실행연구가 발전되어 오면서 연구의 목적과 결과를 효과적으로 전달하기 위하여 여러 분야에서 널리 활용되는 표현 방법이 차용되고 있다. 우리는 이 중에서 자신의 연구를 가장 잘 표현해 낼 수 있는 방법을 선택해야만 한다. 그러기 위해서는 우선 다양한 표현 방법들에 대해 잘 알고, 각각의 경우에 표현 방법들을 직접 적용해 봄으로써 실제적인 표

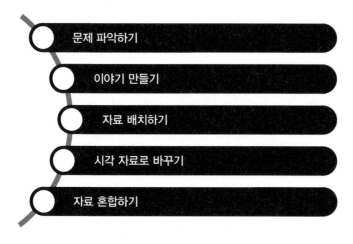

실행연구의 다양한 표현

현 기술을 익혀야 한다. 이 장에 제시되는 다양한 방식들을 잘 활용할 수 있도록 연습해 보자.

1. 인용하기

인용하기란 실행연구뿐만 아니라 거의 모든 연구에서 활용되는 가장 원초적이고 기본적인 연구 결과 표현 방법이다. 인용은 우리가 잘 알고 있듯이, 원 자료를 고치지 않고 연구 논문에 그대로 제시하는 것이다. 이것은 학자들의 이론을 제시하는 인용과는 다른 개념임을 이해해야 한다. 우리가 수집한 자료들 중에 자료의 본 모습 자체로도 충격을 전달할 수 있는 좋은 내용이 있다면, 그것을 굳이 다른 형태로 바꾸지 않고 그 모습 그대로 제시하는 것이다. 연구를 구구절절 설명하지 않더라도 한마디 말로 하고자 하는 의도를 잘 표현할 수 있는 방법이다. 인용되는 자료들은 대부분 연구 현장에서 연구자가 관찰했던 사실, 연구일지의 내용, 그리고 연구 참여자들과 했던 말과 같은 내용으로 구성되고 있다. 인용은 연구가 정말로 실시되었는가에 대한 훌륭한 해답이 될 수 있다. 연구를 접하는 독자 역시 실행연구의 효과가 어느 정도인지를 눈으로 직접 확인할 수 있게 된다. 인용되는 모든 자료들은 걸러지지 않고 제시되기 때문에 논문을 접하는 사람들이 그 순간을 상상해 볼 수 있도록 만들어 준다. 즉, 인용법은 연구에서 연구자가 도출한 주제나 연구 결과를 설명하는 가장 일반적이면서도 강력한 방법이다. 다만 주의할 점이 있는데, 연구 참여자의 말을 빌려 신뢰성을 부여받는 만큼, 원 자료에 관한 사항을 빠짐없이 모두 기록해야 한다. 날짜, 장소 등을 꼼꼼히 기록하여 자료의 신뢰성을 유지해야 할 것이다(Hendricks, 2013).

연구자: 하루 일과는 어떻게 되세요?

참여자1: 저는 6시에 일어나요. 그렇게 해도 씻고 밥 먹고 하다 보면 늦을 때가 많아요.

연구자: 6시면 너무 빠르지 않나요? 피곤하시겠어요.

참여자2: 그래도 밤새는 2팀보다는 훨씬 낫죠. 제일 안 좋은 게 밤에 일하고 낮에 자는 게 제일 괴로운 것 같아요.

연구자: 그렇게 해서 일은 8시간 정도 하시고요?

참여자1: 지금 계산해 봐요. 다섯 시 정도니까 맞네요.

참여자2: 아무리 시간이 비슷하다고 해도 우리는 좀 더 고려를 해주었으면 좋겠어요.

연구자: 듣고 보니 그런 것 같네요. 단순히 수량적으로만 생각하면 곤란하겠네요.

참여자2: 맞아요. 회사에서도 그냥 계약서 조건만 이야기를 하니 별로 나아지는 것이 없어요.

참여자1: 그 사람들이 3교대 근무를 안 해보니 힘든 걸 어떻게 알겠어요. 중요한 게 3교대 근무를 없애고 근로자들을 더 뽑아야 하는 데 그런 중요한 건 놔두고 단순히 근로자들의 만족도를 점검한다고 하니까 안 되는 거지요.

연구자: 그렇군요.

　위의 예시를 읽어 보면 결국 직장에서의 문제점을 드러내는 데 연구 참여자의 생생한 목소리가 가장 중요한 역할을 할 수 있다는 사실을 알 수 있을 것이다. 때로는 연구자가 여러 이론적 배경과 연구 방법에 근거하여 길게 주장을 펼치는 것보다 오히려 이러한 짧은 대화로 독자들을 설득시키기 쉬울 때가 있다. 물론 여기서 주의해야 할 점은 자료의 신뢰성이 될 것이다. 추가로 면담 일시와 자세한 세부내용을 제시해야 한다. 또한 연구 참여자의 말이 단순한 의견 표시나 의미 없는 주장이 아니라는 점도 증명해야 한다. 즉, 연구 참여자의 주장과 관련된 학자들의 의견이나 이론으로 그들의 말을 뒷받침해 주어야 한다.

　오늘은 쉬는 시간에 그 환자에 관한 이야기가 나왔다. 몇몇 사람들은 그 환자가 너무 까다롭다는 말을 꺼냈다. 그 점에 나도 적극적으로 동의를 했다. 그 환자가 나의 기억에 남아 있는 까닭은 다른 환자들이 하지 않는 독특한 행동을 보이기 때문이다. 간호사들의 의견을 종합해 보면 우선 그 환자는 다른 보통 환자들처럼 진료 순서를 기다려 주지 않는다. 자신의 방이 의사의 진료실과 가장 가깝다는 이유를 들어 무조건 의사가 순회 진료에서 자신을 먼저 진료해 줄 것을 요구하고 그것이 거부되면 굉장히 화를 낸다. 진료에 들어가서도 의사의 말은 거의 듣지 않는다. 오로지 자신이 어디가 아픈지

(계속)

를 구체적으로 설명하고 거기에 대한 합당한 치료 방법을 적극적으로 요구한다. 다들 그 환자가 왜 그러한 모습을 보여 주는지에 관해 한 마디씩 했다. 나의 관심은 자연스럽게 그 환자의 행동적 특성의 원인이 무엇인지로 옮겨 가고 있었다. 분명 원인이 있을 것이며 그 심리적 기제에서 행동이 발생할 것이라는 생각이 들었다. 그러는 도중에 한 간호사가 입을 열었다. 그녀는 그 환자와 몇 번 이야기를 나누어 본 경험을 이야기해 주었다. 환자의 가족 중 한 명이 의료사고로 숨졌다는 충격적인 사실이었다. 그제야 모든 의문이 해소되었다. 그 환자는 아직 나에게 그 이야기까지는 하지 않았었다. 내일부터는 그 환자의 가족 이야기를 들어 봐야겠다고 생각했다. 그동안 너무 그의 눈에 보이는 부분만을 궁금해했다는 생각이 들었다. 연구라고 하니까 나에게 거부감이 들어 깊은 이야기를 하지 않는 이유도 있을 것이라는 생각을 했다. 아마 환자의 가정적, 삶의 배경이 진료 태도에 영향을 주는 한 원인이 될 수 있을 것이다.

위 연구일지를 통째로 제시하게 되면 연구자가 어떤 연구 주제를 생성하게 되었는지에 대한 이유와 그 고민 과정을 적나라하게 드러낼 수 있어 좋다. 특히 연구일지는 연구자의 성찰과 개인적인 생각들을 자연스럽게 보여 줄 수 있는 도구이기 때문에 실행연구의 여러 특징들과 알맞다. 실행연구를 진행하면서 든 생각들, 그리고 실행연구의 중요한 포인트마다 연구일지를 통해 연구자의 생각을 독자들과 공유하고 그들을 설득할 수 있다.

2. 이야기 만들기

연구 결과를 표현할 때, 이야기를 만들어 제시할 수도 있다. 이러한 작업 역시 연구의 일부분이다. 이야기를 제시하는 것은 방금 설명했던 원 자료 제시와 본질적으로는 비슷한 측면이 있다. 그러나 가장 중요한 차이점이 있는데, 그것은 연구자가 원 자료를 가공하여 좀 더 효과적이고 재미있게 표현한다는 것이다. 딱딱한 주제, 심오한 내용이라도 이야기로 가공하게 되면 누구나 관심을 가지게 되며 쉽게 접근할 수 있게 된다는 장점이 있다. 이야기 만들기는 크게 두 가지 방향에서 설명할 수 있다.

이야기 만들기 방법의 첫 번째 방향은 일화기록법이다. 일화기록은 현장에서 일어났던 일을 재구성해서 제시하는 방법으로서 좀 더 실제적이고 생생한 측면

을 강조하는 것이다. 쉽게 생각하면 흥미진진한 드라마나 다큐멘터리를 떠올릴
수 있을 것이다. 이 방식은 상황을 있는 그대로 전달하는 것을 중요시하면서도
중요한 부분 또한 강조할 수 있다는 장점을 지니고 있다. 이처럼 일화기록은 이
야기 속에서 연구 참여자들의 생각, 행동, 목적을 드러내는 방법이다. 물론 연구
자의 생각이 실제를 왜곡해서는 안 될 것이다.

두 번째로 제시할 방법은 내러티브이다. 내러티브는 일화기록보다 좀 더 예술
적이며 문학적인 방법이다. 내러티브는 얼핏 보기에는 거의 연구 결과로 보이지
않기도 한다. 내러티브의 가장 대표적인 형태는 전기적 내러티브와 자전적 내러티
브가 있다. 전기적 내러티브는 연구자가 주인공의 주변에 위치하여 연구 주인공
의 삶을 기술하는 방법이다. 자전적 내러티브는 연구자가 직접 주인공이 되어 모
든 연구 과정과 결과를 자신의 목소리로 이야기하는 방법이다. 내러티브라는 용
어가 알려주듯이 자료의 표현은 거의 이야기 형식으로 제시되며, 연구자의 다양
한 문학적 지식이 활용되기도 한다. 글의 양식도 반드시 이야기로만 구성되는 것
이 아니라, 시, 소설, 수필, 희곡 등으로 나타나기도 한다. 실행연구의 과정은 그
자체로도 내러티브의 대상이다. 이처럼 내러티브 방법은 흥미진진한 이야기들을
통해 연구를 더욱 생생하고 충격적으로 전달할 수 있다는 장점을 지니고 있다.

연구 예시: 참여 관찰 이야기

직장을 마치자마자 곧장 두 시간 정도 차를 달려 경북 칠곡군 왜관읍으로 향했다. 요금을
아끼기 위해 국도로 갔는데, 생각보다 길이 너무 구불구불해서 약간 어지러웠다. 밤에 도착
하여 둘러본 왜관이라는 곳은 기차역이 있다는 것 말고는 내세울 곳이 없는 도시 같았다.
길은 넓지만 차가 거의 다니지 않았고, 높은 건물도 거의 없었다. 그러나 나의 시선을 끌었
던 것은 환하게 불이 켜져 있던 6층 건물이었다. 주변의 어두움과 비교되는 화려한 간판과
수많은 봉고차들이 보였다. 바로 이곳이 오늘 내가 가야 할 학원이었다. 상당히 놀란 마음
을 안고 들어선 학원은 철저히 현대적인 시설에 층별로 학년이 구별되어 있고, 별도의 공
간에는 거대한 교무실과 상담실이 미로처럼 얽혀 있었다. 카운터에서 학생들의 출석을 점
검하고 있던 직원을 발견했다. 조심스레 다가가 나를 소개하고, 사전에 이야기한 대로 부

(계속)

원장실이 어디인지를 물어보았다. "며칠 전에 부원장님과 약속을 했는데요." 직원은 내 이름을 듣더니 금방 아는 척을 해주었다. "잠시만 기다려 주세요." 곧이어 부원장님이 나와서 나와 간단히 인사를 하고는 오늘 내가 할 수 있는 여러 가지 활동들을 가르쳐 주셨다. "반갑습니다. 선생님. 오늘은 국어 선생님이 면담에 응해 주시겠다고 하시네요. 시간은 두 시간 정도 되겠네요. 그 분이 오늘 다른 학원에 수업이 있으셔서요. 그리고 수요일은 항상 전체 야간 자율학습이 있어요. 거기 가셔도 좋고, 수업은 고등학교 2학년 수학 수업을 보실수 있을 겁니다. 더 필요한 것 있으면 말씀해 주세요." 나는 감사의 인사를 전하고 준비해온 음료수를 건넸다. 잠시 뒤 국어 선생님이 오셨고 빈 자리에 앉아 간단한 면담이 시작되었다.

국어 선생님은 현재 세 군데의 학원에서 일을 하고 계셨다. 왜냐하면 국어 교과목의 특성상 학원 한 곳에서만 일하는 것이 수입이 부족했기 때문이다. 학원에 대해 잘 모르는 나로서는 잘 이해가 되지 않는 부분이었다. 국어 과목은 학교에서 제일 많이 가르치는 과목이 아니던가? 학교에도 국어 선생님이 제일 많지 않은가? "학원에 국어 선생님이 많아서 그런 건가요?" "아닙니다. 고등학교 1학년 수업은 저 혼자 하고 있어요." 오 이런, 이 큰 학원에 국어 선생님이 한 명이라니, 나는 더 이해가 되지 않았다. "왜 그런 거죠? 선생님 혼자서 어떻게 일하세요?" 국어 선생님은 상당히 친절하게 나의 질문에 답을 해 주었다. "그거야 학원에서 국어가 인기 없는 과목이니까요. 선생님도 아시다시피 여기는 단과잖아요. 주로 많이 듣는 게 수학이랑 영어에요. 국어까지 듣게 되면 시간도 모자라고, 돈도 많이 드니까요. 국어를 신청하는 학생들 수가 적어요." 그제야 나는 학원에서 국어 과목이 별로 중요하지 않다는 사실을 깨닫게 되었다. 이곳에서는 고등학교 1학년 학생들의 국어 수업 신청이 많아서 선생님이 오시게 되었고, 2학년과 3학년 수업은 그마저도 수요가 적어 폐강되었다. 한 시간 남짓 면담이 끝나고 국어 선생님은 차로 10분 거리에 위치한 다른 입시 전문 학원으로 수업을 하러 떠났다.

🔵 연구 예시: 한 여름 밤의 꿈(김영천 외, 2009)

등장인물

최 교사: 올해 한결고등학교에 전임 온 30대 초반의 여교사로 1학년 담임교사이자 영어교과를 맡고 있다. 또한 1학년 업무로 교육과정을 담당하고 있으며, 두 아이의 어머니이기도 하다.

이 교사: 한결고등학교에서 3년 동안 근무를 하고 있으며, 1학년 국어를 가르치며, 1학년 담임을 맡고 있다. 또한 30대 중반의 여교사로, 가정에서 한 아이의 어머니이다.

(계속)

제1막

제1장 3월 24일, 월요일 교무실 청소 시간

"라라라라 라라라라~~." 7교시 정규 수업을 끝맺는 종이 울린다. 교무실은 분주하다. 교과 담임교사에게 벌을 받는 학생, 전화를 거는 담임교사, 다음 시간 수업 준비를 하는 교사, 서류를 챙기는 교사, 개인 업무를 보고 있는 교사 등 시장통을 연상하게 한다. 담임교사들의 책상은 해당 업무와 관련된 서류, 기간 안에 제출해야 할 증빙 자료 그리고 오늘 해야 할 일, 가르쳐야 할 수업 내용들로 가득 차 있다.

최 교사와 이 교사가 교무실에 등장한다.

이마에 땀이 송골송골 맺혀 있다. 무언가에 쫓기는 모습이다. 최 교사와 이 교사는 각자의 자리에 앉는다. 서류에 밀려 책을 놓을 자리마저 없다.

최 교사: (힘든 듯이 의자에 털썩 앉는다.) 이 선생님, 오늘 수업 끝났나요?

이 교사: (힘없이 대답한다.) 아니요. (깊은 한숨을 쉰다.) 휴~, 정규 수업 끝났는데, 아직 보충 수업이 남아 있어요. 선생님은요?

최 교사: 저도 수업이 오후에 한 시간 더 있어요. (서류를 챙기며) 참, 오늘 내야 할 서류는 다 준비되었나요? 우리 반 학생은 두 녀석이 아직도 말썽이네요. 벌써 세 번은 말했는데 아직도…….

이 교사: (맞장구를 친다.) 저도 그래요. 말썽을 피우네요. 요즘 정신도 없는데. 교과 수업 준비도 힘들어 죽겠는데 행정부서에 제출해야 할 서류가 너무 많은 것 같아요. 학생들 건강기록부 관리, 학생 기초 조사, 저소득층 학생들 조사, 비상 연락망, 학습회 조직 등 해야 할 일이 너무 많은 것 같아요. 선생님은 다 하셨나요?

최 교사: (한숨을 쉰다.) 저도 아직요. (고개를 떨군다.) 힘이 들어요. 아직 학교에 적응하지도 못했는데 내야 할 서류 때문에 정작 교과 수업도 소홀히 해야 할 판이에요. 모든 애들이 제 맘대로 움직여 주는 것도 아니고 아이들도 다들 사정이 있잖아요.

이 교사: 그건 그래요. 3월은 너무 정신없이 지나가네요. 담임교사로 배정받은 지 얼마 되지도 않는데, 아이들 이름도 다 못 외웠는데, 하여튼 힘이 드네요. 수업은 수업대로, 보충 수업은 보충 수업대로 힘들고요. 그놈의 대학입시가 무언지, 참.

최 교사: (침통한 표정을 지으며) 그래도 이 선생님은 이 학교에 오래 계셔서 학교가 어떻게 돌아가는지는 잘 아시잖아요. 전 이 곳 생활이 낯선데다가 아직도 하루가 어떻게 지나가는지도 모를 지경이에요. 특히 부서별 업무 파악도 안 되는 상황에서 교육과정 업무를 맡아서 뭘 어떻게 해야 할지 잘 모르겠어요. 교육과정 연수도 없고 그렇다고 누가 가르쳐 주는 것도 아니고 교육계획서나 관련 문서를 봐도 감

(계속)

이 잘 잡히지도 않아요. 집에 가면 걱정은 걱정대로 태산이고 몸은 파김치가 되어 있어요. 아이나 남편이 옆에 있는 것도 이젠 위안이기보다는 귀찮기만 해요.

이 교사: 저도 마찬가지에요. 요즘 학교가 너무 빠르게 변해서 적응이 쉽지 않은 것 같아요. 요즘 젊은 선생님들은 참 잘하는 데, 저는 쉽지가 않네요. 남편 뒷바라지에 애들도 봐주는 사람도 없고, 특히 작년에 했던 내용이 낯설기만 하니 힘들어요. 하여튼 학교생활이 너무 변화가 심한 것 같아요. 최 선생님! 오히려 선생님처럼 학교생활을 잘 모르는 것이 나을지도 몰라요. 하루가 다르게 변해서 요즘은 내라는 서류도 많고 세워야 할 계획은 왜 그리 많은지, 업무를 간소화시킨다고 하지만 해야 할 일은 점점 많아지는 것 같아요. 말이 전산화시스템이지 전자 서류로 대치해도 될 일을 옛날처럼 보조문서만 잔뜩 갖추기나 하고 오히려 준비해야 할 서류는 점점 늘어만 가니……

최 교사: (걱정스런 어투로) 네. (화들짝 놀란다.) 참 청소 지도 하러 가야죠. 요즘 애들은 쓰레기를 무슨 장식품 정도로 생각하니. 가시죠.

이 교사: (의자에서 일어나며) 그러게요.

(최 교사와 이 교사 힘없이 일어서며, 각자의 교실로 퇴장한다.)

3. 자료 배치하기

단순히 자료를 어떻게 배치하는지만 갖고도 연구를 특별하게 만들 수 있다. 대부분의 연구에서는 자료를 배치하는 방식이 선형적이며 단순하고 명료하다. 우리가 일반적으로 생각할 수 있는 자료 배열 방식은 위에서 아래로, 과거에서 현재로, 왼쪽에서 오른쪽으로 이어진다고 생각할 수 있을 것이다. 그러나 실행연구의 다양한 표현에서는 이러한 자료 배치 방법조차도 연구자가 고민하고 새로운 방법을 고안해 볼 것을 권한다. 여기에서 다양한 자료 배치 방법에 대해 제시하고자 한다. 참신한 연구들은 단순히 자료를 자유롭게 배치하는 것을 넘어서서 연구 논문의 공간에 대해 다시 생각하게 만드는 의미 있는 작업을 제시하기도 한다(Adelman, 1997).

2014. 5. 22. 학생의 일기

오늘은 아침부터 되는 일이 없었다. 어제 일찍 일어나려고 미리 잠들었는데, 이상하게도 어제 맞춰 둔 알람이 작동하지 않았나 보다. 엄마부터 나까지 모두 늦잠을 자버렸다. 나는 너무나도 당황하고 말았다. 왜냐하면 지각을 하지 않기로 선생님과 친구들과 약속했기 때문이다. 몇 달 동안 내가 게을러서 선생님한테 몇 번이고 야단을 듣곤 했다. 그런데 저번 주부터는 지각과 관련된 약속을 하고 말았다. 내가 한 달 동안 꾸준히 지각을 하지 않으면 우리 반 전체 파티를 개최하기로 한 것이다. 그 때는 모든 친구들이 나를 응원하기도 하고, 일찍 일어나는 것이 별로 어렵지 않을 것 같아서 선뜻 응했다. 그리고 은근히 영웅이 된 것 같아 뿌듯했다. 그런데 오늘처럼 늦게 일어나버리고 나니 앞이 깜깜했다. 그날 그 자리에서 하루라도 지각을 하면 일 년 내내 화장실 청소를 한다고 선언했기 때문이다. 그 때문에 눈을 뜨자마자 밥을 먹지 않고 가방만 챙겨 학교로 뛰어갔다.

교실 안에는 선생님이 계시지 않았다. 나는 정말 투명인간처럼 기어서 내 자리로 가서 앉았다. 다행히도 친구들은 나한테 말을 걸지 않았다. 나는 속으로 기도를 했다. 제발 오늘이 무사히 지나갔으면 싶었다. 내일부터는 무조건 30분 일찍 학교에 올 것이다. 선생님이 들어왔다. 나는 갑자기 숨이 쉬어지지 않을 정도로 긴장을 했다. 얼굴도 빨개졌다. 선생님이 내 모든 것을 알고 있으면 어떡하나. 나는 망신을 당할까봐 조마조마했다.

2014. 5. 22. 교사의 일지

오늘은 재민이가 약속을 한 지 6일째 되는 날이다. 아이가 3일 정도 지키다가 말겠지 하는 심정으로 약속을 했는데, 생각보다 잘 지켜서 놀랐다. 작년 담임 선생님에게 들었던 사실과는 조금 다른 것 같다. 재민이는 학교생활에 상당한 불만을 느끼고 있는 것 같아 보였지만, 몇 달간 관찰해 보니 재민이의 문제는 학교에서의 모습보다는 가정에서의 모습이 더 중요해 보였다. 그 동안 계속해서 상담을 하다 보니 재민이는 아침에 혼자 일어나서 밥을 먹고 오는 듯 했다. 다 큰 성인도 아침에 일어나서 준비하는 것이 힘든데, 재민이 입장에서는 학교 시간을 지켜서 모든 준비를 하는 것이 상당히 버겁게 느껴지지 않을까 생각했다.

출근을 해보니 아직 재민이는 오지 않았고, 몇몇 아이들이 아마 오늘 지각을 할 것 같다는 이야기를 해주었다. 제때 탔어야 할 버스를 타지 않았다는 것이다. 나는 잠시 고민했다. 아마 재민이가 늦는다면 그것은 약속을 지키지 않거나 게을러서가 아니라, 아마 아침에 보살핌을 받지 못해서였을 것이기 때문이다. 나는 아이들 앞에서 재민이에게 아무 말도 하지 말 것을 당부했다. 이 문제는 단순히 처벌하거나 보상하는 방법으로는 해결하는 것이 힘들겠다는 생각을 했다. 학생들에게 적절한 시기에 적절한 보살핌이 제공되어야 할 것이라는 생각이 들었다. 그것이 결핍된 아이는 여러 정신적, 육체적 발달의 과정에서 어려움을 겪게 될 것이며, 실제 재민이는 그러한 어려움을 받고 있다.

참정권   SEX

차별

GENDER

민주주의   가사노동

차이   유리천장

페미니즘에 대해 조사한 뒤, 다음과 같은 주제어들을 추출해 낼 수 있었다. 각각의 용어들은 페미니즘과 세상 간의 대화이기도 하고, 페미니즘 간의 논쟁을 일으키기도 한다. 나의 생각을 어떻게 이야기할지에 대해 고민해 보았다. 각각의 단어들에 번호를 붙여 이 용어들을 그저 순서대로 나열하기만 해서는 나의 생각을 적절히 드러내기 힘들겠다는 판단을 했다.

그 순간 나는 하나의 사회를 상상한다. 그 속에서 많은 이야기들이 나왔고, 여성들 역시 자신의 의견과 상상을 갖고 삶을 살아간다. 그러나 그들의 목소리는 밖으로 밀려나 버렸다. 밝은 사회 속에서 어두운 구석으로 밀려나 버렸다. 이러한 생각을 바탕으로 흰 공간에 다음과 같이 글자들을 흩뿌려 놓고, 옆에는 밝고 거대하지만 안이 보이지 않는 어떠한 장소를 만들어 보았다.

4. 시각 자료로 바꾸기

때로는 수많은 말보다 한 장의 사진이 큰 울림을 주는 경우가 있다. 이것은 우리 인간의 뇌가 시각적인 요소에 큰 영향을 받기 때문일 것이다. 무조건 글이 많다고 해서 많은 가르침을 주는 것은 아니다. 자료를 적정하게 조절하고 독자들에게 효과적으로 전달한다는 측면에서 시각 자료 제시 방법은 큰 도움이 될 수 있다. 특히 질적 연구에서는 자료의 비중이 상당히 높아지게 되는데, 자료를 무한정 제시하는 것은 연구의 효율성에 좋지 않은 영향을 끼친다. 연구를 도와주는 시각 자료에는 많은 종류가 있다. 이러한 자료들을 글과 적절히 섞어 흥미 있으면서도 의미 있는 내용을 담아낼 수 있다. 시각 자료에는 크게 다섯 가지의 종류가 있는데, 다음의 도식으로 쉽게 이해할 수 있을 것이다.

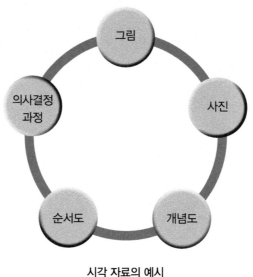

시각 자료의 예시

    사실 이와 같은 구분은 한시적인 것이며, 연구자들 나름대로 다양한 시각 자료들을 활용할 수 있다는 것을 염두에 두어야 한다. 우리는 시각 자료를 통해 굳이 장황한 설명을 듣지 않고도 내용을 쉽게 이해할 수 있다. 연구를 이해하기 쉽다는 뜻은 좀 더 많은 다른 연구자들에게 자신의 연구를 알릴 수 있다는 뜻이기도 하다. 이처럼 시각 자료는 다양한 자료 수집과 분석 과정을 통하여 나타난 연구 결과를 재구성하여 실행연구의 이미지를 나타내고, 연구 참여자들의 행위나 활동의 특징을 명확하게 드러내는 데 효과적이다. 중요한 것은 시각 자료가 오해를 불러일으켜서는 안 된다는 점이다. 연구자의 의도와 달리 독자가 연구 결과를 잘못 받아들이게 되면 연구 자체에 대한 불신으로 이어질 수 있다(Hendricks, 2013).

교실 공간을 묘사하는 것은 생각보다 어렵다. 대부분의 사람들은 학교 교실을 떠난 지 오랜 시간이 지나 있는 상태이기 때문에 교실의 여러 정보들을 글로만 제시하는 것은 추상적으로 다가올 수밖에 없다. 이 경우에 연구자들은 자신들이 관찰하고 기록한 교실의 모습을 도식화하여 간단한 그림으로 보여 줄 수 있다. 그림을 통해 독자들은 학생들이 어떤 자세로 수업을 듣는지, 그리고 내가 만일 학생들이라면 수업에서 어떠한 경험을 하게 될 것인지를 감 잡을 수 있게 된다.

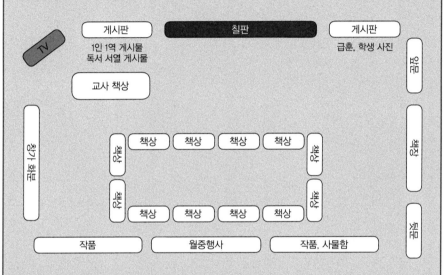

그림을 제시할 때에는 교실의 모든 요소를 전부 집어넣으려고 해서는 안 된다. 그림은 연구의 결과로 제시하고자 하는 중요한 점을 핵심적으로 제시해야 한다. 그림을 통해서 무엇을 이야기하려고 하는지를 한눈에 알 수 있어야 한다.

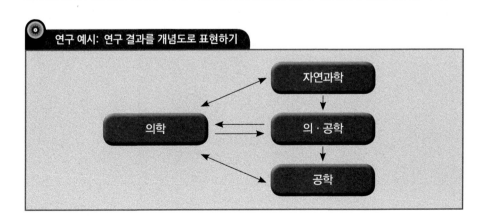

이 과정은 수학의 알고리즘 제작 과정과 유사하다. 의사결정 과정에서는 어떻게 이러한 결론, 혹은 수행 방안이 도출되었는지를 밝히는 것이 가장 중요하다. 따라서 논의의 시작점부터 마칠 때까지 체계적인 과정을 제시하는 것을 목표로 한다. 의사결정 과정을 도출할 때 활용되는 알고리즘 도식의 예는 다음과 같다.

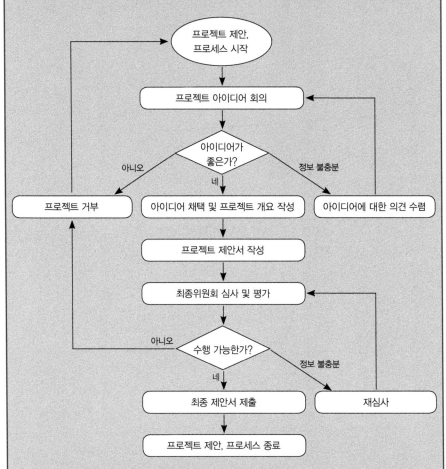

이것은 일반적으로 활용되는 도식이며, 연구자가 연구에 맞게 임의로 제작하여 활용해도 좋다. 중요한 것은 자료를 접하는 독자들이 각 과정이 어떠한 특징을 갖고 있는지, 그리고 의사결정 과정의 흐름이 어떠한지를 알 수 있도록 해야 한다는 사실이다. 이러한 도식을 제시했을 때 글로 길게 설명하는 것보다 독자들을 더 쉽고 강력하게 설득할 수 있게 된다.

질적 연구 방법	양적 연구 방법
심층 면담 실시 (총 10회, 12시간)	설문조사 실시 (총 2회)
기록 (관찰일지, 녹음)	자료 입력 (SPSS)
전자 자료 생성	통계 분석 및 집단 간 차이 분석
면담 내용 분류 (코딩 및 범주화)	결과 논의 및 신뢰도 검증
주제별 매트릭스 분석	

설문조사는 성별 층화 무작위 추출 방법을 통해서 추출된 만 20세 이상 남녀 1,000명을 대상으로 실시되었다. 시기는 2015년 5월 1일부터 14일까지 총 2주였으며, 구체적인 조사 방법은 전문 기관에서 실시하는 전화면접이었다. 설문조사를 실시하기 전 설문지를 만들기 위해 프로젝트와 관련된 국내·외 문헌 및 설문지를 참고했으며, 크게 2회의 설문조사로 나누어 설문지를 수정하는 작업을 거쳤다. 설문조사 응답자를 분석한 결과는 다음과 같다. 참여자 중 남자는 45%, 여자는 55%였다. 응답자 중에서 많이 응답한 순서대로 직종을 제시하면, 가정주부(27%), 자영업자(25%), 사무직(21%), 전문직(19%), 관리직(8%)으로 나타났다. 학력으로 분류하면 대학졸업자가 전체 응답자의 51%로 가장 많았다. 연령은 전 연령 고르게 분포되었다.

전문 기관에서의 설문조사 결과를 제공받고 나서 설문조사 자료의 분석은 통계 패키지 SPSS 12.0을 사용했다. 분석 절차는 일반적인 양적 자료 분석의 절차와 유사했다. 각 응답의 빈도와 백분율을 구하고, 필요에 따라 chi-square 검정이나 ANOVA 분석 등을 이용하여 하부집단 간 차이의 통계적 유의성을 검토했다.

한편, 심층 면담은 2015년 4월 7일부터 6월 29일까지 진행되었으며, 총 참여 인원은 17명이었다. 참가자들은 3개의 그룹에 분류되었으며 그 기준은 연구자들이 직접 설정했다. 가장 큰 분류 기준으로 사회/경제적 배경을 활용했다. 즉, 그룹 내에서 다양한 의견이 형성될 수 있도록 참여자를 선정하는 유의적 표본 추출 방식을 적용했다. 추가적으로 이 연구

(계속)

에서는 지역 보건 정책에 대한 주민 의견 형성에서 지역 차이가 중요한 변수라고 판단하여 최대한 동일한 지역끼리 묶어 조사를 진행했다.

심층 면담에서의 주요 질문 내용과 질문 순서 등은 문헌 조사와 전문가 자문 및 연구진 회의를 거쳐 확정했다. 면담은 약 2시간에 걸쳐 진행되었으며 연구자들이 직접 면담하고 자료를 수집했다. 면담이 끝나면 그 날 즉시 전사를 실시하고 연구자들이 모여 다음 심층 면담에서 활용할 질문과 주요 내용들을 추출했다. 이러한 논의 결과는 다음 면담의 질문 내용을 만들어 내거나 진행을 조정하는 데 적용되었다. 전체 과정은 녹음기에 MP3 파일로 저장되었으며 전사를 실시하고 나서도 다른 연구자가 그 내용이 맞는지 확인하는 과정이 포함되었다.

질적 자료 분석은 질적 자료 분석 과정을 적용하여 자료 수집과 코딩, 분석 과정이 거의 동시에 이루어졌다. 1차 분석은 앞에서 제시한 연구 문제를 중심으로 녹취된 토의 내용을 대략적으로 분류하며 주요 주제어를 발견하고 이를 코딩하는 방식으로 이루어졌다. 2차 분석에서는 코딩된 주제어를 대주제, 중주제, 소주제로 범주를 분류했고, 각각의 주제어를 중심으로 의견 표명의 강도와 반복 횟수, 각 개인의 의견 변화, 집단 간의 일치도와 차이 등으로 구분하여 분석했다. 3차 분석에서는 매트릭스 분석 방식을 적용하여 앞선 분석에서 발견된 주제어와 이를 포함하는 인용문들을 표로 정리하여 각 주제어를 한눈에 보기 쉽게 배열했다. 이 과정에서 모든 연구자들이 참여하여 주제를 배열하는 데 의견을 제시했으며, 모든 연구 과정은 연구 문제의 의도에 맞추어 진행되었다. 분류되지 않은 주제들은 최소 세 번의 회의를 거쳐 배열하고, 그래도 맞추어지지 않으면 배제했다. 그 내용들은 부록에 제시했다.

참고문헌

강민아 · 손주연 · 김희정(2007). 통합 연구 방법 적용 가능성에 대한 탐색 연구: 지역 보건 정책 결정
을 위한 주민 의견 조사에 설문조사와 포커스 그룹 방법의 통합적 적용. **한국행정학보, 41**(4),
415–437.

김경희(2012). **초등학교 2학년 교육과정 재구성 실행연구**. 진주교육대학교 석사학위 논문.

김영천 · 김경식 · 이현철(2011). 교육연구에서의 통합연구 방법(Mixed Research Methods): 개념과
시사점. **초등교육연구, 24**(1), 305–328.

이지수(2014). **만 5세반 교사의 Work Sampling System 활용 포트폴리오 평가 실행연구**. 덕성여자대
학교 박사학위 논문.

황철형(2013). **초등학교 다문화아동의 학업성취 향상을 위한 참여적 실행연구**. 진주교육대학교 석사
학위 논문.

Adelman, C. (1997). Action Research: The problem of participation. In McTaggart, R. (Ed).
Participatory action research. New York: State University of New York Press.

Hendricks, C. (2013). *Improving Schools Through Action Research: A Reflective Practice Approach*.
New York: Pearson.

Holm, G. (2008). Photography as a Performance. *Qualitative Social Research, 9*(2), Art. 38, http://
nbn–resolving.de/urn:nbn:de:0114–fqs0802380.

찾아보기

저자 약력

박창민

한국교원대학교 박사과정

진주교육대학교 교육대학원 강사

진주교육대학교 강사

현) 경상남도교육청 소속 초등교사

저서

실행연구와 박물관 교육, 한국 다문화아동 가르치기 외

연구관심분야

교사 전문성 강화(실행연구, 자기연구 등), 다문화교육, 문화다양성 교육

조재성

진주교육대학교 석사

한양대학교 박사과정

현) 경상남도교육청 소속 초등교사

연구관심분야

대안적 교육평가, 교육과정의 재개념화, 탈식민주의, 질적연구방법론

실행연구
이론과 방법

발행일 2016년 9월 21일 초판 발행 | **저자** 박창민, 조재성 | **발행인** 홍진기 | **발행처** 아카데미프레스
주소 413-756 경기도 파주시 문발동 출판정보산업단지 507-9
전화 031-947-7389 | **팩스** 031-947-7698 | **이메일** info@academypress.co.kr
웹사이트 www.academypress.co.kr | **출판등록** 2003. 6. 18 제406-2011-000131호

ISBN 978-89-97544-92-9 93370

값 18,000원

_ 저자와의 합의하에 인지첨부는 생략합니다.
_ 잘못된 책은 바꾸어 드립니다.